KB197918

한국 현대시
담론 읽기

김동근 지음

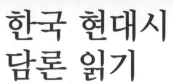

한국 현대시 담론 읽기

김동근 지음

오랜만에 단독 저서를 세상에 내놓는다. 그동안 공동 저서 집필에는 여러 차례 함께 했으나, 오롯이 나만의 글로 책 한 권을 채우기는 십수년만인 듯하다. 천분으로 타고 난 게으름 때문이기도 하고, 어쩌면 내 공부의 깊이에 대한 스스로의 부끄러움 때문이었을 것이다. 대학에서 연구하고 가르쳐온 지 30여 년을 넘어가고 있지만, 내게 문학은 아직도 까마득한 피안의 세계이다. 문학이란, 시란 무엇인가라는 가장 근원적인 질문조차도 지금껏 쉬 답을 내리지 못하는 고민거리로 남아 있다. 결국 내가 할 수 있는 일은 시인이 하는 말을, 시가 하는 말을, 거기에 내가 얹어야 하는 말을 담론화 하는 것뿐이었다. 이런 이유로 오래전 시에 대한 내 공부의 시작은 기호학과 담론 연구라는 방법론적 틀과 함께 비롯되었다. 근래 들어 내가 살고 있는 지역 시인들의 시세계나 지역문학사를 살피는 데에 나름의 애정을 쏟고 있지만, 그래도 시 텍스트를 접하는 연구자로서의 촉수는 여전히 기호학적 담론 읽기에 닿아있다. 이 책은 바로 그러한 흔적들 중 몇 편을 가려 뽑아 구성 체계에 맞도록 엮은 것이다.

제1부에는 '한국 현대시 담론의 의미 지향'이라는 큰 틀 아래 다섯 편의 논문을 배치하였다. 주로 우리 시문학사에서 펼쳐졌던 시론들이

담론으로서 어떤 의미를 지향하는지, 또 현대시에 내재한 시간과 공간 인식, 역사적 사건에 대한 체험 양상이 어떻게 시적 담론을 형성하는지, 나아가 이러한 요인들이 시 양식의 변화에 어떻게 작동하는지를 검토한 글들이다. 시도 한 시대 한 사회의 의사소통 방식과 주체성에 의해 축조된 담론 양식임은 분명한 사실이다. 그리고 근대적 속성의 변화와 세기의 전환은 시적 서정의 본질을 다시 생각하게 한다. 시 역시 자아와 세계의 관계망 속에서 산출되며, 언어기호에 의한 주체 표현의 양식이라는 점에서 나름의 담론 질서를 갖고 있기 때문이다. 여기에 든 다섯 편의 글에서는 바로 그 담론 질서가 어떻게 각각의 시론으로, 시 텍스트의 구조 원리로 의미화 하는지 살피고자 하였다.

　제2부에서는 시 텍스트에 대한 담론 읽기의 실제를 보이고자 하였다. 김동환의 「국경의 밤」에서는 시적 담론이 서사시로서의 장르 성질과 어떻게 관계하는지를, 김영랑의 시에서는 담론주체의 문제가 언술 특성으로 드러나는 양상을, 정지용의 시에서는 지배소인 공간체계가 어떻게 의미구조를 변이시키는지를 분석하였다. 또 이상의 시 「오감도」의 기호체계 분석을 통해 그 작시 논리를 해명하였고, 정지용 시와 이상 시를 불연속적 시간 특질을 중심으로 분석하여 그 텍스트성을 밝히

고자 했으며, 서정주 시의 '주체/타자' 기호체계를 분석하여 그 담론 원리와 시적 상상력의 근원이 무엇인지 논하였다. 사실, 기호학이 방법론으로서의 한계를 넘어서기 위해 해야 할 일은 문화와 문학의 관계를 담론체계와 상호 담론이라는 측면에서 재구성해보는 일이라 할 수 있을 것이다. 이 책의 작업은 거기에 한 발을 담그고 있을 뿐이다.

지난해에 광주광역시와 예총에서 주관하는 박용철문학상을 필자가 수상하는 행운이 있었고, 올해 그 후속으로 출판지원을 받아 이 책이 세상에 나오게 되었다. 학덕과 공덕 다 부족한 사람이 큰 상을 수상한 것만도 과분한데, 게으른 필자에게 오랜만에 결실까지 맺게 해주었으니 참으로 고마운 일이다. 특히 촉박한 출판 기일에 맞추려 노심초사하면서도 필자의 조바심을 먼저 헤아려준 도서출판 문학들의 송광룡 대표께 감사드린다.

2020년 11월 용봉골 서재에서

김동근

차례

책을 펴내며 · 04

제1부
**한국 현대시
담론의
의미 지향**

1920년대 한국 시론의 미적 지향성
– 전통미학과 상징미학을 중심으로

1. 머리말 · 12
2. 1920년대 시의 미학적 상호교섭 · 15
3. 미학적 전망과 근대시론의 전개 · 25
4. 맺음말 · 39

1930년대 시론과 시적 서정의 담론

1. 머리말 · 41
2. 1930년대 시론의 의미와 서정시 양식 · 43
3. 1930년대 시의 서정과 담론 양상 · 62
4. 맺음말 · 72

김수영 시론의 담론적 의미
– '참여시' 논의를 중심으로

1. 머리말 · 75
2. 순수참여논쟁과 김수영의 시적 지향 · 77
3. 이념과 의식의 합치로서의 '반시(反詩)' · 82
4. 예술성과 현실성의 육화(肉化)로서의 '온몸' · 88
5. 맺음말 · 94

한국 현대시의 '시간' 양상
- 역사·기억·변형의 시간의식을 중심으로

1. 문학적 표지와 시간적 표지 · 96
2. 과거 지향과 역사적 현재 · 100
3. 기억 작용과 시적 현재 · 108
4. 기대직관과 미래의 변형 · 114
5. 맺는 말 · 121

문학의 정치성, 그 시적 재현과 문화 소통
- 4·19와 5·18, 세월호 사건을 중심으로

1. 들어가며 · 124
2. 문학의 정치성과 문화 소통의 획일화 · 126
3. '문학정치'의 시적 재현과 소통 방식 · 132
4. 남는 문제 · 145

제2부
한국 현대시
담론 읽기의
실제

「국경의 밤」의 담론과 장르 상관성

1. 머리말 · 150
2. 통사구조의 단절과 장르 복합 · 154
3. 의미구조의 연쇄와 반 장르 · 167
4. 맺음말 · 176

永郞詩의 담론주체와 언술 특성

1. 머리말 · 178
2. 서정주체의 담론적 내면화 · 180
3. 시적 지배소와 언술 특성 · 187
4. 맺음말 · 200

정지용 시의 공간체계와 텍스트 의미

1. 머리말 · 202
2. 공간체계와 의미구조 · 204
3. 의미구조의 변이와 해석 지평 · 217
4. 맺음말 · 229

『오감도』의 작시 논리와 텍스트 의미

1. 머리말 · 231
2. '오감도'의 의미와 아나그램 기법 · 233
3. 기하학적 상상력과 '거울'모티프 · 240
4. '몸'과 '의식'의 대위(對位)구조 · 247
5. 맺음말 · 250

정지용 시와 이상 시의 對位的 텍스트성
– 불연속적 시간 특질을 중심으로

1. 머리말 · 252
2. 정지용 시의 시간 특질과 소격화 양상 · 254
3. 이상 시의 시간 특질과 불협화의 몽타주 · 266
4. 맺음말 · 277

서정주 시의 담론 원리와 상상력
– '주체/타자'의 기호체계를 중심으로

1. 머리말 · 279
2. 타자성의 기호와 담론 주체 · 281
3. 원죄의식과 은유적 담론체계 · 286
4. 설화모티프와 에포스적 상상력 · 294
5. 맺음말 · 302

제1부

한국 현대시 담론의 의미 지향

1920년대 한국 시론의 미적 지향성
– 전통미학과 상징미학을 중심으로

1. 머리말

우리의 근·현대시를 사적으로 논할 때 가장 먼저 부딪치는 문제가 근대문학의 기점에 관한 사항이다. 이는 국권 상실로 인해 우리의 역사가 자생적이고 자율적인 근대로의 전환 과정을 갖지 못한 데서 기인한 문제이다. 이러한 한국사회의 특수성은 17세기 이래 서구사회의 삶의 조건을 의미했던 '근대성' 개념을 보편적으로 적용할 수 없게 만든다. 따라서 근대의 기점에 관한 논의들[1]은 우리의 왜곡된 근대에 대한 파편적 접근일 수밖에 없고, 또 근대의 조건을 어떻게 상정하느냐에 따라 그 시기 설정도 각각 다를 수밖에 없었다. 그렇다면 한국 근대시에 그 형성논리를 제공하고 있는 1920년대의 시론은 어떤 근대적 조건에

---

1   백철, 『조선신문학사조사』, 수선사, 1948.
　　조연현, 『한국현대문학사』, 인간사, 1961.
　　김윤식·김현, 『한국문학사』, 민음사, 1973.
　　조동일, 『한국문학통사』, 지식산업사, 1982.
　　정한모, 「한국현대시 연구의 반성」, 『현대시』, 1984. 여름호.

기대어 있으며, 또 어떤 미적 지향성을 보이고 있는가? 이는 근대문학 기점론과 더불어 근대시로의 이행과정, 즉 한시로부터 국문시로의 이행이라는 장르론적 측면과 정형시로부터 자유시로의 이행이라는 형태론적 측면을 전제할 때 비로소 찾아질 것이다. 이러한 이행과정의 상호교차를 통해 전통지향성과 서구지향성, 또는 전통미학과 상징미학이라는 근대적 조건들이 서로 길항하고 있었음을 볼 수 있는 것이다.

우리의 근대시는 그 형성 초기부터 안팎으로 극심한 충격과 고뇌를 함께 지니면서 전개되어 왔다. 따라서 근대시 형성 단계에서 정치적·민족적 의식에 시인들이 자유롭지 못하였고 형상화에의 노력 역시 그만큼 뒤로 물러나지 않을 수 없었다. 이에 비해 1918년에 창간된 〈태서문예신보〉는 우리의 전통에 이질적 요소를 직접 담당하였다. 창간사에서 밝힌 대로 "태서의 유명한 소설·시조·산문·가곡·음악·예술·각본 등 일체의 문예에 관한 기사를 문학 대가의 붓으로 직접 본문으로부터 충실하게 번역하여 발행할 목적"[2]으로 간행된 이 잡지는 김억, 주요한, 황석우, 백대진 등이 프랑스 상징주의를 중심으로 외국시와 외국시이론을 번역 소개하는 데 기여하였다. 상징주의가 우리 근대시 형성에 끼친 영향성은 시를 시인의 개성적 정서의 산물로 인식하게 한 점과, 구스타브 칸이나 클로델이 추구하였던 자유시형의 개발을 가능케 한 점에 있다.

최초의 근대시이자 완성된 자유시로 평가되고 있는 김억의 「봄은 간다」와 주요한의 「불노리」가 탄생할 수 있었던 것은 이러한 상징주의가 그 동인으로 작용하였기 때문이다. 이들의 시는 집단의식의 표출이 아닌 개인적 정감을 시화했다는 점에서 개화기시가나 최남선의 신체시에서는 볼 수 없었던 개체의식과 근대적 서정성을 보여 준다. 또한 이들

---

2 〈태서문예신보〉 창간호, 1918. 9. 26.

에 의해 한국의 근대시는 '시론'이라는 객관적 조건을 지향하는 언어적 틀이 마련되었다고 할 수 있다.

> 이 시기에 근대시의 가장 특징적 현상인 자유시 형태의 완성이 이루어지게 되고, 그러한 시사적 의의를 김억, 주요한, 황석우 등이 담보하고 있으며, 아울러 이들은 한결같이 서구 상징주의 문예사조의 영향하에 있었다는 점 때문이다. 우리 근대시(현대시) 형성의 중요한 맥락은 자유시 양식의 도입과 그 토착화라는 것으로 정리될 수 있다. 따라서 이 시기는 바로 이러한 과정에 바쳐진 기간이라고 할 수 있을 것이며, 그 첫 현상은 상징주의의 수용으로 나타났다.[3]

1910년대 계몽문학에서 1920년대 소위 '자율성의 문학'으로 도약을 꾀하는 데 있어 결정적으로 영향을 미친 것이 상징주의의 도입이다. 이 과정에 핵심적으로 참여한 이들이 김억, 백대진, 황석우, 주요한이다. 그러나 이들이 처한 사회적 민족적 상황, 그리고 무엇보다 중요한 언어적 상황은 상징주의에 대한 오롯한 천착을 허락하지 않았다. 이들은 저마다 상징주의와 접속하면서 한편으로는 또 다른 지향점을 끊임없이 모색하였다. 그리고 그 지향점은 민족주의에서 자연주의까지 다채롭게 펼쳐졌다. 다양한 시적 관점과 접속해야 하는 시인들은 그 자체로 '아상블라주(assemblage)'가 되지 않으면 안 되었던 것이다.

본고는 이러한 상황에서 한국 근대시의 형성과 정립에 긍정적으로 작용한 시인들, 즉 김억, 주요한, 황석우 등의 지향성을 전통미학과 상징미학으로 조망하고 이들의 시론이 품고 있는 이면성과 다면성들이

---

3   김동근, 「한국 근대시의 상징주의적 성격」, 『한국언어문학』 제40집, 한국언어문학회, 1998, 368쪽.

상호 교섭하는 과정을 밝히고자 한다. 또 김소월의 낭만주의에서 백대진의 자연주의까지 동시대에 펼쳐진 시적 파노라마를 한국 근대시론의 형성논리라는 측면에서 재구성하고자 한다.

2. 1920년대 시의 미학적 상호교섭

1920년대 한국 근대시론의 형성논리로서 전통미학과 상징미학의 상호주관적 관계성을 살펴보는 데 단초를 제공하고 있는 글이 주요한의 「노래를 지으시려는 이에게(1)」이다. 1924년 10월 『조선문단』에 발표한 이 글에서 주요한은 상징주의를 그대로 수용, 소개하는 것이 아니라 나름대로 자신의 이론으로 발전시키고 있다. 주목할 점은 이 글이 '과거의 시가'와 '자유시'로 서정시를 나누어 살피고 있다는 점이다. 이 글의 논점을 정리해보면 다음과 같다.

① "과거의 시가"에서는 과거의 노래라는 형식으로 한시, 시조, 민요와 동요의 세 가지로 정의하며 그 중 민요와 동요가 예술적 가치가 가장 높은 것으로 평가한다.
② "신시의 선구"라는 항목에서는 서구 문물의 영향으로 신시가 생겨났으며 찬미가와 창가 일본 신체시를 모방한 신체시의 영향으로 한국 근대의 신시가 형성되었다고 하여 전통적인 장르인 한시, 시조, 민요와 다른 차원에서 형성된 것이라고 하여 신시의 기원을 서구 문물의 영향에서 비롯되었다고 신시의 기원을 설명하고 있다.
③ "자유시의 첫 작자"에서는 일본 동경에서의 요람을 발간한 김여제를 첫 작가로 이야기한다.

④ "창조와 밋 그 이후"에서는 『창조』에 실렸던 「불노리」를 비롯한 4편의 시에 대해 상징주의 영향을 받아서 창작되었음을 밝히고 있다.[4]

『창조』에 실린 「불노리」를 주요한은 스스로 상징주의시라고 칭한다. 그러나 주요한은 소위 '과거의 시가'라고 불리는 전통시가를 부정하는 입장을 취하고 있지 않다. 또 신시로 대별되는 자유시의 가치를 상대적으로 높다고 평가하는 것도 아니다. 주요한은 스스로 자유시 작가라는 것을 강조하면서도 이와 같은 균형을 유지하고 있었다. 그렇다면 주요한이 이렇게 균형적인 입장을 취했던 이유는 어디서 찾아지는가? 그 이유가 당시에 전통의 시와 신시가 서로 같은 무게로 마주하고 있었기 때문이라고는 보이지 않는다. 아이러니하게도 이때까지 전통시와 자유시는 명석 판명한 위상과 범주를 갖지 못했다. 마치 뜬구름과 같아서 아직 자신의 무게마저도 제대로 가늠할 수 없었기 때문에 서로는 경쟁상대거나 가치 평가의 대상이 아니라 자신의 존재를 입증할 수 있는 유일한 대위적 관계였다는 것이다. 이러한 비대립적인 마주봄은 우리 현대시가 다채로운 방향으로 전개할 수 있도록 하는 데 순기능으로 작용했을 것으로 판단한다.

1) 전통미학의 재발견

역사를 시간의 흐름에 따라 파악하는 시선은 '역사의 진보'를 믿는다. 따라서 '지금 현재'의 가장 큰 의미는 이전과 이후의 매개라고 잘라

---

4 박은미, 「일본 상징주의의 수용 양상 연구」, 『우리문학연구』 21집, 우리문학연구회, 2007, 352쪽.

말한다. 문학을 역사적인 관점으로 파악하면 전통미학은 이전의 것이 된다. 선적 시간관에 바탕을 둔 역사인식은 미적 근대성을 논하는 자리에서도 광범위하게 퍼져 있다. 즉, 우리 문학사에서 상징주의는 근대적 주체를 탐색하기 위한 하나의 디딤돌 역할을 하였으며, 또 1920년대 동인들을 가리켜 감각과 언어를 새롭게 실험하기 위한 일종의 실험실이었다고 평가하여 왔다. 그러나 역사의 매시기는 최선이거나 차선이지 경우의 수를 앞세운 '실험'일 수는 없다.

1920년대의 전통미학을 이야기 할 때 우리는 근대성 논의, 좀 더 명확하게는 미적 근대성 논의와 별개로 다루기 힘들다. 특히 문학비평 영역에서 다루는 근대성 혹은 미적 근대성이 매력적인 범주로 다가오는 이유는 그것이 자기 안에 너무나 많은 모순을 내재하고 있기 때문이다. 그것은 어떤 문학이념에 의해서도 결코 독점될 수 없다. 그래서 비평은 결코 정복하지 않을 것을 전제로 끊임없이 정복을 꿈꾸는 것이다.

1920년대 시조부흥운동으로 대표되는 전통서정시론 역시 이와 같은 관점에서 파악할 필요가 있다. 시조부흥운동이 전통서정시의 재건 내지 부활 논의를 이끌어 시조를 통해 새로운 근대문학의 가능성을 타진하고자 했다는 평가는 타당하다. 즉 전통서정시로써 근대성을 확보하려고 시도했던 것이다.[5] 그러나 자유시라는 내재율의 자유시형이 새로운 미적 형식으로 등장한 상황에서 시조의 굳어진 형식으로는 '새로움'으로 대변되는 근대성에 접근하는 것이 용이하지 않았다. 그리고 그 기획은 큰 성공을 거두지 못하였다.

형식적인 측면에서 전통과 새로움을 동시에 찾고자 한 이들이 주목한 것은 다름 아닌 '민요'이다. 민요를 통해 새로운 전통으로서 '格調'를

---

5   최승호, 「전통서정시론의 시대적 변천」, 『어문학』 제73집, 한국어문학회, 2001. 496쪽.

만들고자 했던 이가 김억이다. 김억이 민요에 주목하기까지는 '詩形'에 대한 남다른 탐색의 과정이 있었기 때문이다.

> 시에 음악이 들어오게 된 것은 말하면 여러가지 되겟지요, 音樂은 驚異의 藝術의 極致라는 말도 드럿습니다. 한데 朝鮮사람으로는 엇더한 音律이 가장 잘 表現된 것이겟나요, 朝鮮말로의 엇더한 詩形이 適當한 것을 몬져 살펴야 합니다. 一般으로 共通되는 呼吸과 鼓動은 엇더한 시형을 잡게 할가요. 아직까지 엇더한 詩形이 適合한 것을 發見치 못한 朝鮮詩文에는 著者個人의 主觀에 맛길 수밧게 업습니다.[6]

그는 "조선사람다운 시형" 곧 '조선시형'에 대한 필요성을 역설하고 있다. 그렇다고 개인적인 시풍을 모두 없애자는 것은 아니다. 조선 사람이면 '조선심'을 담아낼 수 있는 하나의 모범을 만들자는 것이다. 이를 위해 음악적인 측면을 강조했던 김억은 한때 상징주의에 경도되었을 뿐만 아니라, 이후에도 지속적으로 음악적 요소를 강조했다. 이것은 김억이 다시 민요를 통해 '격조시형'으로 나아가는 지점에서도 재차 확인할 수 있다.

> 시는 한 마디로 말하면 정조(情調)의 음악적 표백입니다. 그러기 때문에 시에는 이지의 분자가 잇어서는 아니될 것입니다. 이에는 역시 시라는 것은 사실적이 아니며, 刹那의 정조적인 까닭입니다. 시는 이론이 잇을 것이 아니고 단순한 비논리적인 순수한 진실성이 제일이

---

6 김억, 「詩形의 音律과 呼吸」, 〈태서문예신보〉 14호, 1919. 1. 13.

라고 생각합니다.[7]

　김억에게 시는 "정조의 음악적 표백"이다. 사실적인 이지와 논리는 표백되지 않는, 즉 오염된 것에 다름 아니다. 시에는 순수한 서정성이 담겨야 하고 그것이 음악적으로 표현되어야 함을 강조하고 있다. 이러한 시형과 음률에 대한 관심에서 김억은 한 번 번역한 작품을 여러 차례 손질하여 발표하였다. 그리고 점차 한자어를 줄이고 부드럽고 투명한 음향과 시적 리듬을 살리려는 흔적을 곳곳에서 발견할 수 있다.[8] 이런 점에서 그는 낭만주의자의 면모를 지녔다고 할 수 있다. 그러나 그는 여기에 머물지 않는다. 민요는 매우 뿌리 깊은 곳에서 울려나오면서 오랫동안 민족적 정서의 울림을 유발해 왔다. 그는 이를 통해 민족의 격조를 한 단계 높여줄 '격조시형'을 완성하는 데까지 나아가고자 했던 것이다.

　전통미학의 다른 측면에는 김소월이 자리하고 있다. 김억은 시적 정서를 민족이라는 거대한 주체의 정서로 확대하고자 했다. 김소월은 같은 자리에서 출발하지만 바깥으로 지향하는 대신에 그 지향점을 내부로 삼는다. 그에게 '詩魂'은 시편과 시의 영원을 잇는 일종의 통로와 같은 것이다.

　　우리는 적막한 가운데서 더욱 사무쳐 오는 환희를 경험하는 것이며, 고독의 안에서 더욱 보드라운 동정을 알 수 있는 것이며, 어두움의 거울에 비치어 와서야 비로소 우리에게 보이며, 삶을 좀 더 멀리

7　김억 역시집, 『잃어진 진주』, 평문관, 1924, 34쪽.
8　곽명숙, 「1920년대 초기시의 미적 초월성과 상징주의」, 『한국문화』 제40집, 서울대 규장각 한국학연구원, 2007, 107쪽

한, 죽음에 가까운 산마루에 서서야 비로소 삶의 아름다운 빨래한 옷
이 생명의 봄무덤에 나부끼는 것을 볼 수도 있습니다.[9]

시혼을 통과한 언어는 텍스트에 역설로 펼쳐진다. 이것은 현실의 언
어를 가지고 이해할 수 없는 것들이다. '적막과 환희'가 그렇고, '고독과
동정'이 그렇다. '죽음과 삶'이 그렇고 '생명의 봄무덤'에 와서는 이러한
아포리즘은 극에 달한다. 김소월만큼 시어를 쓰는데 있어 선택에 선택
을 거듭한 이도 드물 것이다.

그는 "우리에게는 우리의 몸보다도 맘보다도 더욱 우리에게 작자의
그림자 같이 가깝고 각자에게 있는 그림자 같이 반득한 각자의 영혼이
있습니다."라고 말한다. 사람들은 그림자는 볼 수 있지만 그 그림자처
럼 붙어 있는 영혼을 보지 못한다. 시인의 시야말로 영혼의 그림자이
며, 영혼 그 자체라고 김소월은 말한다. 그 영혼 자체인 한 편의 시는
형식이나 내용을 키워내는 것이 아니라 일종의 '언어의 자궁'과 같은
역할을 담당한다. 김소월 시의 자리는 형식과 내용을 모두 넘어서는 데
서 마련되었다. 그의 시에 드러난 민요조의 율격도 민족적 정서도 모두
새로운 말의 탄생 혹은 발견을 위해서는 부차적인 것들이라는 것이다.
이 지점에서 김소월의 새로운 전통미학이 탄생하고 있다.

2) 상징미학의 추수

1910년대 후반에서 1920년대에 걸쳐 한국의 시단은 서구에서 밀려
온 다양한 문예사조의 각축장이자 경연장이었다. 서구와 동시대성을

---

9 김소월, 「개벽」 제59호, 1925년 5월.

이루며 낭만주의보다 상징주의가 먼저 유입된 것은 이채롭다. 잘 알려져 있다시피 서구의 상징주의를 우리 문단에 소개하는 데 앞장섰던 이들이 김억, 백대진, 황석우 등이다.

> 1920년대 조선의 문학청년들이 프랑스 상징주의에 대해 그토록 열렬했던 것은, 우선 그들이 프랑스 상징주의 문학을 이해하는 전범으로 삼았던, 저 쿠리야가와 하쿠손의 『근대문학십강』에서 이미 상징주의가 문학적 근대성 바로 그 자체이고, 그러한 근대성을 몸소 실천한 것이 바로 유럽 문명의 중심인 프랑스의 작가들이라고 가르쳐 주었기 때문이다. 그리고 무엇보다도 그 무렵 조선의 문학청년들에게 부단한 '記錄的 暗示'를 주었던 '他家의 活動'으로서 일본의 문학계가 이미 상징주의를 통해 시적 글쓰기의 근대성을 선취하고자 했기 때문이다.[10]

위의 언급은 당시 우리 문단에 상징주의가 전파된 동기에 대한 설명이다. 이처럼 상징주의에 경도된 이들이 앞 다투어 상징주의 시를 번역하고 이론을 소개하였지만, 그러나 역설적으로 끝까지 상징주의를 견지한 이 또한 없다고 봐도 무방할 것이다. '시적 글쓰기의 근대성' 획득은 세계의 문화인들과 동등한 자격을 스스로가 부여할 수 있는 시금석과 같은 것이었다고 해도 과언이 아니다. 그런데 그들은 그 길을 가는 것을 잠시 미뤄둘 수밖에 없었다.

이들이 소개한 상징주의가 뿌리내리기에는 1920년대의 언어적 현

---

10 구인모, 「한국의 일본 상징주의 문학 번역과 그 수용 ―주요한과 황석우를 중심으로」, 『국제어문』 제45집, 국제어문학회, 2009, 110쪽.

실이 너무도 척박했다. 한국의 서정시가 근대적으로 변모하기 위해서는 '자유시'를 구가해야 했고, 상징주의가 뿌리를 내리기 위해서는 일정 정도 이상의 언어의 지층이 필요했다. 그러나 1900년대에 들어서야 조선의 공적 영역에서 국문 글쓰기가 시작되었던 까닭에, 당시 겨우 20년에 불과한 국문 글쓰기를 통해 쌓인 언어의 지층은 부박한 상태였던 것이다.

상징주의의 시적 실현은 현실적인 요구였다. 그러나 상징주의가 뿌리내릴 수 없는 언어적 현실은 눈앞에 맞닥뜨린 현실이었다. 그래서 시인들은 다양한 착종·혼종을 통해 다른 지향성을 모색하게 되었다. 특히 상징주의와 낭만주의의 착종과 혼종은 한국 서정시의 근대성 획득에 결정적인 역할을 하게 된다. 상징주의와 낭만주의 경향의 시가 자신의 이론을 뿌리로 삼아 독자적으로 만개하는 데는 저마다의 장애(결핍)를 가지고 있었다. 상징주의와 낭만주의는 공통적으로 원대상(원개념)을 텍스트에 드러내지 않고 시적 언어만을 제시한다. 낭만주의는 그 원대상을 주로 시원적 세계, 초월적 세계에 둔다. 반면 상징주의는 언어 안에 그 원대상을 품게 된다. 그러나 당시의 한국의 언어적 현실은 원대상을 품을 만큼의 품을 갖지 못했다는 것이다. 상징이라고 하는 것은 말이 아니라 쓰기를 통과한 글의 언어가 오랜 세월 동안 생멸을 거듭해 두텁게 쌓인 언어적 층위가 있어야 가능하다.

한국 전통시를 서구적인 의미에서 낭만주의시라고 하기는 힘들다. 한국 전통사회는 서구처럼 절대적인 권위를 지니면서 언어, 사유의 배경으로 자리한 기독교와 같은 초월적 세계를 가지고 있지 않다. 현실을 넘어서서 독자가 지향하는 낭만주의의 시선은 '숭고'한 것을 지향한다. 그러나 1920년대에 한국 현대시에 등장한 '님'을 서구적인 의미의 숭고의 대상이라고 하기는 무리가 따른다. 1930년대에 들어서 발견하게 된

숭고의 대상이 '민족'이었다. 정신세계를 지배하는 절대적인 신(神)도, 왕도, 아버지도 갖지 못한 1920년대 낭만주의 시는 거의 천편일률적으로 '님'을 노래하고 있다.

이 '님'은 초월적 존재라기보다는 상징성을 지닌 언어라고 할 수 있다. 그러나 '님'이라는 말과 접속이 가능한 언어를 다채롭게 품기에는 우리의 언어적 지층이 너무 일천했다. 낭만주의와 상징주의는 의도적으로 서로의 이면을 이루게 된 것이 아니다. 계몽문학을 벗어나 새로운 문학, 특히 새로운 서정시를 지향했던 시인들은 대부분 상징주의 이론에 경도되었다. 김억을 스승으로 두었던 김소월 역시 예외가 아니었다. 이처럼 상징주의 미학은 새로운 시에 대한 강력한 동기를 부여해 주었던 것이 사실이다. 그러나 현실적인 여건상 이것이 구체적인 문학 현상으로 드러나는 것은 시기상조였다. 따라서 시인들은 상징주의를 발판 삼아 다양한 접속을 시도한다.

한국 근대시론 형성논리로서의 상징미학을 살피기 위해서는 이들이 상징주의의 '상징'을 어떻게 규정하는지 검토할 필요가 있다. 김억은 주로 말라르메 등의 주장을 근거로 삼아 상징과 상징주의에 대해 다음과 같이 언급하고 있다.

> 상징에 대하야는 여러 말이 있습니다마는 현대의 의미에서 이를 보면 다른 것이 아니고 암시입니다. 말을 많이 하야 설명하랴고 하지 말고, 가장 적은 말로 엇던 사건을 암시하여라 하는 것이 그들의 주장입니다. 좀더 다른 사람들의 말을 가져다가 설명하면 다른 것이 아니고 눈에 보이는 세계와, 눈에 보이지 않는 세계와, 물질 세계와 영계, 유한과 무한의 세계를 상통시키는 사자가 씸볼이라고 합니다. 사람과 한우님과의 사이를 전달하는 것이라고 하여도 가튼 뜻입니다.[11]

"엇던 사건"은 하나의 언어적 사건이라고 할 수 있다. 이것을 가장 적은 말로 암시하는 것이 상징이라고 풀고 있다. 드러나지 않는 언어들의 자리를 채울 수 있는 말이 다채로울수록 상징의 효과는 크다고 할 수 있다. 김억은 여기에 그치지 않고 사람과 '한우님'의 사이를 전달하는 것도 '씸볼'이라고 말한다. 이것은 상징주의라기보다는 오히려 낭만적인 시선에 가깝다. 물론 이것이 '한우님'보다는 그 매개를 담당하는 인간의 언어에 좀 더 무게가 실린다는 점에서 기존의 낭만주의와는 구별되는 면이 없지 않다. 이에 앞서 김억은 「쓰핑크스의 고뇌」에서도 비슷한 설명을 한 바가 있다. 여기에서 스테판 말라르메의 언급을 직접 들고 있다.

> 물건을 가르쳐 분명히 이러이러하다함은 시미의 사분 일이나 업시 하는 것이다. 가끔씩 조곰식 추상하여 가는 데 비로소 시라는 진미가 생긴다. 암시라 함은 곳 환상이다.[12]

김억이 파악하기에 '상징'은 암시이며 환상이자 신비이기까지 하다. 그는 "만상은 신비 무한의 세계"라는 보들레르의 소네트 구절에도 큰 공감을 부여한다. 김억에게 상징은 신비로운 암시, 신비로운 환상에 다름 아니다. 상징은 언어라는 상상의 품에서 자유로움을 획득한다. 신비로움에 좀 더 주목하는 김억의 상징에 대한 견해는 그가 낭만성의 자장에 싸여 있음을 단적으로 보여준다.

---

11 안서, 「근대문예(8)」, 『개벽』 21호, 1922. 30쪽.
12 김억, 「스핑쓰의 고뇌」, 『폐허』 1호, 1920. 117쪽.

3. 미학적 전망과 근대시론의 전개

1) 새로운 전통으로서의 格調 : 안서 김억

상징주의에 대해 가장 적확하게 이해한 이는 김억으로 보인다. 김억
은 상징파 시의 특색에 대해 다음과 같이 언급한다.

> 상징파 시의 특색은 의미에 잇지 안이하고 언어에 잇다. 다시 말하
> 면 음악과 갓치 신경에 닷치는 음향의 자극 ─ 그것이 시가이다. 그러
> 기에 이 점에서는 '관능의 예술'이다. 찰라찰라에 자극되는, 감동되는
> 정조의 음률. 그 자신이 상징파의 시가이기 때문에 자연 '몽롱' 안이
> 될 수 없다.[13]

김억은 이후 타고르의 시를 번역하면서, 동양적인 전통에서 우리 서
정시의 원형 찾기에 나선 것으로 보인다. 그는 타고르의 시를 번역한
1922년 당시에도 상징주의 시의 자장 안에 있었다. 타고르의 시는 산
문시로, 예이츠도 지적하고 있듯이 종교적 초월성과 영성 그리고 신비
감이 내재된 작품들이며, 이는 프랑스 상징주의가 강조하는 음악성과
심령의 노래와 교차하는 지점이 있기 때문이다.[14]

상징주의자 김억이 소위 전통주의자로 변모하게 된 전환점에 해당
하는 것이 1925년에 발표한 시론인 「시작법7」이다. 여기에서 김억은
'서정시'라는 말을 버리고 '서정시가'라고 본격적으로 쓰기 시작한다.

---

13 위의 글.
14 김진희, 「1920년대 번역시와 근대서정시의 원형문제」, 『비평문학』 제42호, 비평문학회, 2011, 130쪽.

노래 즉 '가(歌)'에 대한 김억의 욕망이 단적으로 드러난 부분이다. 이러한 전도는 아더 시몬즈의 시집 『잃어버린 질주』를 번역 출간하면서 붙인 서문에서부터 확인할 수 있다.

> 율격의 제어가 약한 상징주의 시에서 율격의 제어가 강한 민요조의 시로 시에 대한 인식의 지향이 바뀌게 된다.[15]

김억의 노래는 영혼의 노래라기보다는 '육성'에서 울려나오는 노래이다. 그러므로 노래를 통해서도 시인의 개성을 충분히 드러낼 수 있다고 본 것이다.

> 노래는 화자의 육성이라는 점에서 시적 자아의 직접적 목소리를 상상하게 함으로써, 내면성을 강조하는 효과가 있다. 즉 화자가 노래하고 있는 상황을 그의 내면의 울림을 그대로 향유함으로써 시인과 독자의 일체감이 확보된다. 내면성의 확보가 근대시의 중요한 특성이었다면, 노래성은 그 내면성을 강조하는 기능을 할 수 있었을 것이다.[16]

위의 언급처럼 김억에게 있어서 '서정시가'는 "시적 자아의 직접적 목소리를 상상하게 함으로써, 내면성을 강조하는 효과"가 있다. 이때 화자의 내면성은 자신으로부터 비롯된 것이라기보다는 내면화된 타자의 내면성이다. 이것이 노래를 통해 독자에게 전해지고 독자가 일체감

---

15 아더 시몬즈, 김억 역, 『잃어버린 진주』 평문관, 1924.
16 위의 글, 142쪽.

을 느낄 때, 좀 더 큰 자아 즉 '민족'이라는 정체성을 획득할 수 있다고 김억은 본 것이다.

김억은 가장 조선적인 것을 담아낼 수 있는 '격조 높은 시형'을 갈구한다. 김억이 이루고자 했던 격조시형이 한시나 하이쿠 혹은 유럽의 소네트에 미치지 못한다 하더라도 우리 민족의 정신적인 지반이 되어줄 시형을 갈구했던 것만은 사실이다. 그런 점에서 그는 자신의 시보다는 민족의 시를 찾고 정립하는 것을 사명으로 삼았던 것으로 보인다. 따라서 '격조'에서 강조되는 것은 당연히 '민족'이다.

> 이러케 생각할때에, 나는 言語는 어떠한 것을 勿論하고 그 民族의 宿命이라는 感을 禁할 수가 업게 됩니다. 더욱 言語에 담긴 詩歌가 뿌리뽑혀진 꼿송이와가티 그 自身의 芳香의 生命을 일허버리고 詩想만으로 낫설은 言語의 옷을 입게 될 때에 이러한 생각이 깁허지는 것은, 아마 내 自身 하나뿐만이아니고, 적어도 詩歌를 사랑하는 人士에게는 다가튼 感이 잇슬줄 압니다.[17]

이 글은 김억의 후기 시론에 해당하는 「격조시형론소고」이다. 앞서 살폈듯이 「시형의 음률과 호흡」으로 대표되는 김억의 초기 시론은 상징주의 시론의 영향 하에 있었음에도 불구하고 한편으로는 우리만의 고유한 시와 시형에 초점을 두고 있었다. 이 글은 김억의 이러한 전통미학 지향성이 이 시기에 와서 '격조시형론'으로 구체화되었음을 보여주고 있는 것이다. 시의 언어는 조선인의 향토성이 담긴 신성한 고유어이어야 한다는 것, 그리고 조선인 고유의 호흡을 담은 새로운 시형에 근

---

17 김안서, 「격조시형론소고」, 1, 〈동아일보〉 1930. 1. 16.

간한 국민적 시가를 써야 한다는 것 등의 주장이 여기에 드러나 있다. 따라서 김억의 시적 인식은 민족 문학의 창출을 목표로 하는 것이었음을 알 수 있다. 김억의 격조시는 그러나 과거로의 회귀가 아니다. 그가 정형성을 강조한 것은 전통시가의 고정된 율격틀로 돌아가고자 한 시도가 아니었다는 것이다[18]. 새롭게 발견된 근대적 개념의 민족을 탄탄하게 떠받칠 수 있는 새로운 시가형을 그는 갈망했던 것이다.

2) 언어의 모태로서 詩魂의 전통 : 김소월의 경우

김억이 '님'을 통해 상실과 서러움의 감정을 노래함으로써 자신의 노래의 울림을 증폭하려고 한 반면에, 김소월의 경우에는 님의 부재를 끊임없이 일깨움으로써, 부재를 온전히 언어로 채워내고자 했다는 차이점이 있다. 김억의 경우 '님'이 나와 너를 넘어서 더 큰 우리로 확장하기를 바랐고, 소월은 가장 심연까지 '님'의 부재를 밀고 내려가고자 했다. 깊게 잠겨든 '님'을 텍스트에 표상하기 위해서 절대적으로 필요한 것이 바로 '역설의 언어'라는 전략이다.

상징주의의 자장 안에 있을 때이지만, 민족적인 시형을 모색하던 김억에게 김소월의 시적 대응은 불만족스러울 수밖에 없었다.

素月君의 詩. 「님의 노래」와 「녯이약이」(開闢 2월호)의 두 편은 문자로 표현된 것밧게 恍惚의 詩魂의 빗남이 업습니다. 말하자면 한 번 읽어버리면 아모러한 기억을 주지 못할 만한 詩입니다.

---

18 서진영. 「한국 근대시에 나타난 '격조론(格調論)'의 의미 연구―김억과 이병기를 중심으로」, 『한국현대문학연구』 제29집. 한국현대문학연구회, 2009. 301쪽.

〈중략〉

이 시들로 보아도 넘우도 물이 맑아서, 물밋의 모래까지 껴뚤너 보이는 깁피는 없는 詩입니다. 그러나 리듬과 기교는 어대까지든지 「詩」답음을 보여습니다.

「思欲絕」(開闢 5월호)의 5편시는 잃어버린 꿈을 차자 돌며, 하소연하는 舒精的 情緒와 곱은 리듬이 조화된 기교와 함끠, 얄밉게도 싸아진 곱은 시입니다, 마는 詩魂 그 自身이 내부적 깁피를 가지지 못한 것이 유감입니다.[19]

김억이 시를 평가할 때 주요한 기준으로 드는 것은 리듬과 무드였다. 그는 김소월의 시가 리듬에서는 시다움을 보여주고 있지만 무드(정서)의 측면에서는 그렇지 않다고 혹평에 가까운 평가를 내린다.[20] 그는 문학적인 측면에서 김소월의 시에 울림이 크지 않다는 점을 지적하고 있다. 즉 시가 드러내는 무드가 시인의 것에 그칠 뿐, 독자와 일치감을 형성하는 데까지 나아가지 못하고 있다는 점을 지적한다. 이러한 김억의 평가에 대해 김소월은 일 년여의 숙고를 거친다. 그리고 그 평가에 대한 반론의 성격이 강한 글을 발표한다. 김소월이 1925년 5월 『개벽』 59호에 발표한 「詩魂」에서 강조하고 있는 것은 영원성이 아니라 '영혼'이다.

우리에게는 우리의 몸보다도 맘보다도 더욱 우리에게 各自의 그림자가티 갓갑고 各自에게 잇는 그림자가티 반듯한 各自의 靈魂이 잇습

19 김안서, 「시단의 일년」, 『개벽』 42호, 1923. 12.
20 권유성, 「김소월 「詩魂」의 반(反)시론적 성격 연구」, 『국어국문학』 159, 국어국문학회, 2011. 215쪽.

니다. 가장 놉히 늣길 수도 잇고 가장 놉히 깨달을 수도 잇는 힘, 또는 가장 强하게 振動의 맑지게 울니어 오는, 反響과 共鳴을 恒常 니저버리지 안는 樂器, 이는 곧, 모든 물건이 가장 갓가히 빗치워 드러옴을 밧는 거울, 그것들이 모두 다 우리 各自의 靈魂의 標像이라면 標像일 것입니다.[21]

김소월은 '영혼'에 필요한 것은 "자신의 내부적 깊이"라고 말하는 스승의 언급을 에둘러 거부한다. 영혼은 "우리 몸보다 맘보다도 더욱 우리에게 각자의 그림자 같이 가깝고 각자에게 있는 그림자 같이" 각자의 것이다.[22] 따라서 우리가 품어야 할 것은 깊은 내면이 아니라 세상을 비추면서 동시에 이면에 맑은 영혼을 표상할 수 있는 '거울'과 같은 것이다. 그 거울은 현실에서 우리가 보는 것이 아니라, '영혼'과 시인이 동시에 마주보며 서로를 비출 수 있는 거울이다. 소월이 시어를 갈고 닦은 것은 곧 영혼의 거울을 갈고 닦은 것에 다름 아니다.

김소월 시의 기저에 자리하고 있는 것이 낭만성이라는 것에는 이견이 없을 것이다. 「詩魂」에도 낭만주의자로서의 면모가 여실히 드러난다.

우리는 寂寞한 가운데서 더욱 사뭇처 오는 歡喜를 經驗하는 것이며, 孤獨의 안에서 더욱 보드랍은 同情을 알 수 잇는 것이며, 다시 한번, 슬픔 가운데서야 보다 더 거룩한 善行을 늣길 수도 잇는 것이며, 어둠음의 거울에 빗치어 와서야 비로소 우리에게 보이며, 살음 좀 더

21 김소월, 「詩魂」, 「개벽」 59호, 1925. 5. 92쪽.
22 조두섭, 「김소월의 시론 「시혼」에 대하여」, 「인문과학연구」 제25집, 대구대학교 인문과학연구소, 2003. 51쪽.

멀리한, 죽음에 갓갑은 山마루에 섯서야 비로소 사름의 아름답은 빨내한 옷이 生命의 봄두던에 나붓기는 것을 볼 수도 잇습니다. 그럿습니다. 곧 이것입니다. 우리는 우리의 몸이나 맘으로는 日常에 보지도 못하며 늣기지도 못하든 것을, 또는 그들로는 볼 수도 업스며 늣길 수도 업는 밝음을 지어바린 어둡음의 골방에서며, 사름에서는 좀더 도라안즌 죽음의 새벽빗츨 밧는 바라지 우헤서야, 비로소 보기도 하며 늣기기도 한다는 말입니다.[23]

김소월은 다분히 낭만주의적인 시선으로 세계를 파악하고 있지만 여느 낭만주의자와는 다르다. 그에게도 죽음은 삶에서 좀 더 돌아앉은 것이지만, 소멸의 캄캄한 밤이 아니라 '새벽 빛'과 더불어 자리하고 있는 것이다. 시인에게 어둠, 죽음은 시원성으로의 회귀를 갈망하게 만드는 동인이 아니다. 비로소 '보기도 하며, 느끼기도 하게 하는' 특별한 인식에 도달할 수 있는 '배경'이 되어주는 것들이다. 이러한 측면을 '내면의 창조의 힘'으로 보는 견해는 참조할 부분이 많다.[24]

김소월 역시 서구 상징주의 시를 통해서 근대적인 시가 담아내야할 시적 정서에 대해서 고민하기 시작했을 것이다. 또한 시적 주체가 시적 대상을 만나는 방식에 대해서도 다채롭게 탐구했을 것이다. 김억을 매개로 만나게 된 서구 상징시에 나타난 '님'은 결핍된 세계 자체였다. 이로 인해 비극성과 애상감이 시 전반을 지배하고 있었다. 이런 '님'을 텍스트의 표면에서 노래로 되살려 현실의 결핍을 보완하고, 독자와의 공감대를 형성해 도약의 발판으로 삼고자 했던 이가 김억이다. 이와는 달

---

23 김소월, 앞의 글, 91쪽.
24 조두섭, 앞의 글, 50쪽.

리 김소월은 삶의 원천으로서의 '님'을 텍스트의 심연으로 내려놓는다. 그의 텍스트에서 '님'은 부재한다. 그 부재를 통해 '님'은 영혼을 지나, 영원에 닿는다. 여기에서 그치지 않고 그런 후에 새로운 부활의 전조를 텍스트에 비춰준다. 이 점에서 김소월은 스승도, 낭만주의도 함께 극복해 낸다.

김소월이 「詩魂」에서 강조하고 있는 '시혼'은 곧 '거울의 균형', '투명한 양면 거울의 균형'에 비유할 수 있다. 그는 현실의 시인과 심연의 영원이 이 거울을 통해 마주봄으로써 온전하게 진리가 드러날 수 있다고 믿는다. 「詩魂」의 이러한 논리는 그의 스승인 김억의 시론과 구별되는 것이며 당대 일본을 통하여 수입된 낭만주의, 상징주의 시론과 구별되는 것이다.[25]

앞서 언급한 것처럼 김소월은 누구보다 시어의 선택에 신중을 기했다. 그러한 시어를 통해 그가 시원성에 도달하고자 했다면 그는 낭만주의자로 평가받아야 마땅하다. 그는 영원성을 위해 시어를 찾아 헤맨 것이 아니다. 그의 새로움은 시어를 위한 영원성 추구에서 찾을 수 있다. 그는 또 다음과 같이 말하고 있다.

> 山보다도 가름보다도, 달또는 별보다도, 다시금 그들은 엇든 때에
> 는 반드시 한번은 업서도 질 것이며 지금도 亦是 時時刻刻으로 적어
> 도 變換되려고 하며 잇지마는, 靈魂은 絕對로 完全한 永遠의 存在며
> 不變의 成形입니다. 藝術로 表現된 靈魂은 그 自身의 藝術에서, 事業
> 과 行蹟으로 表現된 靈魂은 그 自身의 事業과 行蹟에서 그의 첫 形體

---

25 위의 글. 57쪽.

대로 끗까지 남아 잇슬 것입니다.[26]

김소월은 "시혼의 본체는 영혼"이라고 말한다. 따라서 산이나 강, 달, 별보다도 오히려 영혼의 존재이며 불변의 형성일 것은 물론이라고 덧붙인다. 영혼은 예술로 표현되고 자신의 예술에서 영혼은 끝까지 존재한다. 이 말은 자신의 예술이 아니면 영혼은 존재할 수 없다는 말이 된다. 시혼은 시를 통해서 존재한다. 예술이 곧 영혼이라면 시는 곧 시혼인 셈이다. 그가 갈구하는 것은 낭만주의자의 '영원'이 아니다. 시 자체, 시혼의 형체(形體) 곧 시의 언어인 것이다.

3) 상징과 인생의 결합 : 백대진의 경우

1920년대 상징주의 논의에서 가장 소홀하게 다뤄지고 있는 이는 백대진이다. 백대진은 1910년대 중·후반에 걸쳐 비평 영역에서 활발한 활동을 전개하였다. 그의 상징주의 논의는 주로 시에 집중되어 있다. 그는 초기에 김억과 더불어 상징주의 시를 조선의 문단에 적극적으로 소개했으나, 점차 소설을 중심으로 자연주의 문학관을 전개하였던 까닭에 지금까지 상징주의 논의에서는 큰 비중으로 다뤄지지 않았다. 백대진은 1916년 『신문계』 5월호에 「20세기초두 구주 제대문학가를 추억함」이라는 글을 싣는다. 이 글이 후기 상징파 시인 14명을 우리나라에 최초로 소개한 글이지만 상징주의 개념에 관한 언급은 거의 찾아볼 수 없다. 이후 〈태서문예신보〉에 「최근의 태서문단」[27]이라는 글을

---

26 김소월, 앞의 글, 93쪽.
27 백대진, 「최근의 태서문단」, 〈태서문예신보〉 9호, 1918. 11. 30.

실으면서 단편적이나마 상징주의의 용어와 개념에 대해 소개하고 있다. 김억이 주로 감상적 상징주의를 소개했다면, 백대진은 지적 상징주의를 소개함으로써 '상징'의 폭을 넓혀주었다. 그에 따르면 1885년 이래 프랑스 시단은 상징주의가 성행하였는 바, 이는 곧 개인주의의 예술적 출현이며 동시에 자연주의를 물리친 이상주의의 주장이었다고 파악된다. 백대진은 이 글들에서 말라르메 계열의 소위 지적 상징파 시인들을 소개하고 '상징'이라는 것은 "종합일치상태의 관념"으로서 서술적 표현이 아닌 진리의 정수를 가장 많이 품은 독창적인 상을 명백히 말하기 어려운 "운율적 암유"로써 표현한 것이라고 규정하고 있다.[28]

문학을 바라보는 백대진의 관점을 하나의 어휘로 집약하면 '實人生'이라고 할 수 있다. 그는 1910년대 중반에 발표된 글에서 과거의 문학의 부정위에서 벗어나 현실을 위주로 하는 '인생주의 문학', '자연주의의 문학'을 주장한다. 백대진은 인생을 위하여 활동하고 인생의 건실한 내부생활을 주입하며, 사회인생에 이익을 주고 교훈을 주는 문학을 인생주의파 문학이라고 하면서 옹호한다.[29] 이는 1910년대의 문학을 포괄하는 계몽문학의 범주에서 크게 벗어나지 못한 견해처럼 보인다. 그러나 주목할 점은 그가 "今日은 外部의 생활로 인하야 內部생활이 극히 무가치할 뿐 아니라 頹廢에 귀하고 비극에 陷하였다"고 보고 있는 점이다. 그는 문학은 외부의 생활이 아니라 내부 생활, 즉 인간의 내면을 가치 있게 만드는 것이라 말하고 있다. 이 점에서 계몽 문학과 뚜렷하게 구별된다.

백대진의 문학관에는 근본적으로 공리주의적 문학관이 자리하고 있

---

28 백운복, 「한국현대시론」, 새문사, 2009. 46쪽 참조.
29 김은철, 「상징주의 시론의 수용양상」, 「논문집」, 제14집, 상지대학교, 1993. 14쪽.

다. 그의 상징주의에 대한 소개는 시사적인 측면에서는 최초라는 의미를 부여받지만 그 이상의 의미를 평가받지는 못하고 있다. 또 그가 전개한 자연주의 문학론 역시 그 중심에는 자연보다 인생이 자리하고 있다.『신문계』 32호(1916. 3.)에 발표한 「문학에 대한 신 연구」에서 백대진은 생명력 있는 문학은 지적인 만족을 주는 문학이 아니라 심성에 영향을 미치는 정의(情意)의 문학임을 강조한다. 언어에 천착했던 상징주의나, 실증적인 사실에 주목했던 자연주의 사이에서 그는 인생으로서의 상징과 인생으로서의 자연을 순차적으로 추구했다고 할 수 있는 것이다. 특히 자연주의 문학론을 전개했다고 평가받는 「현대 조선에 자연주의문학을 제창함」(『신문계』 29호, 1915. 12.)과 「새 문학과 노 문학의 비교」(『牛島時論』, 1916. 9. 10.)에서도 자연주의란 곧 '인생을 위한 것'과 깊은 관련을 맺고 있다고 말한다.[30]

결국 백대진의 지적 상징주의에 대한 경도는 이후 행보를 자연스럽게 자연주의로 이끌어 갔다고 볼 수 있다. 백대진의 자연주의는 과학적, 기계론적 자연주의라기보다는 인상적이고 감상적인 자연주의, 낭만주의적 색채가 두드러진 자연주의라고 평가받는다. 상징주의에서는 지적인 측면에 방점을 두고, 자연주의에서는 감성적인 부분을 강조했다는 측면에서 백대진의 문학관은 이채롭다.

4) 상징과 자연의 결합 : 황석우

황석우는 『폐허』 1호(1920. 7.)에 「일본 시단의 2대 경향」이라는 글을 발표한다. 여기에서 그는 일본 시단의 2대 경향으로 상징주의 운동

---

30 이익성, 「백대진의 자연주의 문학론 연구」, 『개신어문연구』 제17집, 개신어문학회, 2000, 601~602쪽.

과 민중시가 운동을 소개한다. 특히 상징주의를 광의의 상징주의와 협의의 상징주의로 구분함으로써 상징주의에 대한 이해의 폭을 넓히는데 기여하였는데, 그에 의하면 광의의 상징주의는 다시 지적 상징주의와 정서적·지적 상징주의로 나뉘며 협의의 상징주의는 정서적 상징주의에 해당한다. 황석우의 이러한 논의는 김억과 백대진의 상징주의를 어느 정도 수렴하고 있다고 평가할 수 있다. 이 세 가지 상징주의 중에서 황석우 본인은 정서적 상징주의에 속하고 있다는 평가를 받는다.[31]

> 이것(정서적 상징주의)은 音, 形, 色, 香, 味의 상징에 의하여 어느
> 종의 정서, 기분을 환기하는 자일다. 이와 동일 또는 근사한 심적 상
> 태를 환기하는 상징 又는 상징의 결합에 의하여 어느 심적 상태를 표
> 시하는 바의 상징주의다.[32]

정서는 언어화된 이미지를 일컫는다. 이러한 정서의 언어화가 굳어지면 개념이 된다. 이것은 곧 언어에 의해 질서를 부여받게 된 감성상태와 다르지 않다. 황석우가 파악한 상징주의 역시 다른 시인과 크게 다르지는 않지만 근대 상징주의를 초월적 실재의 표상화로 이름하고 있는 측면에서는 진일보했다고 평가할 수 있다. 그는 앞서 1919년 〈매일신보〉에 다음과 같은 글을 발표한 적이 있다.

자아최고의 미를 훔키며 그 미에 觸할 때의 '느낌'을 보통 '영감' 혹은 '神興'이라고 한다. 더 강하게 말하면 '영감'(INSPIRATION)은 신

---

31 박노균, 「1920년대 서구 상징주의 논의 내용」, 『개신어문연구』 제17집, 개신어문학회, 1990. 287쪽.
32 황석우, 「일본 시단의 2대 경향(1)」, 『폐허』 1호, 1920. 83쪽.

의 雪白의 향기로운 頰에 觸할 때 그 손을 꽉 쥐일 때 일어나는 '魂의 淨의 육감'일다…. '人語' 곧 '현실어'는 한 空氣일다. 그러나 '靈語'는 한 液일다. 그러므로 詩는 한 液體일다……[33]

황석우는 이후의 논의를 통해 상징주의를 일종의 주관주의, 정신주의로 파악한다. 나아가 지적 관념보다는 구상성을 획득함으로써 사물의 본질이 형상화되어야 한다는 안목을 얻게 된다.[34] 그러면서 그는 유달리 '질서' 잡힌 심적 상태를 강조하게 되는데 이로써 상징주의에 천착했던 다른 시인들과는 다른 지향성을 보이게 된다. 황석우는 상징주의의 시론을 적극적으로 소개하지만 그의 작품에서 상징주의를 제대로 반영했다고 평가할 만한 작품은 쉽게 찾을 수 없다.

내적 질서를 강조한 그의 시는 상징주의보다는 자연주의에 더 다가서 있었다. 그 결과 1929년 11월 조선시단사에서 시집『자연송』을 간행하게 된다. '태양계, 지구', '소우주, 대우주', '불의 우주' 등을 중간 제목으로 하여 129편의 시가 1부에 실려 있다. 황석우가 밝히고 있듯이 이 시집에는 1920년대를 관통하면서 그가 쓴 '자연시'만을 골라 수록하고 있다.『폐허』를 통해 작품 활동을 시작한 이래 첫 시집임에도 불구하고 그는 '자연시' 외의 다른 작품은 수록하지 않은 것이다. 이것은 초기 시 즉 '자연시'가 아닌 작품에 대한 스스로의 불만족을 우회적으로 나타낸 것이라고 볼 수 있다.

황석우는『자연송』의 서문에서 다음과 같이 밝히고 있다.

---

33 황석우, 〈매일신보〉 1919. 9. 22.
34 유성호, 「황석우의 시와 시론」, 『연세어문학』 제26집, 연세대학교 국어국문학과, 1994. 270쪽.

나는 본래 정치 청년의 한 사람이었습니다. 나의 어릴 적부터의 수양의 길은 법률과 정치와 학생이었습니다. 나는 곧 정치가로서 서려는 것이 나의 입신의 최고 목표였습니다. 그러나 나는 시를 쓰지 않을 수 없는 어느 큰 시름을 가슴 가운데 뿌리 깊게 안어왔습니다. 그는 곧 나의 어렸을 때에부터 받아온 모든 현실적 학대와 또 나의 가난한 어머니와 나를 위하여 희생되었던 나의 불행한 누이의 운명에 대한 설움이었다. 그는 마침내 나로 하여금 남모르게 탄식해 울고 또는 성내여 현실사회를 저주하며 더욱 내 누이를 울려가면서 모든 주위의 유혹과 경멸과 싸워가면서 시를 썼다.[35]

그가 보들레르적인 상징주의 시론을 쓴 것은 유토피아적 사유에서 비롯된 것이라는 평가가 있다. 유토피아적 사유로서의 상징주의는 그의 시적 이데올로기이자 정치청년의 정치적 이데올로기였다는 것이다.[36] 그러나 시와 정치에 가로 놓인 것은 낭만성 혹은 혁명성의 유토피아가 아니다. 그것은 '윤리성'이다. 정치와 시는 '윤리'를 접점으로 하여 겹친다. 그가 낭만주의적인 시원성이나 유토피아를 꿈꾸는 것은 현실적으로 불가능했다. 그는 모든 주위의 유혹과 경멸과 싸워가면서 스스로 질서 잡힌 '윤리'를 세워보려 했던 것이다. 그는 현실에서 가장 이상적인 질서를 회복하는 것, 그것을 위해 시를 쓴 것이다.

35 황석우, 「자연송」 박문서관, 1926. 16쪽.
36 조두섭, 「비동일화의 시학」 국학자료원, 2012. 79쪽.

4. 맺음말

지금까지 1920년대 시론의 미적 지향성을 한국 근대시의 형성논리와 관계하여 살펴왔다. 구체적으로는 당시의 우리 시단이 직면했던 문학적 근대성의 조건들, 즉 전통미학과 상징미학의 상호주관성의 관계를 통해 개별 시인들의 시론이 추구했던 미적 지향성을 탐색해 보았다. 1920년대에 상징미학과 전통미학은 서로를 대위적인 관계로 파악할 만큼 뚜렷한 위상을 갖지 못했다. 경쟁의 관계라기보다는 상호 보완적인 관계에 더 가까웠다. 이 점을 전제로 하고 상징 미학과 전통미학을 정리하였다.

전통미학을 대표하는 이는 김억이다. 그는 상징주의의 소개에 지대한 공헌을 하였다. 그러나 그의 예술관은 민족적인 차원의 격조시형의 탐색으로 귀착한다. 김억과 대위적인 위치에 자리하고 있는 이가 김소월이다. 그는 민요조의 시를 통해 심연에 닿고자 했다. 그러나 그는 이를 통해 영원성을 추구하고자 한 것이 아니다. 김소월은 이 영원성을 텍스트에 표상하기를 원했다. 텍스트에 표상된 영원성이 곧 '시혼'인 것이다. 상징미학은 서구의 상징이론과 상징시인을 소개하는 차원에서 이루어졌다. 상징주의 이론과 상징파 시의 소개에 비해 상징주의에 부합하는 시는 활발하게 창작되지 못했다. 이것은 시인의 역량 문제라기보다는 언어적 한계 때문인 것으로 판단되었다.

다음으로, 전통미학과 상징미학의 상호교섭 양상을 바탕으로 삼아 근대시론의 전개 과정을 살펴보았다. 먼저 새로운 전통으로서 격조시형을 탐색한 김억의 시론을 상징과 전통의 상관성이라는 측면에서 재해석하였다. 김소월의 경우에는 언어의 모태로서 시혼이라는 새로운 전통의 수립에 초점을 맞추었다. 영원성의 추구가 아니라 예술을 통한 시혼의 표상을 강조한 측면에서 그는 낭만주의를 극복하고 있는 것으로 보인다. 백대진의 경우에는 상징과 인생의 결합이라는 주제로 그의 시론을 정리했다. 인생을 강조한 측면에서는 일견 공리주의적으로 보일 수 있으나, 인생의 바깥이 아니라 내적 인생을 강조한 점에서 계몽문학과는 뚜렷하게 구별된다. 상징주의에 대한 이해의 폭을 넓혔다고 평가받는 황석우는 상징주의 문학으로 나아가지 않고 자연주의를 지향했다. 자연의 질서와 같은 이상적인 것을 삶의 윤리로 세우려했던 것이 그의 시론의 요체에 자리하고 있음을 살폈다.

앞서 언급한 대로 우리의 근대시단에서 전통미학과 상징미학은 서로 배타적인 관계에 있지 않다. 1920년대 우리의 근대시가 공적 영역에서 자율적 영역을 확보해가는 과정에서 둘은 상호보완적이면서 또 서로 다른 지향성을 형성해갔던 것이다. 이런 점은 이후 1930년대의 시론들이 본격적인 경쟁관계를 형성하면서 전개되었다는 점과는 뚜렷이 대비된다고 하겠다.

1930년대 시론과 시적 서정의 담론

1. 머리말

　근래 들어 우리 시단이나 학계에서 서정성의 문제가 다시 제기되고 있다. 이는 지금까지 근대사회를 떠받쳐 왔던 거대담론이 그 효력을 상실하게 되고 개별화된 미시담론이 가치 판단의 척도가 된 1990년대 이후, 우리의 사회·문화적 현상 전반에서 기인한다고 볼 수 있다. 근대적 속성의 변화와 세기의 전환이 시적 서정의 본질을 다시 생각하게 한다는 점은 어쩌면 당연한 귀결일지도 모른다. 그것은 우리에게 전통양식에 대한 계승과 해체 사이에서 고민하게 만들었고, 또한 새로운 방향성을 모색하도록 강제하고 있다.

　이 글은 바로 이러한 고민으로부터 시작되었다. 시적 서정의 새로운 방향성을 탐색하는 작업은 서정성의 본질과 전통 서정시의 궤적을 다시 살피는 데서부터 출발해야 하기 때문이다. 이를 위해 필자는 우리 시문학사에서 서정시의 조류가 가장 뚜렷했었고, 또 지금의 시단 상황과 상응하는 과제를 안고 있었던 1930년대 시문학파와 모더니즘 시인들의 시론 및 시 텍스트를 논의의 대상으로 삼고자 한다. 그리고 이에 대한 기존의 논의들과는 달리, 이 글에서는 서정시 역시 분명히 한 시대 한 사회의 의사소통 방식과 주체성에 의해 축조된 담론양식임을 전제하게 될 것이다. 서정시 역시 자아와 세계의 관계망 속에서 산출되며, 언어기호에 의한 주체 표현의 양식이라는 점에서 여타의 서사체와 마찬가지로 나름의 담론 질서를 갖고 있기 때문이다.

우리 문학사에서 1930년대의 시는 일반적으로 순수시 또는 순수서정시라고 규정되어 오고 있다. 1920년대 특히 그 후반기를 이데올로기의 시대라 한다면, 이에 비추어 1930년대는 탈 이데올로기의 시대임이 분명하다. 물론 이러한 구분이 1920년대 시에 대한 전면적인 부정을 통해 1930년대의 시가 등장하였음을 의미하는 것은 아니다. 시문학파의 시가 소월이나 만해의 시와 대척점에 있었던 것도 아니요, 이미지즘의 대표적 시인인 정지용의 시적 편력 역시 1926년 『학조』지에 발표된 작품들[1]로 거슬러 올라가기 때문이다. 단지 1920년대의 우리 문단이 낭만파, 프로문학파, 민족문학파 등의 집단주의에 의해 전개되어 왔고 또한 그 문학적 경향이 목적주의에 있었다는 점에서 시문학파나 모더니즘은 문학의 이러한 목적주의 경향에 대한 부정에서 출발하였다고 볼 수 있다.

목적주의 또는 편내용주의에 대한 부정과 함께 순수시운동을 주창하였던 시문학파로부터 모더니즘, 생명파에 이르기까지 1930년대 시의 본령이 순수 서정에 있었음은 부인할 수 없는 사실이지만, 그러나 그 서정성의 바탕에는 서로 다른 시적 세계관이 자리하고 있었다. 이는

---

1   정지용은 1926년 6월 『學潮』 창간호에 「카페-프란스」, 「슬픈 인상화」, 「파충류동물」 등 세 편의 시와 함께 시조 아홉 수, 동요 다섯 편을 발표하고 있다.

그들의 시론뿐만 아니라 시 텍스트의 구조 원리에서도 분명하게 드러난다. 따라서 이 글에서는 서로 다른 서정시관에 기대어 있었던 예술파와 주지파[2]의 시론 및 시 텍스트를 중심으로 1930년대의 서정시 양식과 담론 양상을 밝혀보고, 이를 통해 우리 시대의 새로운 시적 서정을 모색하는 단초로 삼고자 한다.

2. 1930년대 시론의 의미와 서정시 양식

1930년대 시단의 가장 두드러진 특성 가운데 하나는 그 개성화 내지 개체화에서 찾아진다. 아울러 거기에는 낡은 국면, 거친 비시적 분위기에서 벗어나 새로운 차원을 타개하려는 안간힘의 자취도 뚜렷하게 나타난다. 여기서 개성화란 1930년대의 시가 개인적인 세계 또는 '나'의 노래 쪽으로 기울어졌음을 뜻한다. 1930년대 시의 이러한 특성은 물론 엄밀한 의미에서 순수시로 정의되기는 어렵다. 본래 순수시란 19세기 프랑스 상징주의 시인들에 의해 일반화된 개념으로, "시란 강한 밀도를 지니고 음악에 일치하는 효과의 서정에 본질을 두며 오로지 심미적인 현상에만 몰두할 뿐 지성이나 모랄에 초연해야 된다"[3]는 명제에 입각해 있다. 그러나 우리의 경우 1930년대 문학의 전반적 현상인 순수문학의 하위 개념으로 순수시를 이해하고 있으며, 시의 비순수성에 대한 순수성을 지닌 문학이라는 뜻의 상대적 개념으로 사용된다. 이

---

2 여기에서 예술파와 주지파라 함은 실재한 유파의 명칭으로서가 아니라, 시론의 경향이 유사했던 시문학파 시인들 및 김환태, 김문집 등을 편의상 예술파로, 김기림, 최재서, 김광균 등의 모더니스트를 주지파로 명명한다.(정종진, 『한국현대시론사』, 태학사, 1988. 142~213쪽 참조.)

3 E. A. Poe, 「Poetic Principle」, T. Smith & E. Parks ed., The Great Poetics, New York : W. W. Norton & Company, 1960.

런 점에서 순수시라는 가치개념의 용어보다는 상대개념인 순수서정시라는 용어가 더 타당할 것이다.

'순수'에 대한 이러한 개념의 문제는 시문학파나 이미지즘 시와 일정 부분 관계를 맺고 있는 예술파와 주지파의 시론을 통해서도 유추해볼 수 있다. 물론 이미지즘 시인인 정지용의 경우 주지파의 시론과 온전히 일치한다고는 볼 수 없지만, 시에 대한 기본적인 태도에 있어서는 상사성을 갖고 있음이 분명하다. 예술파와 주지파는 프롤레타리아 문학에 대하여 일제히 비판을 가하면서, 그에 대한 반명제로 예술파는 문학의 개성론, 순수론, 형식과 내용의 문제 등을 정립하고자 하였으며, 주지파는 휴머니즘론, 지성론, 모랄론, 세대론 등을 그 바탕으로 삼았다. 여기에서 이들의 문학론이 프롤레타리아 문학론에 대해 반명제로서의 상보적 관계에 있으면서도, 예술파가 프롤레타리아 문학의 이념을 전적으로 부정하는 태도를 취하는데 반해, 주지파는 이를 발전적으로 수용하려는 경향을 보인다는 차이를 발견할 수 있다.

이런 점에 비추어 볼 때, 우선 주지파의 경우 '지성이나 모랄에 초연'해야 된다는 순수시의 가치개념으로부터 벗어나 있는 것이며, 또 예술파와 주지파 상호간에도 기본적인 태도의 차이가 개재해 있는 것이다. 그럼에도 불구하고 이들이 활동한 1930년대를 순수시의 시대라 일괄한다는 것은 이 때의 '순수'의 개념이 전시대의 '목적'에 대해 상대적으로 사용되고 있음을 의미하는 것이다.

순수문학이란, 이데올로기에 종속되는 것을 거부하고 현실을 일정한 미학적 거리를 통해 파악하면서 그 존재를 자율적 규범에 맡기는 문학[4]이라고 정의할 때, 순수문학으로서의 1930년대 시는 순수 서정의

---

4 오세영, 「1930년대의 문학적 상황과 순수문학의 대두」, 조동일 외 편, 『한국문학연구입문』, 지식산업사.

탐구를 통해 그 진로를 결정한 것으로 보여진다. 이는 다음의 몇 가지 근거에 의해 확인될 수 있다.

첫째, 순수문학은 1920년대 목적문학에 대한 대립개념으로 대두하였다는 점이다. 전시대를 지배하였던 두 개의 문학 흐름이 프롤레타리아문학과 민족주의문학이라 할 때, 이들의 공통점은 그 정도의 차이가 있을지는 모르나 모두 목적문학이라는 데 있다. 신경향파와 카프의 시가 노린 것은 민중 현실에 대한 의식화와 조직, 선동이었다. 이것은 그들의 시가 집단과 공중의 개념에 입각했음을 뜻한다. 민족문학파의 경우 그 기본적인 입각점이 민족과 역사에 있었으며, 그 정신적인 닻은 전통의식에 내려져 있었다. 이러한 사정은 물론 카프의 시와 다소 다른 측면을 보여주는 것이긴 하지만, 이 때의 전통의식 역시 1930년대 시의 개성 추구와는 맞서는 위치에 놓인 개념이다.[5]

둘째, 1930년대의 문학은 일반적으로 개인적 삶의 문제에 집착하고 정치적 사회적 의미의 현실을 외면했다는 점에서 보다 편협한 순수문학이었다. 문학 내적, 그리고 외적 요인들에 의해서 문학이 사회·역사적 현실을 외면할 때 그 문학은 개인적 생존의 문제에 몰두하게 되는 것이며, 그 결과가 1930년대의 우리 문학에서는 시문학파의 서정성, 모더니즘의 감각성, 이 상의 의식분열, 생명파의 존재탐구, 박태원의 사소설, 이태준의 장인의식, 이효석의 탐미주의[6] 등으로 나타났다고 할 수 있다.

셋째, 예술성 탐닉의 문학 자세를 견지하였다는 점이다. 전시대의 목적주의 문학에 대한 배제의 입장이 1930년대 시의 일관된 흐름이었

1982, 591쪽.
5 김용직, 「1930년대 시와 감성시의 주류화」, 『문학사상』 1986. 7. 283쪽.
6 오세영, 앞의 글.

다고 할 때, 이는 자연스럽게 언어의식의 고양, 기교의 세련, 형식상의
실험을 수반하게 된다. 특히 시문학파의 시는 모두가 예외 없이 제 나
름의 세계를 그 자신의 독특한 목소리로 노래하고자 한 자취를 드러내
며, 이와 아울러 이 시기의 시는 개혁 내지 혁신의 의지를 보여주고 있
다. 그 결과 서정·단곡화 현상[7]을 보여준 1930년대의 시는 전시대의 목
적주의 시와는 달리 대부분 주제의식의 노출이 뚜렷하지 않다. 즉, 이
무렵의 시들은 화자의 감정을 정서적으로 표출해 내는 데 역점을 두었
으며, 비교적 짧은 시의 구조 속에서 언어의 짜임새를 기하고자 하였
다. 이는 이 시기의 시적 관심이 언어의 탄력성을 확보하고 그 질적인
차원을 구축하려는 데 있었음을 의미한다. 이러한 입장은 순수서정시
의 창작 태도를 목적문학뿐만 아니라 나아가 대중문학과도 구분 짓기
에 이른다. 박용철이 해외문학파의 시를 언급하는 자리에서 순수시를
"속물주의에 대한, 정치주의에 대한, 저비한 예술에 대한 투쟁"[8]이라고
한 것은 그들의 창작 태도를 선언적으로 보여주고 있다고 하겠다.

이상과 같은 전제를 바탕으로 이제 1930년대의 순수시론, 즉 예술
파 및 주지파의 시론과 서정시 양식의 상관성을 좀더 구체적으로 살펴
보기로 한다.

1) 예술파 시론과 정감서정시

박용철, 김환태, 김문집 등 예술파는 우리 문단에서 오랫동안 유보
되어 오던 본질적 문제를 해명하기 위해 문학의 개성론, 순수론, 형식·

---

7 김용직, 앞의 글, 284쪽.
8 박용철, 「문학유파의 개념」, 〈조선일보〉, 1936. 1. 3.

내용의 문제에 관심을 갖고 시에 있어 언어의 문제, 기교의 문제 등을 집중적으로 논의하였다. 물론 시의 본질론은 상징주의 시론기와 모더니즘 시론기에도 탐구되기는 하였으나, 상징주의는 지나치게 음악성에 편중하였고 모더니즘은 감각이나 이미지 탐색에 몰두하였기 때문에 시에 대한 원론적 천착에서 벗어나는 것이었다.

모더니즘의 주지주의 문학론이 몰개성론을 신조로 삼는데 비해 예술파의 순수문학론에서는 감정이나 정서의 절제보다는 자연스러운 분출과 개성이 중시된다. 즉 전자의 이론적 출발이 과학주의에 기반하고 있다면, 후자는 심미적 인상주의 관점에 근거한다. 또한 예술파 시론은 프롤레타리아 문학의 주 이념인 반영이론을 부정하고 시의 창작 과정을 시대나 사회에 대한 의식보다는 자연의 생명·생리적 현상 속에서 찾아내려 하는 유기체시론의 성격을 갖는다. 예술파의 이러한 순수시론은 박용철에 의해 제기되고 김환태와 김문집에 의해 체계적인 이론 보조가 이루어지며, 정지용, 김영랑, 신석정 등 시문학파에 의한 순수 서정시의 성과와 병행하게 된다.

박용철은 「시문학 창간에 대하야」(1930), 「辛未 시단의 회고와 비판」(1931), 「효과주의적 비평론강」(1931) 등의 초기 시론에서 시를 조각, 회화, 음악 등과 같이 일종의 객관적 '존재'로 보는 이른바 순수시적 관점을 드러낸다. 시를 객관적 존재로 본다는 것은 일차적으로 시에서의 어떠한 이데올로기적 요소도 불순한 것으로 간주 배격해야 하며, 아울러 시의 심미적 예술성을 추구하는 입장이다. 이러한 심미주의 문학관은 예술을 위한 예술 및 순수시의 기본 관념을 예기케 했던 포우로부터 영향받은 바 크다.

시라는 것은 시인으로 말미암아 창조된 한낱 존재이다. 조각과 회화가 한 개의 존재인 것과 꼭 같이 시나 음악도 한낱 존재이다. 우리가 거기에서 받는 인상은 혹은 비애 환희, 혹은 평온 명정, 혹은 격렬 숭엄 등 진실로 추상적 형용사로는 다 형용할 수 없는 그 자체수대로의 무한수일 것이다.[9]

위의 인용문은 시가 존재라는 것, 그것은 일상적 정서로부터 분리된 특수한 느낌, 예외적인 순간에서 다루어진다는 것, 그리고 분석을 거부하는 감상자의 입장에서만 접근될 수 있다는 것 등으로 요약된다. 따라서, 포우의 심미주의적 문학관이 존재론적 시론으로 수용되면서 심미적 정서가 박용철에게서 지속적으로 작용하고 있는 것이다. 다시 말해 분석 불가한 절대의 개성적 美로서, 시를 느끼는 태도로서의 '존재의 시론'은 스스로를 내밀하고 폐쇄적인 공간으로 유폐시키는 미의 밀실, 곧 순수시론의 세계를 마련하는 데 있다.

그러나 박용철의 후기 시론, 즉 그의 완성된 순수시론은 전적으로 하우스만의 수용을 통해 이루어지게 되었다. 하우스만의 「시의 명칭과 성질」[10]을 번역하면서 박용철은 자신의 시론에 명석성을 부여한 것으로 생각되며, 논리 전개의 방법론을 깨우쳐 간 것으로 이해된다. 이 때부터 시의 방법론에 비중을 둔 포우의 입장에서 나아가 오히려 그 자체로서의 완결성을 지닌 정서의 덩어리, 곧 先詩的 체험을 선택함으로써 포우와의 차별성을 보여준다. 그는 시에 앞서서 닦아지는 경험의 순수화에 대한 기다림과 참을성, 즉 '先詩的 체험'이야말로 새로운 창조물로서의 시의 모체가 되며, 이 필연성의 변용에 의하여 시가 탄생한다고

---

9 박용철, 「시문학 창간에 대하야」, 『박용철전집』 2, 143쪽.
10 A. E. 하우스만, 『박용철 전집』 2, 51~75쪽.

말한다. 이는 박용철의 초기 시론과 후기 시론 사이에 드러난 커다란 변화로써, 초기 시론이 낭만주의 시론과 유사한 성격을 지니고 있었다면, 후기 시론은 하우스만의 영향을 받아 본격적인 순수시론으로의 정립을 가져왔다 할 수 있다.

가령, 시작의 성공은 "본능적 분별과 청각의 자연적 우수에 의거하는 것"이라거나 "시는 말해진 내용이 아니요, 그것을 말하는 방식이다" 또는, "의미는 지성에 속한 것이나 시는 그렇지 않다"라는 하우스만의 말에서 박용철은 자신의 순수시론이 나아가야 할 지향점을 확인하였다고 볼 수 있다. 즉, 하우스만의 시론이 정교한 감수성에 그 바탕이 있고, 삶에 대한 어떤 기준과도 무관한 것이라고 한다면, 그것은 박용철의 순수시론의 핵심과 맞닿아 있게 된다.

박용철의 시론에서 한 마디로 요약되는 관점은 시의 방법론보다는 원형으로서의 정신적 定向이다. 그리고 그는 내적 요구로서의 시작 의욕에 체험의 재생과 변용의 의미를 부여한다. 박용철의 이러한 '변용'은 릴케에서 그 개념을 차용하고 하우스만에서 그 의미를 완성하였다고 볼 수 있다. 그는 릴케의 표현을 빌어 시는 체험이며, 그리고 그 체험을 순수화시키는 기다림의 순화이고, 그 끝에 시가 탄생한다고 말한다. 그러나, 이것은 실상 릴케의 본질과는 무관한 것이며, 박용철의 순수시론의 핵심 또한 체험론에 있는 것은 아니다. 릴케의 변용은 大地와 天使의 의미와 관련되어 있고 그것은 존재의 내부 공간에서 '보이는 것이 보이지 않는 것으로 바뀜'을 뜻하는 것이다. 이에 반해 박용철의 변용은 '피 가운데로 용해된 체험'이 기교의 도정을 통과하면서 새로운 변종으로 바꾸어지는 것을 의미한다. 따라서 박용철의 순수시론의 바탕은 '미의 추구'로 결집된 심미적 편향성에 있는 것이다.

이처럼 박용철의 순수시론은 포우의 심미주의 성격과 하우스만의 반이성·반기교주의적 시론의 수용에 의해 성립되었다고 할 수 있다. 그 것은 또한 임화와 김기림을 비판하는 실천비평으로 전개되었던 까닭에, 프롤레타리아 문학론과 모더니즘 시론을 동시에 거부하는 독자적인 위치에서 1930년대 예술파 시론을 선도하는 역할을 담당하였다고 보여진다.

한편, 김환태는 박용철의 순수시론을 예술비평이론으로 보다 체계화시킨다. 김환태가 문단에서 그의 비평관을 가장 선명히 드러낸 글은 「문예비평가의 태도에 대하여」(〈조선일보〉, 1934. 4. 21.~22.)와 「예술의 순수성」(〈조선중앙일보〉, 1934. 10. 26.~31.)이다. 이 글들은 그의 인상주의 비평관을 적절하게 보여주고 있다.

> 文藝批評이란 문예작품의 예술적 의의와 심미적 효과를 획득하기 위하여 '대상을 실제로 있는 그대로 보려'는 인간 정신의 노력입니다. 따라서 문예비평가는 작품의 예술적 의의와 딴 성질과의 혼동에서 기인하는 모든 偏見을 버리고 순수히 작품 그것에서 얻은 印象과 感動을 충실히 表出하여야 합니다.[11]

이는 "진정한 비평은 사람으로 하여금 언제나 탁월한 것과 절대의 미와 사물의 적합성에 유의케 하기 위하여 비욕한 자기만족에 빠져서는 안 된다"는 매슈 아놀드의 주장과 상통한다. 그것은 작품의 구조와 문체, 생명은 영감에 의한 유기체이므로 분석과 해부로써 다루면 유기체가 와해된다는 관점에 입각해 있다.

다음으로 김환태는 비평가의 겸양을 강조한다. 이러한 태도는 그의

---

11 김환태, 「문예비평가의 태도에 대하여」, 〈조선일보〉, 1934. 4. 21.

비평관이 갖는 가장 큰 강점이라 할 수 있는 것으로, 비평에 대한 창작의 우위성을 인정하고 있는 것이다. "비평가는 美를 가장 잘 존중할 줄 아는 자"이며, 작품을 대할 때는 연애하는 것과 같이 "조그만 결점에도 눈을 감는 것"이 진정한 비평가의 태도라고 한다. 이러한 주장에는 매슈 아놀드의 "비평적 능력은 창조적 능력의 하위에 속한다"는 명제가 깔려 있어 종래의 과학주의 비평관에 대립하는 경향을 보여준다. 그러나 인상주의 비평을 넘어서서 창조적 비평에 이르고자 했던 그의 이상이 실제비평에서 실천되지 않은 이유는 문학의 자율성 중시, 곧 비연속의 문예관 쪽에 서서 작품의 인상을 재구성하는 예술가로만 자처했기 때문이다.

또한 김환태는 "예술에 가치를 부여하는 표준은 예술 안에 있는 것이요, 예술 바깥에 있는 것은 아니다"라고 전제하며 페이터의 비평관을 소개함으로써 순수한 주관은 곧 객관이라는 명제를 내세우게 된다. 여기까지 오면 김환태는 매슈 아놀드보다도 월터 페이터에 더 접근해 있음을 알 수 있다. 김환태는 이러한 비평관을 토대로 하여 프롤레타리아 시론을 '증오의 문학'이라 비판한다. 프로문학 비판의 기준으로 '동정심'을 강조하여 과학주의에 대한 반발의식을 드러낼 뿐만 아니라 예술이 프롤레타리아의 영역을 벗어나기 위해서는 목적의식, 즉 공리적 의식을 벗어나 '무목적 태도'를 취해야 한다고 말한다. 이는 그의 비평관이 결국 예술주의 시론의 서정 의식에 맞닿아 있음을 보여주는 것이다.

진정한 시적 체험에 있어서 우리는 내용과 형식을 구별할 수 없는 것이며, 따라서 시적 가치는 그것만으로서 구별할 때에만 비로소 발생하는 것이었다. 그러므로 우리는 시에 있어서 내용과 형식을 구별하여 놓고 내용을 편중함으로써 빠지기 쉬운 사상 여하로 시의 가치

를 평가하려는 유혹에서 벗어나지 않으면 안 된다.[12]

　이는 시의 형식과 내용에 관한 논의로서, 김환태는 형식과 내용을
일원적 유기체적 개념, 즉 이원적 요소의 결합체가 아닌 통일체로 파
악하고 있다. 예술작품의 내용과 형식 등 모든 요소는 개별적으로 구
별되는 독립적 구성 분자로 존재하는 것이 아니라 유기적 통일체로 이
루어져 창조적인 생명체로 존재하는 것이므로 다원적 또는 이원적 개
념이 될 수 없다는 것이 그의 생각이다. 따라서 그는 시에 있어서 어느
한 요소가 우월하게 지배하는 것을 거부한다. 이데올로기 즉 사상을 거
부하며, 아무리 위대한 사상이라도 그것이 위대한 시가 되려면 먼저 시
인의 상상력 속에 완전히 용해하여 감정화하고, 성격 있는 情態가 되지
않으면 안 된다고 주장한다. 이러한 논의는 프로문학이 형식·내용의 이
원적 인식 속에서 내용 우위론에 압도되어 언어과학적 방법론으로 확
대 발전되지 못한 점을 비판하는 것이지만, 그러나 단지 원론적인 수립
에 그치고 말아 실제비평에서 구체적 방법으로 적용되지 못한 한계를
갖는다.

　또한 1930년대 순수시론에서 논의의 쟁점이 되었던 가장 중요한
것의 하나가 '기교론'인데, 이에 대해 김환태는 현대시에 있어서 기술
이 수단이 아니라 시의 소재와 표현까지도 지배하는 주인의 자리에 서
있다고 할만큼 기교의 중요성을 부각시키고 있다. 그러나 한편으로는
"시가 기술이기를 그만두고 표현이 되려며는, 또한 감성이 지성의 폭
위에서 벗어나지 않으면 아니 된다"[13]고 하여 지성의 힘에 의한 과도

12　김환태, 「시와 사상」, 「시원」 5호, 1935. 12.
13　김환태, 「표현과 기술」, 「시원」 4호, 1935. 8.

의 기교는 시에서 예술성을 배제하고 감성의 표현을 억제하는 것이라고 주장한다. 즉 시에 있어서 지성의 기교보다 감성의 표현이 더 우위에 있음을 밝히고 있다. 의도적이고 기계주의적인 계산된 기교론에 대해서 부정적인 시각을 보임으로써 그는 주지주의 시론에도 비판을 가했던 것이다.

박용철의 심미주의 시론과 김환태의 유기적 생명체로서, 정서적 기교로서의 낭만주의적 시론에 의해 배태된 1930년대 초기의 서정시는 그 양식상 다분히 정감서정시와 상관성을 갖는다. 오늘날 일반적으로 서정시라 하면 막연히 '고독한 자아의 자기토로', '주관적 감정의 직접적인 표현', '자연에의 고독한 몰입' 등의 독백적이고 감정적인 주관성으로 이해된다. 서정시에 대한 이러한 주관적인 견해는 서구 문학에서뿐만 아니라, 그 절대적인 영향하에 놓이게 된 우리 나라에서도 지배적인 서정시관으로 받아들여지고 있다. 주관성을 중시한 이러한 견해들은 대체로 서정시가 대상의 내면화에 의해 이루어진다는 전제 아래 출발한다.

서정시의 본질은 흔히 내면화, 노래, 감동의 직접적 표현이라는 세 요소로 규정된다. 또 서정성 속에서는 세계와 자아가 서로 융합되며, 영혼성이 대상성을 몰아내고, 대상성은 스스로 내면화된다고 말해진다.[14] 슈타이거에 따르면, 서정시는 상호 침투의 양식이다. 서정시에 있어서 객체는 반드시 주체에 의해 왜곡, 변모되어 그 나름대로 정서를 자아내는 모양에 이르는 것이며, 그리고 그 역도 또한 참이라는 것이다. 즉 꼴바꿈이 되어 서정 양식의 자양분에 이르는 것은 객체만이 아

---

14 장희창, 「서정시 개념에 대한 소고」, 『동의논집』 13집, 동의대, 1986, 46쪽 참조.
    이는 서정시의 개념에 대한 자이들러와 카이저의 정의에 의한 것임.

니라 주체 역시 객체와 상관관계를 갖는 가운데 왜곡, 변모된다고 하여 서정성의 본질을 주체와 객체, 영혼과 풍경, 내용과 형식, 시인과 독자 사이의 '간격의 부재'로 규정한다[15]. 그에 의하면 시에서 이 간격을 메워 주는 것은 '회상'이며, 회상이야말로 서정적 문체의 기본 특성이라 할 수 있다.

　슈타이거의 이러한 '회상'은 자이들러나 카이저의 '내면화'와 그 개념에 있어 차이를 갖고 있지 않다. 회상이나 내면화는 서정시 최고의 본질적 특성이 내면성에 있다는 견해를 각기 다른 용어로 표현한 것에 지나지 않는다. 이러한 주관적 서정시관은 헤겔이 『미학』에서 서정문학의 본질을 주관성으로, 서사문학의 본질을 객관성으로 규정한 견해를 그대로 받아들인 것이다. 따라서 슈타이거 등의 주관적 서정시관은 18세기 낭만주의문학의 시대정신이었던 감정의 숭배, 비합리주의를 나타내는 데에 정감서정시가 가장 적합하였다는 역사적 사실에 근거하여 '내면화'라는 서정성의 기준을 오늘날의 서정시 개념으로까지 확장시킨 것이라 볼 수 있다.

　이상의 검토를 통해 볼 때, 박용철의 '존재로서의 시'나 '先詩的 체험', 김환태의 '무목적 태도'는 이성에 대항하는 감정의 정당한 해방을 추구했던 정감서정시의 내면화 원리와 상통하고 있음을 알 수 있다. 즉 예술파의 심미주의시론이나 유기체시론은 창작 과정을 통해서 정감서정시의 양식으로 형상화되었던 것이다.

---

15 E. Staiger, 오현일·이유영 공역, 『시학의 근본개념』, 삼중당, 1978, 72쪽.
　슈타이거는 서정적 문체의 기본 특성을 '회상', 서사적 문체의 기본 특성을 '제시', 극적 문체의 기본 특성을 '긴장'으로 제기한다.

2) 주지파 시론과 객관서정시

한국현대시문학사에 있어서 모더니즘 운동은 이제껏 김기림, 이양하, 최재서 등에 의해 소개된 영미의 주지주의와 이미지즘 시운동의 이념과 기법에 영향받은 1930년대의 현대시운동으로 알려져 왔다.[16] 서구 주지주의 시운동은 문명이나 전통에 대한 창조적 비판을 이념적 바탕으로 삼고, 사물을 객관화시키는 방법을 통해 언어에 대한 자각과 이미지의 구성을 획득하고자 하였다. 그러나 주지주의는 후기 자유주의 지식인들의 정치적 패배에 기초한 좌절의 문화 이데올로기[17]라는 부정적 측면을 내포하고 있었다. 그런 까닭에 1930년대의 한국 주지주의 역시 식민지 역사와 현실 속에서 자기소외 현상의 위장을 위한 철저한 기교화라는 내면적 문제점을 안고 있었던 것이다.

한국에서 모더니즘의 용어를 맨 처음 사용한 김기림은 1920년을 전후해 시단의 주류를 형성했던 ①김억으로 대표되는 프랑스 상징시의 가닥 ②황석우로 대표되는 환상성의 가닥 ③주요한으로 대표되는 (일본적)서정성의 가닥[18]이 주관적 감동의 몰두, 순간적 생의 지각 속에 현저히 편향되어 있으며, 김기진 등 카프의 제 이론과 시가 편내용주의에 빠져 있음을 지적하면서, 모더니즘 시는 전대의 자연발생적 감정의 유로와 이데올로기적 선전에서 벗어나 시의 독자적인 예술성 추구와 의식적인 시작 방법에 의해 씌어진 시로, 방법론적 자각이 선행되었다고 주장한다.

---

16 이에 대해서는 백철, 김훈, 조연현, 조지훈, 김윤식, 서준섭, 오세영, 김기림 등에 의해 논의된 바 있다.

17 W. M. Johnson, The Austrian Mind ; In Intellectual and Social History, 1848~1938, Berkeley ; University of Califonia Press, 1972, pp. 143~147.

18 김윤식, 「1920년대 새 쟝르 선택의 조건」, 앞의 글, 244쪽.

詩는 한 개의 '엑쓰타시'의 發電體와 같은 것이다. -- 한 개의 '이메지'가 成立한다. 會話의 온갖 修辭學은 '이메지'의 '엑쓰타시'로 向하여 有機的으로 戰慄한다. …(중략)… 그러므로 詩人은 그의 '엑쓰타시'가 어떠한 人生의 空間的 時間的 位置와 事件하고 關聯하고 있는가를 보여 주어야 할 것이다. 그는 항상 卽物主義者가 아니면 아니된다.[19]

　'이메지'와 '엑쓰타시'의 결합으로 즉물적인 시를 써야한다는 김기림의 시론은 1920년대 우리 시단을 풍미하던 쎈티멘탈·로멘티시즘에 대한 극복을 요구하는 것이며, '언어의 건축'인 시의 창작은 감정의 자연적 발로로서가 아니라 지성에 의해 의식적으로 이루어져야함을 의미하는 것이다. 이는 낭만주의적 창작 태도를 비판하였던 흄과 파운드, 엘리어트의 시론과 유사점을 보이고 있다. 그러나 흄의 불연속적 실재관과 엘리어트의 몰개성론을 문학에서의 '인간 추방'으로 잘못 이해한 김기림은 또한 흄과 엘리어트의 시론을 장식적이며 청교도적인 비인간적 고전주의라고 비난하는 오류를 범하기도 한다.

　리챠즈로부터 비롯된 김기림의 과학적 시론은 그러나 과학에 대한 집착 정도에서 오히려 리챠즈보다 더욱 공고한 측면을 보여준다. 리챠즈는 심리학이나 과학이 시의 해명에 중요한 단서가 된다는 점에 있어서는 긍정적이었지만, 심리학이나 과학을 절대적으로 신봉하지는 않았다. 이에 비해 김기림은 과학적 태도를 "새 정세가 요구하는 유일하고 진정한 인생태도이며 새 모랄"로 인식할 만큼 과학주의에 절대적으로 기울었던 것이다. 과학에 대한 이러한 태도의 차이는 결국 리챠즈 시론

19　김기림, 「시론」 백양당, 1947, 109~110쪽.

에 대한 비판으로 발전한다. 김기림은 리챠즈의 시론이 정서적·미적 문학관에 철저함으로 해서 반역사주의적이며, 문학의 사회적·인식적 측면을 무시하고 있다고 비판한다.

한편, 김기림의 시론에 이론적 뒷받침을 확고히 해준 사람이 최재서이다. 최재서는 1934년 8월 〈조선일보〉에 연재한 「현대주지주의 문학이론의 건설」과 「비평과 과학」에서 김기림이 제기했던 단편적 이론이나 실제비평에서 논의되어 왔던 바를 근본적으로 체계화시킨다. 최재서 문학론의 가장 중요한 거점은 '지성'에 있다. 그는 평론집 『문학과 지성』(1938)에서 지성의 수련을 강조하는데, 이는 비평가가 갖추어야 할 지식인으로서의 자의식을 강하게 드러낸 것이며, 이전의 우리 시단에서 보여진 시적 미성숙과 1930년대 중반 이후 강화된 파시즘에 따른 근대적 지성의 위기를 인식하고 있었기 때문이다. 그가 과도한 이론 투쟁으로 인한 창작의 위축을 지적하고 흄, 엘리어트, 리챠즈 등의 이론을 주지주의 문학론이라 소개한 것도 그런 관심에 연유한다. 따라서 최재서의 '지성'이 영국, 나아가 서구의 합리주의 전통과 접맥되어 있음을 짐작하게 한다.

최재서는 먼저 흄의 사상을 정리하여 "그가 타도하고자 하는 전통은 인생관에 있어서 인간주의이며 예술에 있어서 자연주의이며 문학에 있어서 낭만주의이다. 그가 이제부터 수립하고자 하는 전통은 각기 과학적·절대적 태도와 기하학적 예술 및 고전주의문학이다."[20]라고 설명한다. 최재서가 파악하고 있는 낭만시와 고전시에 대한 이러한 대립적 개념은 흄의 시론에서는 '생명적 예술'과 '기하학적 예술'로 설명되고 있으며, 후자가 곧 모더니즘에 해당한다. 흄에 따르면, 그리스이래

---

20 최재서, 「최재서 평론집」, 청운출판사, 1961, 55쪽.

르네상스의 예술은 생명을 근간으로 하는 유기적 예술로서 인간주의적 성격을 지닌다. 그리고 이러한 생명적 예술의 배후에는 자연에서 발견되는 형상이나 운동에 대한 인간 쾌락의 감정이 항시 작용하고 있다. 이에 반해 기하학적 예술은 추상적 기하학적 도형으로 구체화된다. 인간은 이러한 작품들에서 자연에 대한 쾌락의 감정이나 생명 추구의 친근감을 느끼는 대신에 오히려 자연과 인간의 분리감이나 단절감을 느끼게 된다. 이를 통해 최재서는 '과학적 절대성'이 반 인간주의적이고 비 생명적인 예술을 지배하는 원리가 될 것이라고 결론짓는다.[21]

또한 최재서는 엘리어트의 역사의식과 몰개성론을 수용하여 정서의 독자성을 거부하는 자신의 시론을 전개한다.

> 시에 있어서의 정서의 복잡 여부는 인생에 있어서의 그것과는 하등 관계가 없다. 실상 시에서 우리가 늘 보는 기묘한 오류는 신기한 인간정서를 표현하려고 찾아다니는 일이다. 이 얼토당토않은 곳에서 신기한 물건을 찾아다니는 동안에 그는 정반대물을 발견한다. 시인이 할 일은 새로운 정서를 발견할 것이 아니라, 보통의 정서를 사용할 것이다. 그래서 이 보통의 정서를 가지고 시를 만들 때에 실재의 정서 가운데엔 전연 없던 새로운 감정을 표현할 것이다.[22]

최재서의 이러한 시론은 "창작과정에 있어 가장 중요한 것은 화합의 성분인 정서의 위대성이나 긴장력이 아니라 이들 성분에 화합을 일으키게 한 압력 – 즉 기술적 수단의 긴장력"이라는 엘리어트의 주장과

---

21 위의 글, 58~59쪽.
22 위의 글.

일치한다. 이들에 있어서의 시의 창작 과정이란, 전통을 인식하는 '역사의식'과 '보통의 정서'가 서로 균형 조화를 이루면서 변화와 수정을 거쳐가는 작업이라고 볼 수 있다. 따라서 이러한 몰개성론은 "시는 정서의 해방이 아니라 정서로부터의 도피이다. 시는 개성의 표현이 아니라 개성으로부터의 도피이다."라는 결론에 이르게 된다.

다음으로, 리챠즈의 『시와 과학』을 소개하는 글에서 최재서는 시와 과학이 결코 대립하는 모순 개념이 아니라 가장 밀접하게 관련되는 것임을 강조한다. 그리고 이 두 개념을 잘 조화시킴으로써 현대의 무질서와 혼돈이 위대한 질서를 획득할 수 있다고 주장한다. 덧붙여 그는 시의 정의, 기능 및 가치에 대한 리챠즈의 학설을 간단히 소개하면서 "시에 대한 열렬한 지식과 심리적 분석에 대한 냉정한 능력"을 강조한다. 불연속적 세계관, 이미지즘을 중심으로 한 고전주의적 시관, 역사의식을 지니는 전통과 몰개성론, 정신분석학적 방법, 시와 과학 등 서구 현대문학 이론의 요체를 간단하고 명료하게 설명해낸 최재서의 시론은 당대의 우리 비평가나 시인들에게 서구 문학이론을 본격적으로 수용할 기회를 주었다는 점에서 높이 평가될 수 있다.

서구의 모더니즘은 지금까지 논한 영·미의 지적 모더니즘과 더불어 반항적 정열로서의 인간 태도를 중시하는 유럽의 과격 모더니즘으로 구분된다. 과격 모더니즘의 조류에는 1차 대전을 전후해서 유럽 대륙을 풍미했던 미래파, 입체파, 다다이즘, 초현실주의 등이 포함되는데, 우리 시단에는 이 중 1920년대 중반에 고한용에 의해 다다이즘이 소개되었다. 전자를 이지가 선행되고 반 정열적인 주지적 예술로써 고전주의적인 것이라 한다면, 후자는 예술보다는 인간이 앞서고 방법이나 기술보다는 내용이 앞서는 로맨티즘적인 것이다.

서구의 다다이즘이 허무와 파괴 그 자체로 끝나는 것이라면, 한국 초기문학론에 등장하는 다다이즘론에서는 허무와 파괴를 주장하면서 그 자체에 하나의 문학적 가치와 의미를 부여하고 있다.[23] 고한용에 의한 다다이즘의 이러한 변용은 자연스럽게 쉬르리얼리즘의 수용을 용이케 하는 요소로 작용하였다. 고한용은 전통적인 미의 개념을 부정하고 관습에 젖은 감각과 정서의 혁명을 통하여 새로운 예술의 창조가 필요함을 역설하며, 또한 근본적인 인간 생활 양식의 일대 전환을 주장함으로써 의식 혁명으로서의 초현실주의에 접근하고 있는 것이다. 이후 1930년대 초에 이르러 '입신한 다다이즘'이라 불려지는 초현실주의에 대한 논의가 김인손에 의해 이루어지고[24], 초현실주의 시작품이 李箱과 三四文學派에 의해 발표되었다.

초현실주의 시인은 자동기술에 의해 꿈의 메카니즘을 정확하게 포착하려 하며, 이 때의 언어는 통상적인 문장 요소로서의 단어가 아니라 기호로서의 기능이 높이 평가되는 언어이다. 이는 브르통이 작시법으로 제시한 '이미지의 광선'에 해당하는 것이다. 시의 언어가 기호로 씌어지는 극단의 형태주의 입장에 선 초현실주의 시는 그러므로 형태 자체의 결합과 구성에 의해 전혀 새로운 의미를 나타내는 난해성을 띠게된다. 초현실주의는 모든 마음의 메카니즘을 결정적으로 파괴하고 삶의 근본 문제를 해결하여 인간 조건의 변화를 추구한다는 점에서 혁명 내지 해방의 행위라고 할 수 있다. 그러나 우리 문단에서의 초현실주의 수용은 초현실주의를 정신운동으로서가 아닌 방법론상의 문제, 즉 새로운 시 형태의 발전 내지 혁명으로만 보려고 한 데서 그 한계를 찾을 수 있다.

23 천소화, 「한국 쉬르레알리즘 문학연구」, 성심여대 석사논문, 1982, 2쪽.
24 김인손, 「시의 기술, 인식, 현실 등 제문제」, 〈조선일보〉 1931. 2. 11.~14.

이상의 주지파 시론은 그 경향성에 따라 서정성의 객관화를 시도하였던 사물시·절대시 양식과 상응하게 된다. 아스무쓰에 따르면,[25] 사물시는 감정적 주관적 체험시들이 객관화되어 가는 과정에서 생겨나 19세기 서정시의 한 유형을 이루게 된 것이다. 사물시는 인공적인 것, 즉 인간의 손에 의하여 제작된 사물들을 시적 대상으로 선택하는 까닭에 이러한 시들에 있어서 서정적 자아는 낭만주의의 정감시에서처럼 시의 주체이거나 자신의 체험의 증인이 아니다. 오히려 시인은 이러한 서정적 자아가 자기 자신에게 불확실한 것이 되었기 때문에 객관적인 사물 자체의 진리성과 신뢰성을 추구하게 된다.[26] 그러므로 사물시에 있어서의 서정성의 본질이란 이제 감정 그 자체가 아니라 대상에 대한 자아의 경험 방식인 것이며, 그러한 경험은 지적으로 이미지화되어 표상된다. 이런 점에서 서정시의 한 양식인 사물시는 영·미 중심의 주지적 이미지즘 시와 깊은 관련을 맺고 있다고 볼 수 있다.

한편, 절대시에서는 아리스토텔레스 이래의 고전 시학에서처럼 주어진 현실을 그대로 모방하는 것이 아니라 현실로부터 구성 자료들을 추출해내어 그것들을 상상적으로, 그리고 상이한 것들을 혼합시킨 하나의 시세계로 새로이 조립하고자 한다. 그러므로 절대시의 양식은 초현실주의적 시 형태로 드러나며, 여기에서는 정감에 찬 조화 대신에 불협화음의 혼합이 지배한다. 절대시에 있어서의 불협화음적인 미의 추구는 프랑스 상징주의 시인들에게서부터 그 징조가 보여진 후, 모더니즘의 유럽적 특징인 초현실주의 문학론으로 이어져 왔다. 그럼에도 불

---

25 B. Asmuth, Aspekte der Lyrik(Westdeutscher Verlag, 1981), pp. 93~94.
아스무쓰는 객관서정시 양식을 사물시, 절대시, 구체시로 분류한다. 1930년대 모더니즘 시는 이 중 사물시와 절대시 양식을 띠고 있으며, 구체시는 우리의 경우 1990년대 들어 나타난다.
26 장희창, 앞의 글, 49쪽.

구하고 객관적 서정시의 양식들은 시인의 주관성을 중시하는 정감적 서정시와는 달리 고도의 지적 작업에 의해 시작 행위가 이루어진다는 공통점을 갖고 있으며, 1930년대 우리 시에서도 가장 뚜렷한 성과로 자리하고 있다.

3. 1930년대 시의 서정과 담론 양상

1) 주정적 서정과 내면화의 담론

앞서 논한 양식의 차이를 전제할 때, 주정적 서정시는 낭만주의 시 관에 맥이 닿아있는 정감성을 바탕으로 하고 있다고 볼 수 있다. 그러 므로 주정적 서정시에는 서정시의 여러 특성 중에서도 특히 다음의 몇 가지 특성들이 강하게 드러난다. 주정적 서정시는 우선 근원을 명료하 게 파악할 수 없는 영혼의 깊이 속에 기반을 둔 정조의 표출로 이루어 진다. 또한 회상의 상태를 지향하기 때문에 주정시에서의 모든 존재물 은 단절된 대상이 아니라 융화된 상태로 존재한다. 그러나 무엇보다도 중요한 특성은 주정적 서정시가 언어의 의미보다는 음악의 상태를 지 향하는 까닭에, 논리와 문법의 차원을 초월하며 동시에 단형의 시형을 이루게된다는 점에 있다. 주정적 서정시의 이러한 특성은 결국 주체와 객체가 시적 자아에 의해 내면화된 담론적 양상을 보이게 되는 것이며, 1930년대의 우리 시 역시 이런 점에서 예외적이지 않다.

1930년대의 우리 시단이 순수시운동의 선두에 섰던 시문학파와 중 반의 모더니즘, 후반의 생명파에 의해 전개되어 왔음은 주지의 사실이 다. 이 중 모더니즘 시를 제외한 시문학파, 생명파의 시들은 대체로 주정시의 흐름 속에서 개괄될 수 있을 것이다. 시문학파의 경우 정지용의 참여로 인해 주지적 서정시까지 포함된다고 하지만, 그러나 이는 시문학파의 결성 동기가 서정시의 양식적 동일성보다는 전시대의 목적시에 대한 순수시의 결집에 있었던 까닭일 뿐이며, 이 모임을 주도했던 박용철의 시론이나 김영랑의 시작품은 다분히 낭만주의적 주정시의 색채를 갖고 있다.

> 美의 추구……우리의 감각에 녀릿녀릿한 기쁨을 일으키게 하는 자극을 전하는 美, 우리의 심회에 빈틈없이 폭 들어 안기는 感傷, 우리가 이러한 시를 추구하는 것은 현대에 있어 흰 거품 몰려와 부디치는 바위 위의 古城에 서 있는 감이 있습니다. 우리는 조용히 걸어 이 나라를 찾아볼까 합니다.[27]

박용철의 이러한 언급은 전시대부터 이어져온 계급주의와 민족주의, 그리고 기교주의 논쟁이라는 1930년대의 문학적 현실 속에서 순수한 서정으로서의 미의 추구가 '고성에 서 있는' 것 같이 위험하고 외로운 작업임을 토로하고 있는 것이다. 시인이 이처럼 순수미의 추구를 위험하고 외로운 작업으로 인식하면서도 이에 굴하지 않고 순수 서정의 세계에 몰입하게 될 때, 시는 자연히 절대적이고 개성적인 미의 세계에 경도되지 않을 수 없는 것[28]이며, 따라서 위의 글은 시문학파의 지향점이 낭만주의적 순수서정시에 있었음을 선명하게 부각시켜 주고 있다 하겠다. 또한『시문학』3호의 권말에 구르몽과 셸리의 시론을 소개하고

---

27 『시문학』 3호, 1931, 32쪽.
28 김동근, 「박용철 시론의 변용적 의미」, 『한국언어문학』 34집, 한국언어문학회, 1995, 217쪽.

있거나, 『박용철전집』에 수록된 번역시의 대부분이 18세기 낭만주의 작품이라는 점은 그들이 추구했던 순수시가 주정적 서정시 양식이었음을 의심할 수 없게 한다.

시문학파의 이러한 경향성은 그들의 창작시에서도 어김없이 드러난다. 먼저 박용철의 대표적인 자작시 「떠나가는 배」를 살펴보자.

> 나 두 야 간다
> 나의 이 젊은 나이를
> 눈물로야 보낼거냐
> 나 두 야 가련다
>
> 안윽한 이 항구 ─ ㄴ들 손쉽게야 버릴거냐
> 안개가치 물어린 눈에도 비최나니
> 골쟁이마다 발에 익은 뫼ㅅ부리모양
> 주름쌀도 눈에 익은 아 ─ 사랑하든 사람들
>
> ─ 박용철, 「떠나가는 배」 일부

이 시의 작시 동기를 박용철은 "꿈같이 드러누운데 어쩐지 눈물 흘리며 떠나가는 배가 보이데. 그저 떠나가는 배일 뿐이야. 그래 그대로 풀어놓은 것이 그 시가 되었네. 잘잘못은 두고라도 성립의 과정은 상징의 본격이야"라고 설명한다. 꿈속에 나타난 배, 눈물 흘리며 떠나가는 배를 그대로 풀어놓은 것이 이 시가 되었다는 것이다. 어느 순간의 충전 상태에서 발상되었다는 「떠나가는 배」의 작시 과정을 통해서 시는 '짓는 기교'보다는 '속에 덩어리'가 있어야 한다는 것, 그리고 시는 '하나의 존재물'이라는 것을 알게 되었다고 한다. 이는 그의 심미적이고 존재론적인 시론의 일단을 보여주는 것이자, 시인으로서의 주체가 시적 대상인 '배'를 객체로 보지 않고 서정 자아 속에 내면화하여 동일시하는 정감서정시의 담론 방식인 것이다.

> 내마음의 어듼듯 한편에 끗업는
>   강물이 흐르네
> 도처오르는 아츰날빗이 빤질한
>   은결을 도도네
> 가슴에듯 눈엔듯 또 피ㅅ줄엔듯
> 마음이 도른도른 숨어잇는곳
> 내마음의 어듼듯 한편에 끗업는
>   강물이 흐르네
>
> — 김영랑, 「동백닙에 빗나는 마음」 전문

김영랑의 이 작품은 『시문학』 창간호의 허두를 장식한 것이다. 뿐만 아니라 그후 여러 비평가들에 의해 1930년대의 한국 시를 대표하는 가작으로 일컬어진 바 있다.[29] 이러한 평가는 이 작품이 1930년대 시의 경향, 즉 주정성과 주지성을 겸하고 있다는 측면에서 이루어진 것이다. 그러나 여기서의 화자의 감정이나 생각은 객관적 사물로 대체되어 있는 것이 아니며, 또한 시인의 목소리가 주지주의 경향으로 나타나 있는 것도 아니다. 그렇다기보다는 오히려 주정적이며, 낭만주의의 색채가 더 짙어 보이는 것이 이 작품이다. 물론 이 시의 중심을 이루는 의미 내용이 '강물'에 전이되지 않았는가 하는 반문을 제기할 수도 있겠

---

29 김춘수, 『한국현대시형태론』, 해동문화사, 1958, 68~69쪽.

지만,[30] 시적 객체로서의 '강물'은 서정적 회상의 대상이 되어 자아와의 합일을 시도하고 있는 것이지 자아를 구체적이며 객관적인 사물로 제시하고 있는 것은 아니다. 그러므로 얼핏 감각화된 듯 보이는 화자의 마음(향수 또는 동경의 감정)은 실제에 있어서는 주관의 테두리를 벗어나 있지 못하다. 이는 영랑시에 대한 박용철의 글에서도 드러난다.

> 그는 唯美主義者다…(중략)…그는 不自由·貧窮가튼 물질적 현실생활의 체취, 작품에서 추방하고 될 수 있는 대로 純粹한 感覺을 추구한다. 그는 의식적으로 언어의 華奢를 버리고 시에 形態를 부여함보다 떠오르는 香氣와 같은 자연스러운 호흡을 살리려 한다.[31]

이는 영랑시에 대한 감상으로서의 해설임과 동시에 시문학파가 추구했던 순수서정시의 본질이 주정성에 있었음을 의미한다. 유미주의자로서의 영랑의 시적 담론은 결국 시의 형태를 통한 독자와의 의사소통을 전제한다기 보다는 떠오르는 향기와 같은 자연스러운 호흡으로 이루어진 자기 내면화의 담론인 것이다. 그러기에 "너 참 아름답다. 거기 멈춰라고 부르짓는 한 순간을 표현하기 위하야, 그 감동을 언어로 변형시키기 위하야 그는 捨身的 노력을 한다"[32]는 언급에 대한 이해가 가능해진다. 감동을 언어로 변형시키는 것이야말로 영랑시 담론의 정체임을 밝혀주는 단서라 할 수 있다.

---

30 이에 대해서는 김춘수의 아래와 같은 언급이 대표적이다.
  "영랑의 시의 언어는 비단 이 시에서뿐만 아니라, 퍽 시각적·촉각적이다. 설명적·개념적인 것을 되도록 피하고, 구체적·감각적인 것을 사용한다. 사용한다고 하기보다는 그런 언어로 되어 있다. 그가 예민한 감각을 가졌다는 증좌일 것이다." (김용직, 「1930년대 시와 감성시의 주류화」, 『문학사상』, 1986. 7. 282쪽 재인용)
31 『박용철전집』 2, 106~107쪽.
32 위의 글, 108쪽.

체험을 표현하려는 욕구가 자아에 대한 관심으로 쏠리게 될 때 자아의 내면은 강조되고, 그 충격적 체험의 내면화에 의해 자연히 작품은 주관적 경향을 보일 수밖에 없게 된다. 영랑시의 경우, 그가 택한 소재들은 모두가 화자의 눈길과 목소리로 새롭게 나타나는 객체들이다. 그리고 이러한 화자의 목소리도 객체의 침투를 받아서 성숙하고 시가 되는 것이다. 이렇게 보면 영랑의 시들은 주체와 객체간의 간격 부재를 특성으로 하는 주정적 서정시의 한 보기에 해당되는 셈이다.

2) 주지적 서정과 객관화의 담론

서정시에 있어서 언어의 감각적 사용이나 비유를 통한 신선한 이미지의 제시는 작품의 정서를 살리기 위해 원용된 것이다. 이는 시의 속성 자체에 대한 인식을 요구하게 되는데, 시의 언어는 과학적 언어와 달리 언어를 정서의 함량이 커지도록 사용한다.

언어의 이러한 사용법은 개개의 낱말이나 구절의 문제가 아니라, 작품을 구성하는 행과 연의 관계, 나아가 그 형태와 구조 전체의 문제에 해당한다. 그러므로 정서적으로 언어의 새 차원을 개척하려면 그에 부수되어 반드시 형태, 기법에 대한 인식이 뒤따라야만 한다. 1930년대의 시는 이에 대한 배려의 자취도 남기고 있다. 그 대표적인 것이 1920년대 후반 정지용의 시에서 발아된 후 1930년대 중반 우리 시단의 주요 경향으로 자리하게 된 이미지즘 계열의 모더니즘 시라고 할 것이다.

한국 근대시문학사에 있어서 모더니즘 운동은 정지용의 초기시인 「카페-프란스」, 「슬픈 인상화」, 「파충류동물」 등에서 확인할 수 있듯이 1926년경에 이미 배태되어 있었다고 볼 수 있다. 그러나 당대의 문단 추세와 당대 이론가들의 동조를 얻지 못했던 까닭에 모더니즘 운동이 문단의 전면에 드러나지 못하고 있다가, 1930년대에 이르러 문단 추세의 변화와 이양하, 최재서 등의 이론가들에 힘입어 그 윤곽을 확연히 드러낸 것으로 풀이된다.[33]

이들의 등장을 계기로 하여 우리 시단은 전통 서정시의 흐름과는 변별적인 새로운 시의 경향성을 구유하게 된다. 이러한 두 경향성으로 인해 1930년대 시단은 "전통지향성과 모더니티지향성의 변증법적 발전 구조"[34]로 파악되기도 한다. 이는 당시의 우리 시단이, 특히 모더니즘 시운동의 측면에서 볼 때, 서구화와 전통의 문제에 직면하였으며, 여기에 덧붙여 전시대의 낭만주의와 편내용주의에 대한 반동적 성격을 띠었으리라는 점을 짐작하게 한다.

> 모더니즘은 두 개의 否定을 準備했다. 하나는 「로맨티시즘」과 世紀
> 末文學의 末流인 「센티멘탈 로맨티시즘」을 위해서고, 다른 하나는 當
> 時의 偏內容主義의 傾向을 위해서였다.[35]

위의 글들을 통해서 알 수 있는 바, 1930년대의 모더니즘은 전통과 낭만주의 및 편내용주의(민족주의, 마르크스주의)에 대한 부정으로 출발한 것이며, 그들이 추구했던 모더니티 역시 이러한 전시대적 요소와의 대척점에서 찾아진다. 그러므로 흔히 1930년대 시의 경향성을 논하는 자리에서 동시대의 시가 갖는 상호 영향 관계에도 불구하고 '주정적 / 주지적', '주관적 / 객관적', '음악적 / 회화적' 등과 같은 이분법적 구분이 행해지는 것이다.

---

33 한계전, 「1930년대의 시와 그 인식」, 김용직 외, 『한국현대시사연구』, 일지사, 1983. 234쪽.
34 김윤식, 『한국현대시론비판』, 일지사, 1975. 241쪽.
35 위의 글. 74쪽.

그렇다면 시에 있어서의 모더니티란 무엇인가? 이에 대한 분명한 대답을 구하기란 매우 어려운 일이지만, 프레이져는 일단 그 기준을 시의 복합성, 암시성, 반어성, 모호성 등으로 제시[36]한다. 또한 스피어즈는 모더니즘의 기본 이념을 '단절의 원리'[37]라 지적한다. 그는 단절을 '형이상학적 단절', '미학적 단절', '수사학적 단절', '시간적 단절' 등으로 나눈다. 그리고 이러한 단절을 기본 원리로 하는 모더니즘 시의 중요한 특징을 '공간적 형식(spatial form)' 즉 시간 질서의 공간화라고 요약하였다. 모더니티로서의 이러한 기준과 이념은 시적 화자의 직접적 목소리에 의해서보다는 객관적 사물을 통한 '보여주기' 수법에 의해서 더 효과적으로 구현될 수 있었을 것이다. 따라서 그 담론의 방식에 있어서도 주정시처럼 진술적 방식이 아닌 묘사적 방식이 선택되어진다.

시의 담론이 묘사적 방식으로 이루어질 경우, 앞서 분류한 객관적 서정시의 양식 중 사물시 형태가 가장 유효할 수 있다. 왜냐하면 근대 사회 속에서의 서정적 자아는 그 불확실성으로 인해 내면의식을 주체적으로 드러내기보다는 대상에 대한 자아의 경험 방식, 즉 묘사에 의존하기 때문이다. 그러므로 이러한 시에서는 주지적이고 객관적이며 회화적인 특성들이 가시화되어 나타난다. 여기서 한 가지 검토해야 할 사항이 시와 현실과의 관계이다. 대상에 대한 자아의 경험 방식이란 결국 현실 인식의 문제인 것이고, 모더니즘의 주요 이념 중에 하나가 문명비판에 있다는 점은 필연적으로 이에 대한 해명을 요구한다.

주지하다시피 모더니즘의 선구자인 엘리어트는 그의 「황무지」를 통해 전후 근대문명의 상황을 날카롭게 묘사하고 있다. 이러한 그의 기본

---

36 G. S. Fraser, The Modern Writen and His World, Kenkyusha, 1956, p. 4.
37 M. K. Spears, Dionysus and the City ; Modernism in 20th Century Poetry, Oxford Univ. Press, 1970, p. 11.

태도는 근대의 황무지적인 문명에 질서와 안정을 회복하고자 하는 것이었으며, 이의 실현을 위해 유럽의 근원적 전통인 카톨리시즘을 그 바탕으로 삼고 있다[38]. 이는 모더니즘의 현실인식이나 문학론이 전통과 역사의식에 입각해 있음을 의미한다. 그러나 우리의 경우 소위 모더니스트 시인으로 언급되어지는 정지용, 김기림, 김광균 등은 모더니즘의 전제적 요건인 지성의 관점[39]이 정립되지 못함으로 인해서 확고한 현실인식을 보여주지는 못하였다. 이는 시에 있어서의 세계관의 문제인 것으로서, 시적 담론의 이데올로기 조건을 취약하게 하는 요인으로 작용할 수밖에 없었다.

> 「大中華民國의 繁榮을 위하여!」
> 슲으게 떨리는 유리 컾의 쇳소리,
> 거룩한 테불 보재기우에
> 펴놓는 歡談의 물구비 속에서
> 늙은 王國의 運命은 흔들리운다.
> 솔로몬의 使者처럼
> 빨간 술을 빠는 자못 점잔은 입술들
> 색깜안 옷깃에서
> 씽끄시 웃는 흰 장미
> 「大中華民國의 分裂을 위하여」
>
> — 김기림, 「기상도」 일부

---

38 F. R. Leavis, New Bearings in English Poetry, Penguin Books, 1932, pp. 77~78.
39 문덕수는 1930년대의 한국적 상황 속에서 지성인이 취할 수 있는 관점, 즉 모더니스트로서의 기본 태도를 허무주의, 카톨리시즘, 커뮤니즘(마르크스주의), 유교적 인문주의 등으로 구분한다.

이 시는 「황무지」를 모방하여 알레고리적 수법으로 시도한 작품이다. 「황무지」가 그 배후에 시인의 확고한 정신적 자세를 뒷받침하고 있는 것과 대조적으로, 「기상도」는 2차대전 직전의 정치적 상황을 단순히 풍자적 비유로 국한하며, 도시문명에 대한 동경에서 빚어진 장식적 수사에 치우쳐 있다. 서정 자아는 객관적인 주체의 자리에서 시적 대상들을 객체로만 바라볼 뿐 동일시하지 않는다.

> 넓은 벌 동쪽 끝으로
> 옛이야기 지줄대는 실개천이 회돌아 나가고,
> 얼룩백이 황소가
> 해설피 금빛 게으른 울음을 우는 곳,
>
> —— 그 곳이 참하 꿈엔들 잊힐리야.

– 정지용, 「향수」 일부

위의 시처럼 대부분의 지용시는 서정적 주체, 즉 언술내용의 주체인 화자가 텍스트의 문면 안에 숨어 있어서 화자와 내포독자 사이에 일정한 거리를 형성한다. 화자가 '나'로 드러난 경우라 하더라도 그 주체성보다는 한 개체로서의 대상성을 강조하고 있다는 점에서 또한 그러하다. 숨은 화자와 내포독자의 통화 모형에 의해 수행되는 지용시의 담론 체계에서는 그러므로 비정할 만큼 차가운 객관주의에 의한 사고와 감각의 균형이 유지됨을 볼 수 있다. 따라서 이 경우에는 숨어있는 주체와 대상간의 관계가 명시적이고 비유적이라기보다는 암시적이고 상징적으로 이루어진다. 그리고 상징적 관계에서는 주체의 이데올로기가 대상에 '전이'됨으로써 기표의 의미화가 이루어진다.

정지용의 경우 카톨리시즘이나 동양적 세계관의 극기와 절제를 통해 서정적 동일시를 추구하는 양상이 보여지기도 하지만, 그것은 개인과 대상의 관계 정립에 국한될 뿐 근대 또는 식민지시대라는 현실과 직접적인 관계를 맺지는 못한 것이다. 마찬가지로 김기림이 근대 자본주의문명에서의 '죽음과 재생'을, 김광균이 '실향의식'을 시적으로 표상한다 하더라도 그 역시 확고한 이데올로기적 조건을 갖추고 있다고 말하기는 어렵다. 이런 점에서, 1930년대의 주지적 서정시는 모더니즘의 정통 이데올로기에 입각하여 그 담론을 통해 현실비판 또는 문명비판을 의도하였다기보다는 차라리 불확실한 시대의 지성을 시적 자아의 객관화로 보여주었다고 할 수 있다. 즉 시적 체험의 표현 욕구를 대상에의 관심으로 집중하여 자아의 외면을 강조함으로써 시의 담론을 보다 객관화시키게 되었던 것이다.

4. 맺음말

이 글은 지금까지 예술파와 주지파의 시론 및 시 텍스트를 통해 1930년대 서정시의 양식과 담론 양상을 살펴 왔다. 담론이란, 텍스트의 구성원리와 의미체계를 포괄하는 개념이며, 특히 시적 담론은 앤터니 이스톱의 말처럼 물질(언어)적, 이데올로기적, 주체적이라는 세 가지 차원에서 동시에 응집되고 결정된다. 따라서 이 글에서는 먼저 1930년대 시 텍스트의 이데올로기를 추출하기 위해 각 유파 시론의 의미를 검토하였으며, 나아가 서정 주체의 역할에 따라 서정시의 양식을 구분하고, 언어 구성체로서의 시적 담론 양상을 밝혀보았다.

1930년대의 시를 '순수서정시'라는 개념적 용어에 의해 포괄함으로써, 지금까지의 논의들은 다양한 문학 내적 특질이나 서정시의 양식적 관계에 관심을 두었다기보다는 개별 작품들을 한 시대의 문학사적 의의로 연계시키기 위한 작업에 치중하여 왔다. 그 예로 김영랑과 정지용의 경우, 시문학파라는 유파적 테두리 속에서 순수시운동의 일환으로 동일시되었거나, 아니면 전통서정주의와 모더니즘이라는 사조론적 입장에서 완전 별개의 것으로 논의되어 왔음이 사실이다.

그러나 이 시기의 특성을 개성화와 개체화에서 찾듯이, 1930년대 서정시는 '순수'라는 개념적 동질성 이전에 양식적 차이를 갖고 있으며, 예술파와 주지파의 시론도 프롤레타리아 시론에 대한 거부라는 동질성과 더불어 방법론적 지향성의 차이를 함께 갖는다. 이에 따라 서정성 구현의 방식에서도 상호 변별적인 두 가지 흐름이 내재하게 된다. 그 하나가 낭만주의적 서정시관 또는 전통 서정시의 맥을 이어온 주정적 서정시이고, 다른 하나는 모더니즘 계열의 주지적 서정시이다. 박용철·김환태·김문집·김영랑 등이 전자에 해당한다면, 김기림·이양하·최재서·정지용 등은 후자에 해당한다.

또한 전자는 서정성의 본질을 주체와 객체, 영혼과 풍경, 내용과 형식, 시인과 독자 사이의 '간격의 부재'나 '대상의 내면화'로 규정하는 낭만주의적 서정시관에 입각해 있다. 시에서 이 간격을 메워 주는 것은 '회상'이며, 회상이야말로 주정적 서정시 문체의 기본 특성이자 정감시 양식으로 구현된다 할 수 있다. 예술파 시론과 시문학파 시는 이러한 특성으로 인해 결국 주체와 객체가 시적 자아에 의해 내면화된 담론적 양상을 보이게 되었던 것이다. 이에 반해 주지파의 시론과 모더니즘 시는 서정성의 객관화를 시도하려는 노력에 의해 사물시 양식을 추구한다. 주지적 서정시에 있어서의 서정성의 본질이란 감정 그 자체가 아니라 대상에 대한 자아의 경험 방식인 것이며, 그러한 경험은 지적으로 이미지화되어 표상된다. 따라서 1930년대 주지파 시론과 시는 그 담론 방식에 있어서도 주정시처럼 진술적 방식이 아닌 묘사적 방식이 선택되어졌던 셈이다.

김수영 시론의 담론적 의미
- '참여시' 논의를 중심으로

1. 머리말

김수영에게는 시의 현실 참여를 실천적으로 보여주었다는 평과 함께 종종 '참여시인'이라는 수식어가 뒤 따른다. 창작 태도로서의 김수영의 시 쓰기는 분명 '참여시'로 응축될 수 있는 지점을 가지고 있다. 또한, 김수영은 1960년대 우리 문단에 일었던 순수참여논쟁의 주도적 위치를 차지하기도 하였다. 이 과정에서 김수영이 자신의 비평적 입장을 적극적으로 피력하고 있음은 물론이다. 그러나 이때의 순수참여논쟁은 '앙가주망'의 개념과 방법론에 대한 이해의 차이로 인해 각각 다른 실천적 태도를 보이게 된다. 이는 김수영에 있어서도 동일하게 발견되는 문제로, 일반적으로 순수진영과 참여진영에서 사용한 '참여시'와 김수영이 언급하는 '참여시'는 다른 층위의 개념화로 이해되어야 할 것이다.

따라서 김수영의 시론을 담론의 차원에서 재검토하기 위해 우선 김수영의 '참여시'에 대한 개념적 태도와 방법론적 관점을 재조명해보고자 한다. 나아가 김수영 시론이 갖는 미적 담론으로서 그리고 비평담론으로서의 의미를 분석적으로 추적해 들어갈 것이다. 이를 위해 김수영의 산문 「참여시의 정리―1960년대의 시인을 중심으로」와 「반시론(反詩論)」, 「시여, 침을 뱉어라―힘으로서의 시의 존재」를 분석 텍스트로 삼아 그의 참여시론이 의도하고 있는 담론적 의미를 밝히고자 한다. 이처럼 1960년대 참여 논쟁 속에서 시 쓰기에 대한 김수영의 견해와 현실문제에 대한 그의 태도를 담론의 층위에서 이해하는 일은 나아가 그의 시 작품의 의미구조를 재해석하는데도 하나의 토대를 마련해 줄 것이다.

김수영의 시와 산문은 대부분 전집으로 묶여 출판[1]되어 있다. 특히 『김수영전집』2권 '산문' 편에는 김수영이 집필한 모든 산문들이 수록되어 있다. 이는 김수영의 시에서 간접적으로 느낄 수 있었던 시작 태도와 생각을 더욱 가깝게 만날 수 있는 곳이다. 특히 제3부에 수록된 글[2]들은 김수영의 시에 대한 견해를 분명하게 해 주고 있다. 시 속에 함축되어 있던 김수영의 시론이 산문 속에서 구체화 되고 있는 것이다.

김수영은 시론을 포함한 번역물, 문화·사회비평, 일기, 시 창작노트 등에서 자신의 시적 사유를 폭넓게 개진해 나갔다. 이런 점에서 김수영의 산문은 단지 시에 종속된 글쓰기 양식으로만 여길 수 없게 한다. 김수영의 산문을 시의 해석을 위한 참조 자료로 읽을 것이 아니라, 그의 시적 사유와 그 의의를 검토하는 주된 텍스트이자 완결된 담론체계

---

1 김수영, 『김수영전집』 1·2, 민음사, 2003.
   초판 발행은 1981년 9월 20일이며, 이를 증보하여 2003년 6월 25일 2판을 발행함.
2 제3부에는 「새로움의 모색」, 「시의 〈뉴 프런티어〉」, 「평단의 정지 작업」, 「시의 완성」, 「세대교체의 연수표」, 「시인의 정신은 미지」, 「생활현실과 시」, 「〈난해〉의 장막」, 「대중의 시와 국민가요」, 「히프레스 문학론」, 「신비주의와 민족주의의 시인 예이츠」, 「도덕적 갈망자 파스테르나크」, 「진정한 현대인의 지향」, 「문맥을 모르는 시인들」, 「연극 하다가 시로 전향」, 「〈평론의 권위〉에 대한 단견」, 「예술작품에서의 한국의 애수」, 「작품 속에 담은 조국의 시련」, 「안드레이 시냐프스키와 문학에 대해서」, 「변한 것과 변하지 않은 것」, 「가장 아름다운 우리말 열 개」, 「새로운 윤리 기질」, 「참여시의 정리」, 「시여, 침을 뱉어라」, 「반시론」, 「죽음에 대한 해학」의 글이 수록되어 있다.

³로 다루어야 한다는 것이다. 즉, 김수영의 다양한 면모를 단일한 특질로(문학의 참여성이 명확히 드러난 '불온성' 논쟁 관련한 글 같은) 단정 짓지 않으려면 시적 사유를 개진한 산문을 시와 별도로 다시 섬세히 살피는 연구 태도가 필요할 것이다.

2. 순수참여논쟁과 김수영의 시적 지향

김수영에 대한 지금까지의 수많은 논의들은 김수영의 시적 지향을 주로 모더니즘이나 리얼리즘의 틀로 규정하고자 하여왔다. 이는 김수영의 시가 모더니티와 리얼리티를 동시에 구유한 근대성의 담론으로 읽힐 수 있다는 점 때문이었다. 또한 '참여'의 문제에 있어서도 릴케나 하이데거에 영향 받은 존재론적 의미로 이해⁴하거나, 1930년대에서 1970년대로 이어지는 리얼리즘시의 흐름 속에서 파악하고자 하여왔다. 그러나 김수영의 시론을 담론의 차원에서 면밀히 검토할 경우, 김수영의 시적 지향성이 좀 더 복합적인 양상을 띠고 있음을 짐작할 수 있게 된다.

시문학에서 리얼리즘의 특성은 어떻게 나타날 수 있을까? 이는 시인이 사회나 세계를 문학적으로 창조 또는 형상화하고 있는 문학적 세계의 이념적 문제라는 측면과 현실의 문제를 문학적으로 형상화하는

---

3 담론(discourse)은 발화자와 수신자를 상정한 언술이며, 이 때 발화자는 이미 사회적 존재이다. 즉 담론은 대화자를 향해 있으며, 이 대화자의 존재를 향해 있다. 또한 담론은 언어적으로 실현된 부분과 암시된 부분으로 나누어지고, 이 암시된 부분은 시공적, 의미적, 가치평가적 요소로 구성된다. (츠베탕 토도로프, 최현무 역, 『바흐친 : 문학사회학과 대화이론』, 까치, 1987. 69~109쪽 참조.)
4 김유중, 「김수영 시의 모더니티(5)—존재시론의 이론적 근거와 그 구체적인 발현 양상」, 『국어교육』 제114호, 2004. 125~141쪽.

방법의 문제로 나누어서 접근할 수 있다.[5] 이러한 리얼리즘 시의 모색이 가장 구체화 되었던 것이 바로 1960년대 우리 문단을 뒤 흔들었던 '순수참여논쟁'이다. 이 순수참여논쟁을 통하여 시의 문학적 세계와 현실적 세계 사이의 거리를 조절해 줄 참여적, 실천적 시에 대한 모색을 활발하게 진행할 수 있었던 것이다.

순수참여논쟁은 1960년대의 한국문학에서 보여준 상반되는 두 얼굴이다. 이 두 얼굴은 순수문학파와 참여문학파의 논쟁으로 요약되어진다. 이는 하나의 리얼리즘 논쟁의 연장이 될 수 있다.[6] 여기서의 순수문학은 문학의 현실참여를 반대하고 복고주의적 전통에의 민족문학을 확립시키려는 데 기초를 둔다. 이를 지향하기 위한 문학의 자율성과 독창성, 인간이 영원성을 추구하는 보편성, 그로부터의 예술적 가치의 옹호 등으로 집약 된다. 이에 반해 참여문학은 냉전체제의 분단이념을 반영한 순수문학파로부터 비문학이라는 맹렬한 공격을 받기 시작한다.

1960년대 초반 이형기의 '순수론'과 김병걸, 김우종의 '참여론'으로부터 쟁점화 된 순수참여의 문제는 1966년 10월 12일 〈세계문학자회의〉에서 발표한 김붕구의 「작가와 사회」라는 논문을 계기로 다시 관심을 증폭시키면서 파문을 일으켰다. 김붕구는 "앙가즈망(참여)이란 정신적 윤리적 타락의 영합이요, 무책임한 곬이며, 인간부재의 허점을 지니기에 작품 속에 〈나〉를 송두리째 투입시키는 성실성이 무엇보다도 소중하다."고 주장한다. 이에 임중빈은 "사회적 자아를 도외시하기에 급급한 김붕구의 단도직입적인 선고야말로 일고의 가치가 없는 이데올로기 노이로제 증세"라고 반박한다. 여기에 이어서 이호철, 이철범, 김

---

5 윤여탁, 「리얼리즘시의 이론과 실제」, 태학사, 1994. 16~17쪽.
6 장병희, 「한국문학에서의 순수와 참여논쟁 연구」, 「어문학논총」 제12집, 국민대학교 어문학연구소, 1993. 59쪽.

현, 정명환, 임중빈, 임헌영, 선우휘 등의 활발한 논의가 이어졌다.[7] 이
두 번째 시기의 논쟁은 창조적 자아와 사회적 자아 사이의 관계 설정을
통한 참여의 방법론에 관한 논의였다 할 수 있다.

　김수영의 참여문학 논의가 본격화된 것은 1967년 12월에서 1968
년 3월에 걸친 이어령과의 논쟁을 통해서이다. 이어령이 「에비가 지배
하는 문화—한국 문화의 반문화성」(〈조선일보〉, 1967년 12월 28일)이
라는 '세모시론'을 발표하자 김수영은 「지식인의 사회참여—일간신문의
최근 논설을 중심으로」(『사상계』, 1968년 1월호)에서 이어령의 견해에
반론을 편다. 김수영은 먼저 언론의 애매성과 무기력, 안이함과 보수적
이고 방관적인 타성의 태도를 신랄하게 꼬집는다. 이른바 정치의 기상
도에 순응하는 언론의 무주체성과 비주체성을 비꼰다. 즉, 언론에선 예
술과 문화의 자유를 인정해야 한다면서도 학문이나 문학작품이 문제돼
야 할 때는 제재를 받아야 한다고 논리를 뒤엎는 언론의 자가당착적 양
면성을 쏘아붙인다. 이러한 양면성은 문학인에서도 드러나는 데 그 대
표적인 것이 이어령의 '에비가 지배하는 문학'이라고 지적한다.

　　오늘날 우리들의 〈에비〉는 결코 〈구체적인 대상을 가리키는 명사
　　(名詞)가 아닌〉 〈가상적인 어떤 금제의 힘〉이 아니다. 그것은 가장 명
　　확한 〈금제의 힘〉이다. 8·15 직후의 2, 3년과 4·19 후의 1년 동안을
　　회상해 보면 누구나 다 당장에 알 수 있는 일이다. 물론 이 필자가 강
　　조하려고 하는 점이 우리나라의 문화인들이 실제 이상의 과대한 공포
　　증과 비지성적인 퇴영성을 나무라고 독려하려는 데 있다는 것을 모르
　　는 바가 아니다. 그러나 이 필자의 말대로 〈이러한 반문화성이 대두되

7　위의 글, 65~67쪽 참조.

고 있는 풍토 속에서 한국의 문화인들의 창조의 그림자를 미래의 벌
판을 향해 던지기 위해서〉, 〈그 에비의 가면을 벗기고 복자(伏字) 뒤
의 의미를〉 아무리 〈명백하게 인식해〉 보았대야 역시 거기에는 복자
의 필요가 있고 벽이 있다.[8]

이에 이어령은 「누가 그 조종을 울리는가?-오늘의 한국문화를 위
협하는 것」(〈조선일보〉, 1968년 2월 20일)을 통해 "문화를 정치수단의
일부로 생각하고 문학적 가치를 곧 정치 사회적인 이데올로기로 평가
하는 오늘의 오도된 사회참여론자들이야말로 스스로 예술 본래의 창조
적 생명에 조종을 울리는 사람들이다."고 비난한다. 그러자 김수영은
「실험적인 문학과 정치적 자유- '오늘의 한국문화를 위협하는 것'을 읽
고」(〈조선일보〉, 1968년 2월 27일)를 발표하며 이어령의 반론에 대한
재반론을 편다.

8·15 후도 4·19 직후도 실정은 좀더 복잡한 것이었다. 〈문예시
평〉자의 말마따나 그 당시의 문학이 정치 삐라의 남발 같은 인상을 주
었다고 해서 그 책임이 그 당시의 정치적 자유에 있다고 생각하거나,
일부의 〈문화를 정치사회의 이데올로기와 동일시하는 문화인〉에게만
있다고 생각하고 그 폐해를 과대하게 망상하는 것은 지극히 소아병적
인 단견(短見)이라고 아니할 수 없다.[9]

김수영은 문화의 위기가 문화를 정치사회의 이데올로기와 동일시하

8 김수영, 「지식인의 사회참여-일간신문의 최근 논설을 중심으로」, 『김수영전집』 2, 민음사, 2003,
   218~219쪽.
9 김수영, 「실험적인 문학과 정치적 자유」, 위의 책, 221쪽.

는 것이 아니라, 문화를 단 하나의 이데올로기와 동일시할 때 일어나며, 우리의 경우가 바로 그러하다고 본다. 하나의 정치사회의 이데올로기만을 강조하는 사회에서는 이어령이 주장한 바의 응전력과 창조력이 정당한 순환작용을 얻지 못한다는 것이다. 따라서 문화의 순환작용을 억압하는 '숨어 있는 검열자'는 대중의 검열자가 아니라 획일주의를 강요하는 대제도의 문화기관이라고 본다. 그리고 이 획일주의의 검열과 대중의 검열이 공존하는 길을 모색하는 것이 참여문학 발전의 실질적인 계기가 될 것이라 주장한다.

이런 점에서 김수영의 시적 지향이 기존 참여파의 참여시와는 그 궤적을 달리 하고 있음을 짐작할 수 있다. 김수영은 시·시론·시평 등의 왕성한 발표를 통해 우리 사회의 후진성과 허위의식을 비판하고 진정한 참여를 하지 못하는 자기 자신을 폭로하였다.[10] 또한 그는 문학의 실천과 참여를 옹호하고 있지만, 당시의 참여파 시인들에 대해 신랄한 비판을 가하기도 하며, 동시에 순수문학의 미학적 측면을 긍정적으로 평가하기도 한다. 비록 이어령과의 논쟁 속에서 '참여'를 강조하고 있지만, 그것은 곧 이어령의 논점을 반박하기 위한 것이었다고 볼 수 있다. 시에 대한 담론으로서의 김수영의 시적 지향이 구체적으로 드러난 글은 그 이후에 쓰인 「참여시의 정리」, 「시여, 침을 뱉어라」, 「반시론」 등이다. 여기에서 김수영은 그의 참여시론의 핵심을 이루는 '온몸', '반시' 등의 개념어를 사용하면서 시가 지향해야 할 예술성과 현실성에 대한 그의 생각들을 구체화하고 있는 것이다. 따라서 이 세 편의 산문을 텍스트로 삼아 거기에 내포된 담론적 의미를 살핌으로써 김수영 시론

---

10 강웅식, 「김수영론 : 언어의 윤리와 시의 완성」, 『새로 쓰는 한국시인론』, 상허학회, 백년글사랑, 2003, 289쪽.

의 지향성을 찾아보기로 한다.

3. 이념과 의식의 합치로서의 '반시(反詩)'

김수영과 관련한 지금까지의 연구들은 주로 시론보다는 시 작품세계의 특징이나 변모양상을 중심으로 논의를 전개시켜 왔다. 비록 김수영의 시론에 관한 연구라 할지라도 잘 알려진 「시여, 침을 뱉어라-힘으로서의 시의 존재」에 집중적으로 주목했던 것이 사실이다. 그러다보니 김수영의 산문을 텍스트로 하여 그의 시론이 갖는 의미를 밝히고자한 연구들은 대체로 다음과 같은 평가에 동의하고 있다.

사실 지금까지 나온 김수영에 관한 연구들은 대부분 그의 시에 관한 것들이고, 그가 쓴 시론에 관한 것은 그리 많지 않다. 그것은 무엇보다도 그의 시론이 소략할 뿐 아니라 내용 면에서 볼 때도 그리 명확하지 않은 탓으로 보인다. 우선 양적인 면에서 볼 때 그가 쓴 글 중 시론으로 묶일 수 있는 글은 「시여, 침을 뱉어라-힘으로서의 시의 존재」와 「반시론」 정도가 고작이다. 기타 시 월평으로 쓴 글이 10여 편 정도가 있기 하지만 이 정도의 글을 가지고는 시에 대한 그의 생각을 충분히 개진하기가 쉽지 않다. 그의 문장이 지닌 난해함은 그의 사상이 지닌 난해함에서 기인한 것이라기보다는 그가 구사하는 문장 자체가 명확하지 못한 데서 기인하는 것이 아닌가 생각된다.[11]

---

11 정영훈, 「김수영의 시론 연구」, 「관악어문연구」 제27집, 2002, 457∼458쪽.

그러나 위의 글에서 "그의 시론이 소략할 뿐 아니라 내용 면에서 볼 때도 그리 명확하지 않은 탓으로 보인다."랄지, "그의 문장이 지닌 난해함은 그의 사상이 지닌 난해함에서 기인한 것이라기보다는 그가 구사하는 문장 자체가 명확하지 못한 데서 기인하는 것이 아닌가 생각된다."는 의견은 재고의 여지를 갖고 있다. 김수영은 스스로 "시인은 시를 쓰는 사람이지 시를 논하는 사람이 아니며, 막상 시를 논하게 되는 때에도 그는 시를 쓰듯이 논해야 할 것이다."라고 밝힘으로써 시 창작과 시론이 별개의 것이 아님을 전제하고 있다. 이는 그의 산문 텍스트 역시 시 텍스트와 마찬가지로 담론으로서의 내포적 의미로 읽혀져야 함을 암시하고 있는 것이다. 즉, 그의 문장 자체가 명확하지 못하기 때문에 시에 대한 생각을 제대로 개진하지 못하다는 것은 오해의 소지를 불러일으킨다. 오히려 시론 또한 시를 쓰듯이 논하기 때문에 더 분명한 시작 태도와 의도를 파악할 수 있는 여지를 남기고 있는 것이다.

사실, 참여시에 대한 김수영의 본격적인 논의는 「시여, 침을 뱉어라-힘으로서의 시의 존재」보다 먼저 발표된 「참여시의 정리-1960년대의 시인을 중심으로」(『창작과비평』, 1967, 겨울호)부터라고 할 수 있다. 이 글에 대한 질적, 양적 평가를 차치하더라도 이는 김수영의 시론이 완성되어가는 과정, 그리고 참여시에 대한 자신의 신념과 태도를 보여주는 좋은 자료인 것이다. 또한 이 글의 담론적 의미는 나중의 「반시론 (反詩論)」으로 이어짐으로써 더욱 구체화된다 하겠다.

'참여시의 정리'라고 제목 붙인 이 글에서 김수영은 당시의 참여파 시인들의 경향, 또 참여시라고 불리는 시들에 대한 평가를 덧붙이고 있다. 주로 유치환의 시「칼을 갈라」를 비롯해 김재원과 신동엽의 시를 비교 평가하고 있다. 특히 그 평가의 관점이 참여시로서의 요건을 충족하고 있는 지에 맞춰져 있다는 점에서 김수영의 참여시에 대한 생각을 살펴 볼 수 있는 충분한 자료가 될 것으로 여겨진다.

이 글에서 김수영은 4·19를 경계로 그 이전을 모더니즘의 시기로, 이후를 참여시의 시기로 구분하고 1950년대 모더니즘 시인들에 대해 "그들이 칼을 쓰지 않았다는 것"을 비난한 것이 아니라, "이성의 언어의 힘의 한계를 뼈저리게 실감하고 있었"으면서도 "베어지는 칼을 가지고"도 있지 않았다고 비판한다. 또한 이후의 새로운 유파, 소위 참여파 시인들에 대해서도 그들의 시가 '현실 응시'의 측면에서 모더니즘 시에 비해 별로 나아진 것이 없다고 지적한다. 이는 김수영이 생각하는 참여시의 본질이 따로 존재함을 의미하는 것이다.

초현실주의 시대의 무의식과 의식의 관계는 실존주의 시대에 와서는 실존과 이성의 관계로 대치되었는데, 오늘날의 우리나라의 참여시라는 것의 형성 과정에서는 이것은 이념과 참여의식의 관계로 바꾸어 생각할 수 있다. 우리나라와 같은 기형적인 정치 풍토에서는 참여시에 있어서의 이념과 참여의식의 관계가 더욱 미묘하고 복잡하며, 무의식과 의식의 숨바꼭질과는 다른 외부적인 터부와 폭력이 개입하게된다. 그런 의미에서는 우리나라의 오늘의 실정은 진정한 참여시를 용납하지 않는다. 그러니까 나쁘게 말하면 참여시라는 이름의 사이비 참여시가 있고, 좋게 말하면 참여시가 없는 사회에 대항하는 참여시가 있을 뿐이다.

그러나 진정한 참여시에 있어서는 초현실주의 시에서 의식이 무의식의 증인이 될 수 없듯이, 참여의식이 정치 이념의 증인이 될 수 없는 것이 원칙이다. 그것은 행동주의자들의 시인 것이다. 무의식의 현실적 증인으로서, 실존의 현실적 증인으로서 그들은 행동을 택했고 그들의 무의식과 실존은 바로 그들의 정치 이념인 것이다. 결국 그들이 추구하고 있는 것은 하나의 불가능이며 신앙인데, 이 신앙이 우리의 시의 경우에는 초현실주의 시에도 없었고 오늘의 참여시의 경우에도 없다. 이런 경우에 외부가 허락하지 않기 때문에 없다는 것은 말이 안 된다. 외부와 내부는 똑같은 것이다. 그리고 그것은 죽음에서 합치되는 것이다.[12]

위의 글에서 김수영은 1950년대를 초현실주의 시대로, 1960년대를 실존주의 시대로 파악하고 있다. 또한 1950년대의 시가 '무의식과 의식의 관계'에 의해 설명될 수 있다면, 1960년대의 시는 '실존과 이성의 관계'에 의해 설명된다는 점을 내포적으로 함의하고 있다. 나아가 참여시에 있어서는 이 '실존'이 곧 '이념'이며, '이성'이 곧 '참여의식'이라고 전제한다. 이런 측면에서 1960년대의 참여파 시들은 김수영에게 '사이비 참여시'이자 '참여시가 없는 사회에 대항하는 참여시'일 뿐인 것이다.

그렇다면 여기에서 '이념'과 '참여의식'은 어떻게 의미화될 수 있는가? 김수영은 진정한 참여시에서는 "참여의식이 정치 이념의 증인이 될 수 없"다고 한다. 이는 곧 의식이 이념을 증거할 수 없다는 말이며, 그것은 곧 불가능한 신앙과 같은 것이고, 나아가 '죽음'에 이르러서만 합치되는 것이다. 따라서 김수영에게 진정한 참여시란 시인의 이성으로서의 내적 의식과 그의 실존을 규정하는 외적 이념이 합치되는 순간, 곧 죽음의 순간을 노래한 시여야 하는 것이다. 김수영이 말하는, 이 모호하기 짝이 없는 '죽음'이 무엇을 의미하는지는 김재원과 신동엽의 시를 평가하는 다음 부분에서 그 단초를 찾아볼 수 있다.

---

12 김수영, 「참여시의 정리-1960년대의 시인을 중심으로」, 앞의 책, 389~390쪽.

김재원(金在元)은 5·16 후의 사회상을 풍자한 「입춘에 묶여온 개나리」와 「무너져 내리는 하늘의 무게」 등으로 주목을 끈 유니크한 조숙한 시인인데, 요즘에 나온 「못 자고 깬 아침」 같은 작품을 보면 이제까지 풍자를 위한 풍자가 많이 가시고, 사회의 일시적인 유동적 현실에 집중되어 있던 풍자의 촉수가 소시민의 생활 내면으로 접근해 들어가려는 차분한 노력이 보인다.

(중략)

그가 참여시의 뒷받침이 될 죽음의 연습을 잊지 않고 있다는 것이 무엇보다도 그의 장점이다. 이러한 죽음의 노동을 성공적으로 통과해 나올 때 그의 참여시는 국내의 사건을 세계 조류의 넓은 시야 위에서 명확하고 신랄하게 바라볼 수 있는 여유를 얻게 될 것이다. 우리는 이제 불평의 나열에는 진력이 났다. 뜨거운 호흡도 투박한 체취에도 물렸다. 우리에게 필요한 것은 불평이 아니라 시다. 될 수 있으면 세계적인 발언을 할 수 있는 시다.[13]

신동엽(申東曄)의 이 시에는 우리가 오늘날 참여시에서 바라는 최소한의 모든 것이 들어 있다. 강인한 참여 의식이 깔려 있고, 시적 경계를 할 줄 아는 기술이 숨어 있고, 세계적 발언을 할 줄 아는 지성이 숨쉬고 있고, 죽음의 음악이 울리고 있다. …… 그의 업적은 소위 참여파의 다른 어떤 시인보다도 확고부동하다.[14]

김재원의 시를 분석하며 김수영은 '불평의 나열'이 아닌 '시'가 필요

---

13 위의 책, 392~394쪽.
14 위의 책, 394~395쪽.

함을 역설했다. 이때의 시는 세계적인 발언을 할 수 있는 시이다. 이는 '세계적 보편성'을 취득한 시로, 리얼리즘의 시와 연결될 수 있는 고리가 된다. 또한, 진정한 참여시의 뒷받침이 될 '죽음의 연습' 또한 잊지 않았다는 점에서 높이 평가하고 있다. 하지만 김수영이 가장 높이 평가한 참여시인은 바로 신동엽이다. 신동엽의 시 「아니오」와 「껍데기는 가라」를 들어 "오늘날 참여시에서 바라는 최소한의 모든 것이 들어 있다"는 극찬을 아끼지 않는다. 이어서 그가 생각하는 진전한 참여시의 조건들을 열거하고 있다. 그것은 바로 강인한 참여 의식과 시적 경제를 할 줄 아는 기술, 세계적 발언을 할 줄 아는 지성, 그리고 죽음의 음악이다. 따라서 김수영이 말하는 '죽음'의 순간은 동시에 '삶'의 순간이 된다. '죽음의 연습'과 '죽음의 음악'은 곧 삶의 연습과 삶의 음악에 대한 고통스러운 반어(反語)인 것이다. 여기에서 우리는 김수영이 말하는 '진정한 참여시'가 이념과 의식이 죽음의 연습으로 합치된, 반어로 써진 '반시(反詩)'라는 변증법적 의미임을 유추할 수 있는 것이다.

> 귀납과 연역, 내포와 외연, 비호(庇護)와 무비호, 유심론과 유물론, 과거와 미래, 남과 북, 시와 반시의 대극의 긴장, 무한한 순환, 원주(圓周)의 확대, 곡예와 곡예의 혈투, 뮤리얼 스파크와 스푸트니크의 싸움, 릴케와 브레히트의 싸움, 앨비와 보즈네센스키의 싸움, 더 큰 싸움, 더 큰 싸움, 더, 더, 더 큰 싸움……반시론의 반어.[15]

위의 인용문은 「반시론」의 마지막 부분이다. 여기에 나열된 대립항들은 김수영이 지속적으로 고민하고 사유했던 개념들의 총합이라 할

---

15 김수영, 「반시론」, 앞의 책, 416쪽.

수 있다. 김수영은 자신의 시적 사유를 '혼돈'이라고 말한 바 있다. 그 결과 김수영의 시는 이 혼돈 자체를 표현하게 될 것이다. 이에 대한 다음과 같은 해석적 고찰은 매우 타당한 시사점을 던져주고 있다. '시와 반시의 대극적 긴장'이라는 구절이 암시하는 대로, 그가 지향하는 바는 '시가 되려는 열망과 시가 되지 않으려는 열망 사이의 긴장', 즉 '의미를 구하려는 시어'와 '의미를 배제시키려는 시어'의 싸움, '세계와 대지'의 대극적 긴장, '시와 반시'의 긴장 사이에서 탄생하는 '시'로 귀결된다고 할 수 있다는 것이다.[16]

4. 예술성과 현실성의 육화(肉化)로서의 '온몸'

김수영 시론의 집약된 결정체라 할 수 있는 글은 펜클럽 주최로 1968년 4월 부산에서 열린 문학 세미나에서 발표한 원고 「시여, 침을 뱉어라―힘으로서의 시의 존재」이다. 이 글은 김수영의 여타 산문들과 달리 비교적 논리적으로 시에 대한 그의 생각을 개진하고 있다. 시에 있어서의 형식과 내용의 관계, 나아가 이의 확장으로서의 예술성과 현실성의 관계에 대한 그의 논의가 우리에게 어떤 담론적 의미를 전달하고 있는지 살펴보자.

시를 쓴다는 것은 무엇인가? 그리고 시를 논한다는 것은 무엇인
가? …… 시를 쓴다는 것―즉, 노래―이 시의 형식으로서의 예술성과
동의어가 되고, 시를 논한다는 것이 시의 내용으로서의 현실성과 동

---

16 박지영, 「김수영의 「반시론」에서 '반시'의 의미」, 「상허학보」 제9집, 상허학회, 2002, 297~298쪽 참조.

의어가 된다는 것도 쉽사리 짐작할 수 있는 것이다. …… 시작(詩作)
은 〈머리〉로 하는 것이 아니고 〈심장〉으로 하는 것도 아니고 〈몸〉으
로 하는 것이다. 〈온몸〉으로 밀고 나가는 것이다. 정확하게 말하자면,
온몸으로 동시에 밀고 나가는 것이다. ……그런데 시의 사변에서 볼
때, 이러한 온몸에 의한 온몸의 이행이 사랑이라는 것을 알게 되고,
그것이 바로 시의 형식이라는 것을 알게 된다. …… 나는 이미 〈시
를 쓴다〉는 것이 시의 형식을 대표한다고 시사한 것만큼, 〈시를 논한
다〉는 것이 시의 내용을 가리키는 것이라는 전제를 한 폭이 된다.[17]

위의 인용은 김수영의 시적 사유를 '온몸의 시학'으로 부르게 한 출
발점이 된 부분이다. 김수영에 있어 시를 쓰는 것은 시의 '형식'에 다름
아니며, 시를 논하는 것은 시의 '내용'에 다름 아니다. 그리고 그것은
다시 예술성과 현실성의 동의어로 각각 대위된다. 김수영에게는 "온몸
에 의한 온몸의 이행"이 곧 시 쓰기이며, 사랑이고, 시의 형식이다. 또
한 시를 논하는 것, 즉 시론은 끊임없는 '모험'이며 '세계의 개진(開陣)'
이다. 김수영은 시에 대한 이러한 자신의 입장 때문에 사람들로부터
'참여시의 옹호자'라는 달갑지 않은, 분에 넘치는 호칭을 받고 있다고
한다. 그는 '참여시'로써 참여시인이 되고자 했던 것이 아니라 '시'로써
참여한다는 의미에서의 참여시인을 신용하였을 따름이었다.[18] 여기에
서 '당대의 참여시'와 본인 '김수영의 참여시'가 다름을 말하고 싶어 하
는 시인의 태도가 읽혀진다.

17 김수영, 「시여, 침을 뱉어라—힘으로서의 시의 존재」, 앞의 책, 398쪽.
18 윤여탁·이은봉 편, 「시와 리얼리즘」 소명출판, 2001, 619쪽.

시에 있어서의 모험이란 말은 세계의 개진(開陣), 하이데거가 말한 〈대지의 은폐〉의 반대되는 말이다. 엘리엇의 문맥 속에서는 그것은 의미 대 음악으로 되어 있다. 그리고 엘리엇도 그의 온건하고 주밀한 논문 「시의 음악」의 끝머리에서 〈시는 언제나 끊임없는 모험 앞에 서 있다〉라는 말로 〈의미〉의 토를 달고 있다. 나의 시론이나 시평이 전부가 모험이라는 말은 아니지만, 나는 그것들을 통해서 상당한 부분에서 모험의 의미를 연습을 해보았다. 이러한 탐구의 결과로 나는 시단의 일부의 사람들로부터 참여시의 옹호자라는 달갑지 않은, 분에 넘치는 호칭을 받고 있다.

나아가 김수영은 예술성의 편에서도 하나의 시작품은 자기의 전부이고, 현실성의 편에서도 하나의 작품은 자기의 전부라고 말한다. 그리고 시의 본질은 이러한 개진과 은폐의, 세계와 대지의 양극의 긴장 위에 서 있는 것이라고 규정한다. 결국 김수영이 말하는 '온몸'은 곧 '세계의 개진'과 '대지의 은폐', 의미와 음악, 현실성과 예술성의 육화(肉化)이며, 시와 시론이 만나는 지점이라고 할 수 있을 것이다. 이렇게 출발한 '온몸의 시학'은 시적 언어에 대한 끊임없는 탐구의 결과임과 동시에 삶의 양식을 변화시킬 시 창작 원리에 대한 고투이다. 김수영의 사유는 현실 그대로의 재현이 아니라, 현실을 해체시키는 방식에 관한 담론으로서 시의 본질을 드러내준다. '온몸의 시학'에서 김수영이 의도한 것은 차이성과 타자성을 확장시켜 나가는 시적 사유의 모험[19]이었던 셈이다. 또 김수영에게 '양심의 살아있는 시화'와 '시의 완성'은 두 가지 가능한 선택 사항이 아니라 필연적 과정의 절차였던 것이다. 다시 말

---

19 박연희, 「김수영 시론 연구 : '온몸의 시학'을 중심으로」, 동국대 석사학위논문. 2004. 9쪽.

해, 그는 '양심의 살아있는 시화'가 전제되지 않은 언어는 결코 '시의 완성'에 도달할 수 없다고 보았던 것이다. 왜냐하면 '양심의 살아있는 시화'가 전제되지 않을 때, '시의 완성'이란 한낱 고급 수사학 연습에 불과한 것이 되고 말 것이기 때문이다.[20]

지극히 오해를 받을 우려가 있는 말이지만 나는 소설을 쓰는 마음으로 시를 쓰고 있다. 그만큼 많은 산문을 도입하고 있고 내용의 면에서 완전한 자유를 누리고 있다. 그러면서도 자유가 없다. 너무나 많은 자유가 있고, 너무나 많은 자유가 없다. 그런데 여기에서 또 똑같은 말을 되풀이하게 되지만, 〈내용의 면에서 완전한 자유를 누리고 있다〉는 말은 사실은 〈내용〉이 아니라 〈형식〉이 하는 혼잣말이다. 이 말은 밖에 대고 해서는 아니 될 말이다. 〈내용〉은 언제나 밖에다 대고 〈너무나 많은 자유가 없다〉는 말을 해야 한다. 그래야지만 〈너무나 많은 자유가 있다〉는 〈형식〉을 정복할 수 있고, 그때에 비로소 하나의 작품이 간신히 성립된다. 〈내용〉은 언제나 밖에다 대고 〈너무나 많은 자유가 없다〉는 말을 계속해서 지껄여야 한다. 이것을 지껄이는 것이 이를테면 38선을 뚫는 길인 것이다. 낙숫물로 바위를 뚫을 수 있듯이, 이런 시인의 헛소리가 헛소리가 아닐 때가 온다. 헛소리다! 헛소리다! 헛소리다! 하고 외우다 보니 헛소리가 참말이 될 때의 경이. 그것이 나무아미타불의 기적이고 시의 기적이다. 이런 기적이 한 편의 시를 이루고, 그러한 시의 축적이 진정한 민족의 역사의 기점(起點)이 된다. 나는 그런 의미에서의 참여시의 효용성을 신용하는 사람

---

20 강웅식, 앞의 글, 301~302쪽.

의 한 사람이다.[21]

　위의 인용을 통하여 김수영이 신용하는 '참여시의 효용성'이 무엇인가를 발견 할 수 있다. 김수영은 시와 관련한 자신의 사유의 과정에서 여러 유형의 대립항들을 이끌어 낸다. 그들 대립항들의 핵심은 예술의 자율적 본질과 사회적 본질의 첨예한 대립의 문제이다. 이러한 대립항들을 합치시키고 육화시키기 위한 시적 과정을 김수영은 "헛소리다! 헛소리다! 헛소리다! 하고 외우다 보니 헛소리가 참말이 될 때의 경이. 그것이 나무아미타불의 기적이고 시의 기적"이라고 말한다. 이 글의 부제인 '힘으로서의 시의 존재'에서 '힘'의 성격은 바로 이러한 시의 영원성에서 온 것이다.[22] 김수영은 그가 서로 긴장 관계에 놓여 있는 그 두 가지 요인들을 추상적인 이분법의 구도에 머무르게 하지 않고 그것들이 통일될 수 있는 어떤 지점에 대해 고민하였다는 것이다. 다시 말해 그는 예술의 내용과 형식의 문제를 현실성과 예술성의 문제와 함께 거론하고 있다는 점이다. 이 점은 김수영이 예술의 사회적 본질과 자율적 본질에 대한 해명에 관심을 기울이고 있었음을 알게 해준다. 바로 이 지점에서 '김수영 참여시'의 본질을 찾을 수 있다.

　나는 아까 서두에서 시에 대한 나의 사유가 아직도 명확한 것이 못 되고, 그러한 모호성은 무한대의 혼돈에의 접근을 위한 도구로서 유용한 것이기 때문에 조금도 부끄러울 것이 없다는 말을 했다. 그리고 이러한 모호성의 탐색이 급기야는 참여시의 효용성의 주장에까지 다

21 김수영. 앞의 책, 400쪽.
22 박지영, 앞의 글, 300쪽.

다르고 말았다. 그러나 나는 아직도 〈여태껏 없었던 세계가 펼쳐지는 충격〉을 못 주고 있다. 이 시론은 아직도 시로서의 충격을 못 주고 있는 것이다. 그 이유는 여태까지의 자유의 서술이 자유의 서술로 그치고 자유의 이행을 하지 못한 데에 있다. 모험은 자유의 서술도 자유의 주장도 아닌 자유의 이행이다. 자유의 이행에는 전후좌우의 설명이 필요 없다. 그것은 원군이다. 원군은 비겁하다. 자유는 고독한 것이다. 그처럼 시는 고독하고 장엄한 것이다. 내가 지금—바로 지금 이 순간에—해야 할 일은 이 지루한 횡설수설을 그치고, 당신의, 당신의, 당신의, 얼굴에 침을 뱉는 일이다. 당신이, 당신이, 당신이 내 얼굴에 침을 뱉기 전에, 자아 보아라, 당신도, 당신도, 당신도, 나도 새로운 문학에의 용기가 없다. 이러고서도 정치적 금기에만 다치지 않는 한 얼마든지 〈새로운〉 문학을 할 수 있다는 말을 할 수 있겠는가. 정치적 자유를 인정하지 않는 사회에서는 개인의 자유도 인정하지 않는 것이다. 〈내용〉을 인정하지 않는 사회에서는 〈형식〉도 인정하지 않는 것이다.[23]

김수영은 모호성의 탐색 결과가 곧 참여시의 효용성을 주장하는 것으로 이어졌다고 말한다. 김수영이 참여시의 효용성을 강조하게 된 이유가 바로 내용과 형식을 어떻게 균형을 이루도록 할까하는 데에서 시작했음을 알 수 있다. 그리고 참여시의 효용성은 바로 '여태껏 없었던 세계가 펼쳐지는 충격'을 주는데 있다고 한다. 그러나 자신의 참여시론은 아직 참여시로서의 충격을 주지 못하고 있는데, 그것은 자신의 시론(여기에서는 '모험')이 자유의 이행에 이르지 못하고 자유의 서술에 그

---

23 김수영, 앞의 책, 401쪽.

치고 있기 때문이라고 스스로 진단한다. 결국 김수영에게 있어서 진정한 참여시란 자유를 이행하는 시, 즉 예술적 형식으로서의 자유뿐만 아니라 현실적·정치적 내용으로서의 자유까지도 육화되어 그 자체가 자유를 이행하는 시어야 한다. 바로 이 지점에서 「참여시의 정리—1960년대의 시인을 중심으로」를 통해 김수영이 제시했던 진정한 참여시의 요건들, 즉 강인한 참여 의식이 깔려 있고, 시적 경제를 할 줄 아는 기술이 숨어 있고, 세계적 발언을 할 줄 아는 지성이 숨 쉬고 있고, 죽음의 음악이 울리고 있어야 한다는, 이 네 가지 요건들의 담론적 의미가 대응하고 있는 것이다. 그 의미는 곧 이 네 가지 요건들이 '온몸'으로 육화되어 시의 침을 뱉는 것이며, '여태껏 없었던 세계가 펼쳐지는 충격'을 주는 것이어야 한다.

5. 맺음말

이 글은 김수영의 산문 「참여시의 정리—1960년대의 시인을 중심으로」, 「시여, 침을 뱉어라—힘으로서의 시의 존재」, 「반시론(反詩論)」을 분석의 텍스트로 삼고 있다. 이를 통해 1960년대 참여 논쟁 속에서 시쓰기에 대한 김수영의 견해와 현실문제에 대한 그의 태도를 담론의 층위에서 이해하고 나아가 그의 시 작품의 의미구조를 재해석하는데도 하나의 토대로 삼고자 하였다.

김수영은 1960년대 우리 문단에 일었던 순수참여논쟁의 주도적 위치를 차지하고 있다. 그러나 이때의 순수참여논쟁은 '앙가주망'의 개념과 방법론에 대한 이해의 차이로 인해 각각 다른 실천적 태도를 보이게 된다. 따라서 김수영의 시론을 담론의 차원에서 재검토하여 '참여시'에 대한 개념적 태도와 방법론적 관점을 재조명하는데 이 논문의 목적을 두었다. 이를 위해 김수영 시론이 갖는 미적 담론으로서, 그리고 비평 담론으로서의 의미를 분석적으로 추적해 보았다.

이러한 연구 과정을 통해 김수영의 시론은 모더니즘과 리얼리즘, 또는 순수시와 참여시의 경계를 넘나들며 독자적인 논리를 의미화하고 있음을 밝혔다. 즉 김수영의 시론이 도달하고자 한 시적 지향은 첫째, 정치이념과 참여의식이 변증법적으로 합치된 상태를 추구하며, 이를 '반시'로 개념화하고 있다. 둘째, 형식과 내용, 즉 예술성과 현실성이 육화된 상태가 '온몸'이며, '온몸의 시학'은 예술성과 현실성에 있어서의 자유의 이행이어야만 가능한 것이다. 따라서 김수영이 추구하는 진정한 참여시란 이런 자유의 이행으로서의 '힘의 문학'이라 하겠다.

한국 현대시의 '시간' 양상
– 역사·기억·변형의 시간의식을 중심으로

1. 문학적 표지와 시간적 표지

문학과 시간에 관한 논의들은 대체로 '시간의식(temporal consciousness)'이나 '시간성(temporality)'의 문제에 관심을 갖는다. 그리고 그 시간, 시간의식, 시간성은 역사, 기억, 변형의 문학적 표지들과 대응한다. 일반적으로 시간은 과거, 현재, 미래라는 삼분법으로 구분된다. 문학의 소재 또한 마찬가지로 역사에 해당하는 것, 기억에 해당하는 것, 변형에 해당하는 것으로 구분해볼 수 있다. 그리고 시간과 문학의 범주 안에서 전자를 시간적 표지, 후자를 문학적 표지로 분류할 수 있다. 그러한 분류에서 시간적 표지와 문학적 표지 간의 상호 연관성이 드러나게 되는 것은 결코 우연으로 간주할 일만은 아닐 것이다. 왜냐하면 문학적 이해 혹은 철학적 이해의 수준에서 우리는 자연스럽게 역사, 기억, 변형의 관계가 서로 포함의 관계이거나 어떤 중간자에 의한 매개의 관계로 받아들이기 때문이다. 오래전의 아우구스티누스 또한 그러한 방식을 통해 시간에 대한 이해를 도모한 바 있다.

나는 이제 내가 알고 있는 어떤 노래를 낭송해 보려 한다. 내가 낭송하기 전에 내 기대는 그 전체에 걸쳐 있지만, 내가 낭송하기 시작할 때, 그 기대 속에서 떨어져 나와 과거로 옮아가며 기억의 영역으로 들어가게 된다. 내가 행한 낭송에 대한 과거 기억과 내가 낭송하려 하는 미래의 기대 등, 양쪽으로 분산하게 된다. 그러나 내 기억은 현존하여 그 기억을 거쳐 미래이던 일이 과거의 일이 되게끔 인도된다. 이러한 일이 여러 차례 되풀이되면서 더욱더 기대는 짧아지고 기억은 길어진다. 그리고 마침내 기대의 전체가 없어지고 동시에 그 작용도 모조리 없어져 기억 속으로 옮겨져 버린다.[1]

그에 따르면, 현재라는 시간적 표지와 대응하는 문학적 표지인 '기억'의 낭송, 즉 기억의 발화는 과거와 미래를 매개하는 현재의 발화가 된다. 즉, 현재의 발화, 현재의 기억작용은 모든 시간적인 표지들을 포함한다. 그러한 현재적 발화를 통해 문학은 과거나 미래의 무엇인가를 창조할 수 있게 된다. 그러나 시간적 표지가 문학적 표지로 직접적으로 이행하는 것은 아니며, 거기에는 로트만(Y. Lotman)이 제시했던 바[2], 자연언어에서 예술언어로의 이행에서 발생하는 것과 같은 모종의 메커니즘이 작동한다. 이 메커니즘이 바로 텍스트가 형성되는 변형 또는 변용(deformation)의 과정이라 할 것이다.

앞서 언급했던 것처럼 과거, 현재, 미래라는 시간적 표지는 역사, 기억, 변형이라는 문학적 표지와 알레고리적이고 유추적인 측면에서

---

1 아우구스티누스, 김희보·강경애 역, 『고백록』, 동서문화사, 2008, 333쪽.
2 유리 로트만, 유재천 역, 『예술텍스트의 구조』, 고려원, 1991.

대응하기에 상호 연관성을 갖는다. 사실상 모든 시간적 표지나 문학적 표지가 언어로 표상된다는 점에서, 그 이론적 틀 또한 어느 정도 언어 이론을 참조하지 않을 수 없다. 라이언스(J. Lyons)는 시제에 대한 범주화를 논하면서, "시간의 방향성은 과거→현재→미래로 자연스럽게 주어지는 것 같지만, 특수한 언어에서는 그렇지 않다. 이론적 영점, 곧 '발화적 순간'은 과거나 미래 가운데 한 범주를 내포하며, 그것은 한편에서는 미래와 非미래를, 다른 편에서는 과거와 非과거라는 2분법을 전달한다. 이와는 다른 2분법은 현재와 非현재일 수 있다. 또 다른 범주화는 근접성의 개념에 의하여 가능하다. 곧 '근접적인 것'과 '非근접적인 것'의 2분법, 혹은 '순간'과 '근접적인 것'과 '멀어진 것'이라는 3분법이 가능하다"[3]고 말했다. 요컨대, 발화적 순간이 과거와 미래 가운데 한 범주를 내포하며, 순간과 근접하거나 멀어진 것이라는 방식으로 시제를 범주화할 수 있다는 진술은 시간에 대한 구분이 '개념'의 문제가 아니라 '정도'의 문제라는 것을 시사해준다. 그래서 과거, 현재, 미래는 명확하게 경계 지어진 것이 아니라 현재라는 '이론적 영점'에 근접하거나 멀어진 정도에 따라서 상대적으로 구분될 수 있다는 말이다.

한편 이러한 문학적 표지와 시간적 표지의 문제를 한국 현대시라는 구체적 실재에 대입할 때, 한국 현대시의 지향성을 유형화하는 논리로도 활용이 가능할 수 있다. 김준오의 경우, 실재했던 사건이나 이야기를 다루고 있는 시에서는 시간성(시제성)을, 과거에 대한 부정의식으로 인해 끊임없는 변화를 추구하는 시에서는 무시간성을, 시간의 흐름 가운데 어떤 행위나 감정의 생생함을 드러내려는 시에서는 역사적 현재성을 포착해 낼 수 있다고 언급한 바 있다.[4] 물론 그러한 구분의 가능

---

3   J. Lyons, Introduction to theoretical Linguistics, London: Cambridge U.P., 1968, pp.304~315.

성은 그가 제시하고 있는 사례를 통해서 추정할 수 있듯, 리얼리즘 시는 이야기의 재현이, 모더니즘 시는 무생명적인 묘사가, 전통적인 서정시는 현재적인 정서의 표출이 중심이 된다는 판단에서 비롯된 것이다. 사실상 장르론이나 문예사조론의 입장에서 그러한 판단에 대한 비판이 적지 않을 것으로 사료되며, 실제로 문학과 시간의 관계를 논의할 때, 장르의 문제는 매우 까다로운 장애물이기도하다.[5] 다만, 이 글에서는 그러한 진술을 다시 읽어내면서 한국 현대시와 시간에 대한 논의에 있어서의 모종의 새로운 가능성에 주목해 보고자 한다.

김준오가 시도한 분류는 그것의 지향점에 입각할 때, 각각 '리얼리티 지향의 시', '서정성 지향의 시', '모더니티 지향의 시'로 대체하여 명명하는 것이 가능하다. 물론, 각각을 지향하고 있는 시들은 하나의 범주 안에 수렴되면서 동시에 다른 범주에도 포함될 수 있다. 예컨대, 한 편의 서정성 지향의 시는 동시에 모더니티 지향의 시가 될 수 있으며, 리얼리티 지향의 시도 될 수 있다. 이것은 우리가 앞서 시간적 표지의 현재, 그리고 문학적 표지로서의 기억이 과거, 미래와 서로 겹침의 관계에 있다고 언급한 것과 맥을 같이 한다. 즉, 개별적 시를 리얼리티, 서정성, 모더니티의 지향성으로 분류하는 기준은 우선적으로 그 안에 시간의 문제를 안고 있으며, 어디까지나 그 시들이 지향하는 정도를 바탕으로 하는 것이다. 이상의 방법론적 전제에 기대어 다음 장에서는 한국 현대시에서 나타나는 각각의 사례들을 살펴보고자 한다.

---

4   김준오, 『시론』, 삼지원, 2004, 118~131쪽.
5   이승훈, 『문학과 시간』, 이우출판사, 1983, 177쪽.

2. 과거 지향과 역사적 현재

우리는 흔히 역사는 소환해야 하는 것이고, 기억은 재해석되는 것이라고 말한다. 그런데, 이러한 관습적인 진술 속에는 역사에 대해서는 사실성을 확보하려하고, 기억에 대해서는 진실성을 확보하려하는 '현재적' 욕망이 담겨있는 것으로 보인다. 바로 이러한 현재적 욕망들이 '지금-여기'에서 시간적 차원의 사물(thing)을 문학적 차원의 대상(object)으로 변형시키는 기제가 된다. 따라서 문학텍스트, 특히 여기에서 말하고자 하는 한국 현대시라는 텍스트를 그러한 메커니즘을 갖는 것으로 규정할 때, 우리의 목표는 '지금-거기'에서 작용하고 있는 (흔히 작가의식 혹은 텍스트적 무의식이라고 불리는) 욕망의 실체와 문학적 표지, 시간적 표지를 포착해 내는 데에 있으며, 이것은 '현재적인 의미'에서의 텍스트의 다중적인 겹을 밝혀내려는 작업이기도 하다.

과거는 모두 역사가 되는가? 분명한 것은 모든 과거는 역사가 될 수 없지만, 어떤 과거는 역사가 된다. 일반적인 의미에서 역사는 공적인 것에 가깝고, 과거는 사적인 것에 가깝다. 그렇다면 역사가 되는 과거란 사적인 것에서 공적인 것으로 이행된 과거를 말한다. 그런 연유에서, 논자들은 과거를 다룬 시들에서 역사적 이야기나 사건을 추출하고 그것의 전형성을 강조하여 그러한 시들을 서사시나 이야기시로 분류하는 경향을 보여주기도 한다. 그러나 서사시나 이야기시라는 장르적 분류가 아니더라도 어떤 과거에는 이미 역사가 담겨있기도 하다. 그러한 시들은 독자로 하여금 시적 화자의 시간의식에 따른 특정한 과거의 시간 속으로 이행하도록 만듦으로써 역사를 추체험하게 한다. 벤야민(W. Benjamin)에 따르면, "과거를 역사적으로 표현한다는 것은…위험의 순간에 섬광처럼 스치는 어떤 기억을 붙잡는다는 것을 뜻한다. 그래서 역사적 유물론의 중요한 과제는 위험의 순간에 역사적 주체에게 예기치 않게 나타나는 과거의 이미지를 붙드는 일이다. 그런데, 그 위험은 전통의 존속에 뿐만 아니라 그 전통의 수용자들에게도 닥친다."[6] 말하자면, 과거라는 시간적 표지는 위험의 순간에 포착되는 어떤 기억 또는 이미지를 통해 역사적으로 표현될 수 있다는 것이다. 다음에 제시한 이용악의 시편들을 통해 과거 지향의 시간의식 속에서 포착되는 역사적 기억의 이미지를 살펴보자.

> 太陽이 돌아온 記念으로
> 집집마다
> 카렌다아를 한 장씩 뜯는 시간이면
> 검누른 소리 港口의 하늘을 빈틈없이 흘렀다
>
> 머언 海路를 이겨낸 汽船이
> 港口와의 因緣을 死守하려는 검은 汽船이
> 뒤를 이어 入港했었고
> 上陸하는 얼골들은
> 바늘 끝으로 쏙 찔렀자
> 솟아나올 한 방울 붉은 피도 없을 것 같은
> 얼골 얼골 희머얼진 얼골뿐
>
> 埠頭의 인부꾼들은
> 흙은 씹고 자라난 듯 꺼머틱틱했고

---

6   발터 벤야민, 「역사의 개념에 대하여」, 최성만 역, 『발터 벤야민 선집』5, 2008, 334쪽.

시금트레한 눈초리는

푸른 하늘을 쳐다본 적이 없는 것 같았다

그 가운데서 나는 너무나 어린

어린 노동자였고—

물위를 도롬도롬 헤여다니던 마음

흩어졌다도 다시 작대기처럼 꼿꼿해지던 마음

나는 날마다 바다의 꿈을 꾸었다

나를 믿고저 했었다

여러 해 지난 오늘 마음은 港口로 돌아간다

埠頭로 돌아간다 그날의 羅津이여

– 이용악, 「港口」 전문

　　뜯어낸 '카렌다아' 장수만큼 기나긴 시간이 흐른 뒤 '太陽'은 '港口'로
회귀한다. 태양, 곧 '汽船'의 귀항과 함께 펼쳐지는 부두의 인부들에 대
한 묘사를 거쳐 시적 화자는 과거의 어느 때에 해당하는 자신의 모습과
꿈을 회상한다. 전반적으로 두드러진 과거시제의 사용은 이 시의 시간
적 배경이 과거라는 것을 보여준다. 동시에 이 시는 '오늘'이라는 부사
어를 사용함으로써 시적 발화의 시간이 과거가 아니라 현재라는 것을
분명히 한다. 즉, 이 시에서 그려지는 과거의 장면들은 현재의 시적 발
화를 통해 재구된 것이다. "港口로 돌아간다", "埠頭로 돌아간다"에서
보듯, 술어의 반복적 사용은 회상의 이행 과정이 점증적으로 일어난다
는 것을 암시해준다. 이러한 자연스러움에도 불구하고 문제는 과거와
현재의 공존이 일어나는 마지막 연에서 발생한다.
　　시적 화자의 시간의식은 과거를 지향하여 비극적인 노동현장에서의

체험을 떠올린다. 배에서 내린 "꺼머틱틱"하고 "시금트레한" 외양을 가진 인부들 사이로 어느새 시적 화자 자신의 모습이 삽입된다. 그는 "바늘 끝으로 쏙 찔렀자/ 솟아나올 한 방울 붉은 피도 없을 것 같은" 인부들과는 달리 "너무나 어린" 노동자였다. 즉, 시적 화자는 과거의 어떤 단편적인 풍경 속에서 '어른 인부들' 속의 '어린이 인부'라는 파편화된 모습으로 자아를 구축하기 시작하는 것이다. 그러한 시적 화자의 자아는, "물위를 도롬도롬 헤여다니"다가, "흩어졌다"가, "다시 작대기처럼 꼿꼿해"지기를 반복하고, "날마다 바다의 꿈을" 꾸면서, 자신에 대한 믿음을 키워나간다("나를 믿고저 했었다"). 바슐라르는 물과 관련하여 나타나는 나르시스적 자아의 "승화작용(sublimation)이 언제나 욕망의 부정은 아니며, 또한 그 부정은 본능에 '반(反)하는' 승화작용으로서 언제나 나타나는 것도 아니다. 아마 그것은 이상(ideal)을 '위한' 승화작용이 될 수 있으리라"[7]고 말한 바 있다. 그처럼, 이 시에서 나타나는 자아의 동일성은 수면 위에서 형성되고, 그 과정에서 태동된 나르시시즘은 시간의식에 따른 이미지와 결부되면서 그것의 극복 형태인 이상적 자아를 향해 전개된다. 즉, '오늘'이라는 현재 시점에서의 반복적인 회상('돌아간다~돌아간다')을 통해 그것의 극복 가능성이 심화되는 것이다.

한편 "그날의 羅津이여"라는 언술에서 알 수 있듯, 시적 화자는 과거를 비극적인 체험의 일화로 남겨두지 않고 그것을 '적극적으로=주관적으로' 호명한다. 이러한 호명을 통해, 오늘의 마음은 과거의 마음을 마치 '지금-여기'의 것처럼 믿고 보듬어 안게 된다. 요컨대, 이 시에서는 과거에 대한 능동적인 회상을 위해, 과거 지향의 시간의식에 결부되

---

7   가스통 바슐라르, 이가림 역, 「물과 꿈」, 문예출판사, 1980, 51쪽.

는 용서(forgiveness)와 화해(reconciliation)의 자아가 구축되고 있는 것이다. 그래서 그것이 희망적 전언에 해당하는 것이든, 주관적 감상에 해당하는 것이든 간에, 시간적 측면에서 더욱 가치를 지니는 것은, 이 시의 시적 화자가 과거 혹은 역사의 단순한 재현에 그치지 않고 그 속에 적극적으로 개입하면서 자신의 현실에 대응할 수 있는 이상적 자아를 구축해낸다는 점이다.

우리집도 아니고
일가집도 아닌 집
고향은 더욱 아닌 곳에서
아버지의 寢牀 없는 최후 最後의 밤은
풀버렛소리 가득차 있었다

露領을 다니면서까지
애써 자래운 아들과 딸에게
한 마디 남겨두는 말고 없었고
아무을灣의 파선도
설룽한 니코리스크의 밤도 완전히 잊으셨다
목침을 반듯이 벤 채

다시 뜨시잖는 두 눈에
피지 못한 꿈의 꽃봉오리가 깔앉고
얼음장에 누우신 듯 손발은 식어갈 뿐
입술은 심장의 영원한 停止를 가르쳤다
때늦은 醫員이 아모 말 없이 돌아간 뒤

이웃 늙은이 손으로
눈빛 미명은 고요히
낯을 덮었다

우리는 머리맡에 엎디어
있는 대로의 울음을 다아 울었고
아버지의 寢牀 없는 최후 最後의 밤은
풀버렛소리 가득차 있었다

– 이용악, 「풀버렛소리 가득차 있었다」 전문

　이 시에서는 "풀버렛소리 가득차 있었다"라는 언술이 첫 번째 연과 마지막 연에서 반복된다. 즉, 과거시제의 사용이 수미를 일관한다. 여기에서는 앞의 시와는 달리 현재 시제를 알리는 언어적 표지가 나타나지 않는다. 말하자면 독자가 시를 읽기 전에 시적 화자의 회상은 이미 시작된 것이다. 시적 화자의 회상에 따라 '우리집', '일가집', '고향'이라는 점차적으로 확장되는 공간적 표지가 제시되지만, 그것들은 모두 회상의 과정에서 "아니고", "아닌 집", "아닌 곳"으로 부정된다. 반면, 이 시에서 오롯하게 긍정되고 있는 것은 "최후 最後의 밤"이라는 시간적 표지뿐이다. '최후'라는 시어의 반복적 사용은 감정적인 고통을 극복하려는 시적 화자의 회상 작용의 강렬함을 보여주는 동시에, 독자를 그 회상의 과정에, 그 '최후의 밤'을 지켜보는 시적 화자의 감정에 적극적으로 동일화시키려는 욕망을 표출하고 있다. 그러나 '최후의 밤'은 찰나일 뿐이어서, 시적 화자가 보여준 동일화의 욕망은 마지막 연에 이르러 시적 화자와 독자 모두를 이미 종언된 '최후의 밤'으로 이끌어 간다. 첫째 연과 마지막 연에서 알 수 있듯, 이 시는 과거 회상에 의한 시이다. 그런데 시적 화자는 그 과거 회상이라는 시간의식 속에서 다시금 시작하는 과거, 아버지가 숨을 거두기 전의 '최후의 밤'과 끝나는 과거, 아버지가 숨을 거둔 후의 '최후의 밤'을 보여준다. 요컨대, 시적 화자의 시간의식은 두 겹의 과거로 표출된다.

두 겹의 시간 속에서 공간적 표지들은 "露領"에서 "아무을灣의 파선", "니코리스크"로 이어지면서 '최후의 밤'이라는 궁극적인 시간이 도래하는 순간을 느슨하게 만드는 역할을 하는 것으로 보인다. 그러나 그 모든 것은 이내 "풀버렛소리" 가득 찬 순간적인 기억 이미지로 수렴하고 만다. 이러한 기억 이미지는 '최후의 밤'에서 '최후의 밤'까지라는 반복적 언술이 강조하는 찰나, 즉 위험의 순간에 포착된 것이다. 또한, 자식들을 키워낸 아버지의 죽음이라는 그 위험의 순간은, 그러한 양육을 경험한 '전통의 수용자들'에게도 닥치는 것이다. 즉, 여기서 말하는 위험의 순간은 개인적인 것이 아니라 집단적인 것에 가깝다. 그런 의미에서, 이것은 '인류 사회의 변천과 흥망의 과정 또는 그 기록'이라는 역사의 사전적인 개념과도 결부된다.

시에서 드러나는 과거에서 역사로의 이행은 집단적 기억 이미지의 포착 및 그것의 시적 형상화와 관련된 것이다. 그렇다면 그러한 기억 이미지의 포착과 변용은 어떠한 방식으로 가능한가를 묻지 않을 수 없다. 이에 대해 벤야민은, 그것은 감정이입(einfühlung)의 방식으로, 그 원천은 순간적으로 스쳐 지나가는 진정한 역사적 이미지를 붙잡을 자신이 없는 마음의 나태함, 태만(acedia)이며, 그 태만은 중세의 신학자들에게는 슬픔의 근원으로 여겨졌다고 언급한다.[8] 다시 말해, 위험의 순간에 처한 주체(전통의 수용자)들은 감정이입의 방식으로 과거에

---

8   발터 벤야민, 앞의 책, 335쪽.

서 역사적 이미지를 포착해내는데, 중세의 타자(신학자)들은 그러한 기억 이미지 혹은 그러한 태도를 부정적이고 수동적인 의미 안에서 슬픔의 근원이라고 판단했다는 것이다.

상식적으로 보았을 때, 위험에 대한 대처의 방식으로 택한 것이 감정이입이라는 사실은 다분히 아이러니적이다. 그러나 동일한 슬픔이라고 하더라도 신학자들이 말하는 의미와 문학자, 곧 시인이 말하는 감정의 의미는 다를 것이다. 요컨대, 시인에게는 "근원이 목표다."[9] 그래서 슬픔과 같은 어떤 감정을 지향하는 것은 역으로 그 위험을 이겨내려는 행위가 된다. 그것은 사실상 정념에 해당하는 것이므로 능동적인 행동, 실천이 아닌 나태함, 태만에 가까운 것으로 여겨질 수 있다. 그러나 그러한 시인의 나태함, 태만은 신학자들의 방식 혹은 非-시인들의 방식과는 다른 방식으로 이해될 여지가 다분하다. 예컨대, 니체가 고백적인 어조로 말했던 것처럼, "우리는 역사를 필요로 한다. 그러나 우리는 그것을 지식의 정원에서 소일하는 나태한 자가 필요로 하는 방식과는 다른 방식으로 필요로 한다."[10] 즉, 역사는 지식의 방식이 아니라 다른 방식으로 포착될 필요가 있으며, 그 다른 방식의 하나가 예의 경우에서 과거 지향의 시간의식을 통한 정념의 시적 형상화인 것이다.

한편, 논자들은 이용악의 시에서 역사적 서사의 징후들을 포착해내는데, 이것은 사건의 제시를 통한 정서의 조절이라는 그의 시작 태도를 보여 준 것으로 간주된다. 그러나 과거 지향의 시에서 중요한 것은 사건의 제시보다는 사건과 결부된 정서의 표상을 통해 과거에서 역사로의, 시간에서 문학으로의 이행을 가능하게 한다는 점에 있다. 서

---

9 Karl Klaus, Worte in Versen I, 2. Aufl., Leipzig, 1919, p. 69.(발터 벤야민, 앞의 책, 345쪽, 재인용).
10 Friedrich Nietzsche, Werke in drei Bänden, hg. von Karl Schlechta, Bd. 1, München, 1954, p. 209.(발터 벤야민, 앞의 책, 343쪽, 재인용).

정시의 시간 특성 중 하나인 '역사적 현재'는 바로 그러한 이행을 가리
키는 말로 이해할 수 있다. 이런 점에서 우리는 서정시에 대한 일반적
인 진술—"서정시의 가장 두드러진 특징은 현재시제의 사용이며, 시인
은 자기 자신의 순간적인 감정과 생각을 현재시제를 사용해서 전달한
다."[11]—을 이용악의 경우에 있어서는 다른 방식으로 이해할 수 있는 여
지가 생긴다. 서정시, 즉 서정성을 지향하는 이용악의 시에 있어서 과
거시제의 사용은 과거의 순간적인 정서를 표현하는 동시에, 과거의 기
억 이미지를 포착하여 역사적 현재를 창조하는 기능을 한다. 요컨대,
그의 서정시에는 과거와 정서가 응축되고 절합된 역사로서의 이야기가
잠재되어 있는 것이다.

3. 기억 작용과 시적 현재

흔히 "서정시는 인칭, 현재의 장르이며 순간의 문학이며 그 세계관
은 현재에 있다."[12]고 말한다. 이것을 시간의식과의 결부지어 이해하자
면, 서정시는 시간적 현재 혹은 현재적 순간을 표현하는 특수한 장르
가 된다. 물론, 이러한 이해에서 놓쳐서는 안 되는 것, 다시 말해 강조
해서 이해해야 하는 것이 하나 있는데, 그것은 바로 서정시의 "세계관
이 현재에 있다"는 점이다. 이것은 "서정시가 현재시제로 표현된다"는
진술과는 다르다. 세계관이라는 용어는 표면적으로 포착할 수 있는 시
인의 시작 방식뿐만 아니라 이면에 놓여 있을 것으로 추정되는 시작 태

---

11 Susanne K. Langer, Feeling and Form, London & Henley: Routledge & Kegan Paul Limited, 1953, p.
    260.
12 김준오, 앞의 책, 119쪽.

도까지를 가리키는 것이다. 따라서 시작 태도로서의 현재적 세계관은 시적 형상화를 통해 비로소 사후적으로 구축되는 것이다. 또한, 현재적 세계관은 그 자체의 형상화에 머물지 않고 그것의 작용으로 인하여 언술내용을 현재적인 것으로 전환시킨다.

현재적 세계관이 시적 형상화를 통해 사후적으로 구축된다는 점에서, 그러한 세계관에 입각해 있는 시는 우선 주관적 시간으로서의 기억에서 출발하지만, 종국에는 객관적 시간의 표지인 현재로 귀결된다는 것을 추정할 수 있다. 그런 의미에서 이러한 시간의식이란 '현재의 중심을 이루는 근원인상'에 다름 아니다. 이 근원인상에 '상상의 현전화'는 물론 '상기의 재현작용'이 더해져 지평을 넓히는 것이 바로 '시적 현재'다. 다시 말하면 '의미 없이 지나온 시간까지 특별한 의의'를 지닌 의미 있는 시간으로 되돌릴 수 있는 가역성의 시간이 바로 '서정성의 시간'이라고 말할 수 있는 것이다.[13] 요컨대, 시적 현재를 지향하고 있는 시는 기억 작용을 통해 기왕의 시적 대상이나 정서를 '지금-여기'에서 '의미 있는' 것으로 현재화한다.

> 돌담에 소색이는 햇발같이
> 풀아래 웃음짓는 샘물같이
> 내마음 고요히 고흔봄 길우에
> 오늘하로 하날을 우러르고싶다
>
> 새악시 볼에 떠오는 부끄럼같이
> 詩의가슴을 살포시 젖는 물결같이

---

13 전동진, 「서정시의 시간성, 시간의 서정성」 문학들, 2008. 103쪽.

한국 현대시의 '시간' 양상 109

보드레한 애메랄드 얄게 흐르는

실비단 하날을 바라보고싶다

— 김영랑, 「돌담에 소색이는 햇발」 전문

내마음의 어딘듯 한편에 끝없는

강물이 흐르네

도처오르는 아침날빛이 뻔질한

은결을 도도네

가슴엔듯 눈엔듯 또 피ㅅ줄엔 듯

마음이 도른도른 숨어있는곳

내마음의 어딘듯 한편에 끝없는

강물이 흐르네

— 김영랑, 「끝없는 강물이 흐르네」 전문

첫 번째 시에서 시적 화자의 시선은 '햇발', '샘물', '봄 길', '새악시 볼', '물결'을 거쳐 마지막으로는 '하날'을 향한다. 이때, 시선의 대상들은 자신들만의 멜로디를 가지는데, 그것은 각각 "소색이는", "웃음짓는", "고요히", "떠오는", "살포시 젖는", "얄게 흐르는"이라는 언술을 통해 형상화된다. 이러한 시적 형상화는 '지금-여기'에서 일어나고 있는 시적 화자의 시선의 이동과 함께 감정의 지향을 드러내준다. 사실상 "-(하고)싶다"라는 기대를 나타내는 술어의 사용은 기대의 기능을 수행하기 보다는, 멜로디로 형상화되고 있는 현재의 감정을 더욱 실감나도록 만드는 '기억 작용'을 수행하는 것으로 보인다. 또한, 두 번째 시에서 시적 화자의 시선은 "마음의" "한편"에서 출발하여, '아침날빛', '은결', '가슴', '눈', '피ㅅ줄'을 거쳐, 다시금 "마음의" "한편"으로 회귀하면서 '강물'의 흐름을 대체할 수 있는 하나의 시적 순환을 완성한다. 그러한 시적 순환의 완성을 통해 외부의 현상으로서의 강물의 흐름은 내부의 현상으로 전화한다. 이것은 자연에서 강물의 흐름에 부여되어 있던 시간적 속성이 시적 화자의 마음속으로 내화하게 된다는 것을 의미한다. 내화된 시간은 흔히 말하는 '정서적 시간', 혹은 '무시간'으로 귀속되지 않고, "흐르네", "도처오르는", "도도네", "도른도른 숨어있는", "흐르네"와 같은 멜로디적인 움직임의 속성을 갖는 언술들을 통해 현재적 시간성을 획득한다. 요컨대, 순간적으로 '기억된' 과거의 인상이 움직임의 속성을 부여받아 현재의 인상으로 변모하는 것이다.

베르그송은 과거가 단지 관념에 불과하고, 현재는 관념-운동적(idéo-moteur)이라고 보았다. 즉, 현재라는 시간은 '감각-운동' 체계와 거기에 삽입된 기억들의 작용으로 구성된다.[14] 이처럼 현재가 구성되는 것이라면, 그것을 가능하게 하는 기제는 '기억-행위'가 된다. 또한 '관념-운동'적으로 구성된다는 진술로부터 거기에는 모종의 동역학이 작용한다는 사실을 염두에 두지 않을 수 없다. 요컨대, 현재는 움직임을 갖는 시간이다. 시선의 대상인 '햇발', '샘물', '봄 길', '새악시 볼', '물결', '하날', '아침 날빛', '은결', '가슴', '눈', '피ㅅ줄'은 구체적인 공간의 이동이 명시되지 않고 있다는 측면에서 이미 관념 속에 자리하고 있는 것이지만, 그것들이 지금 여기에서 멜로디의 형태로 움직이고, 급기야는 '하날'과 "마음의" "한편"을 향해 지향됨으로써 관념-운동적인 현재를 구성한다. 이러한 멜로디의 움직임과 현재의 구성에 대해서 후설은 다음과 같이 언급한다.

14　앙리 베르그송, 박종원 역, 『물질과 기억』, 아카넷, 2005, 120~121쪽.

멜로디 전체는 그것이 여전히 울려퍼지고 있는 한, 그 멜로디에 속한 음들, 즉 하나의 파악연관 속에서 사념된 음들이 여전히 울려퍼지고 있는 한, 현재적인 것으로서 나타난다. 멜로디 전체는 최후의 음이 지나가버린 다음에야 비로소 과거의 것이 된다[15]

그에 따르면, 멜로디의 움직임은 그 멜로디가 끝난 다음, 즉 시의 마지막 행을 읽고 난 순간에는 과거의 것이 되어버린다. 그러나 시를 읽는 도중에 있어서는 현재적인 것으로 나타난다. 따라서 시적 현재는 시 속에 형상화되는 기억의 순간들에 집중하고 그것에 동일화하는 시적 순간에만 경험될 수 있으며, 이것은 "시인의 의식상에 있어서 현재의 순간에 많은 과거들, 체험들이 동시적으로 공존해 있는 순간이거나, 이 순간 속의 사항들이 무엇이든 이것들이 결합되어 하나의 의의 있는 패턴을 가지게 되는 연속적 순간이다."[16] 시적 현재가 현재라는 시제를 명시적으로 드러내는 객관적 표지나 언술이 아니라, '기억의 현전화'라는 방식을 통해서 구현되는 것이라고 할 때, 중요한 것은 기억을 구성하는 시인의 시간의식은 세계관 그 자체라는 점이다. 우리는 이러한 시간의식을 보여주는 시인의 한 사람으로 김영랑을 살펴보았다. 그의 시에서는 사물이나 감정에 대한 순간의 기억이 과거의 것으로 형상화되지 않고, 살아 움직이는 것으로 '현재화'한다. 요컨대, 서정시가 보여줄 수 있는 충만하고 영원한 현재는 그러한 과정의 필연적 소산인 것이다.

「오-매 단풍들겄네」

15 에드문트 후설, 이종훈 역, 『시간의식』, 한길사, 1996, 107쪽.
16 김준오, 앞의 책, 44쪽.

장ㅅ광에 골불은 감닢 날러오아

누이는 놀란듯이 치어다보며

「오-매 단풍들것네」

추석이 내일모레 기둘리니

바람이 자지어서 걱정이리

누이의 마음아 나를보아라

「오-매 단풍들것네」

– 김영랑, 「오-매 단풍들것네」 전문

한편, 김영랑의 시에서 나타나는 언술들의 끊임없는 반복은 그것 자
체로 주목을 요하는 시적 특성이다. 특히, "오-매 단풍들것네"라는 언
술은 그 발화의 주체를 확정하는 측면에서 논란의 여지를 남긴다. 즉,
그 언술의 발화자가 한편으로는 시적 화자인 '나'일 수도 있고, 다른 한
편으로는 '누이'일 수도 있는 것이다. 이러한 혼란은 이 언술이 시의 첫
번째 연과 마지막 연에서 반복적으로 사용됨으로써 더욱 가중된다. 왜
냐하면, 그 두 연은 "누이는 놀란듯이 치어다보며"라는 언술이 한정적
으로 짐작하게 해주는 주체의 범위를 넘어서 있기 때문이다. 라캉이 보
기에, 담화라는 것은 끊임없이 반복적으로 원을 그리며 공허하게 회전
하며, 이러한 순환을 통해 말하는 존재는 말 방앗간이라는 공허한 말
의 차원 속에서 자신을 소진시키기 위해 최선의 노력을 한다.[17] 그런 의
미에서, 이 시의 시적 화자는 공허한 언술의 반복적인 순환을 통해, 시

속에 표출되는 자기 자신을 지우는 것과 동시에, "추석이 내일모레 기 둘리니/ 바람이 자지어서 걱정"인 "누이의 마음"을 전면에 부각시킨다. 요컨대, 시적 현재는 시적 화자의 언술행위가 언술내용의 뒤로 후경화 하고 언술내용 자체가 전경화하면서 구축되어지는 것이다.

4. 기대직관과 미래의 변형

미래를 지향하는 시간의식에 대한 논의에서, 우리가 봉착하게 되 는 근본적인 문제는 '아직 오지 않은 것'으로서의 미래를 어떻게 이야 기할 수 있는가이다. 데리다에 따르면, "미래는 앞으로 다가올 현재가 아니요, 어제는 지나간 현재가 아니다."[18] 언뜻 보기에는, '미래는 현재 의 미래가 아니요, 과거는 현재의 과거가 아니다'라는 방식의 동어반복 으로 이해되는 그 진술은 후설의 다음과 같은 견해를 염두에 둔 것으로 보인다.

> 미래에 일어날 일을 직관적으로 표상함에 있어서 나는 재생산적으 로 경과하는 어떤 과정의 재생산적 심상을 지금 직관적으로 갖고 있 다. 그리고 이러한 심상에는 규정되지 않은 미래지향들과 과거지향 들, 즉 생생한 '지금' 속에 한정하는 시간주변에 그 과정의 처음부터 관계하는 지향들이 결합되어 있다. 이러한 한에 있어서 기대직관은 거꾸로 된 기억직관이다.[19]

---

17 조엘 도르, 홍준기·강응섭 역, 『라캉 세미나·에크리 독해 I』, 아난케, 2009, 248쪽.
18 자크 데리다, 남수인 역, 『글쓰기와 차이』, 동문선, 2001, 471쪽.
19 에드문트 후설, 앞의 책, 130쪽.

후설은 '지금'을 이야기하는 경우에 있어서는 기대직관이 기억직관의 역(逆)이라고 말한다. 이것은 '지금'의 주체에게 있어서 미래는 과거의 거꾸로 된 심상이라는 말이다. 앞서 언급했던 것처럼, 시는 우선적으로 주관적 발화의 담화 방식을 갖는다. 또한 시적 발화는 언제나 현재적인 것이다. 그런 의미에서, 현재를 축으로 하여 과거 지향에 근접하면 기억직관을 갖게 되고, 미래 지향에 근접하면 기대직관을 갖게 된다. 마찬가지로 시에서의 미래 표상이라는 것은 시에서의 과거 표상에 대한 반작용이 된다. 그런데 이러한 과거에 대한 반작용은 기실 모더니티의 속성 가운데 하나이다. 그래서 우리는 보들레르가 말하는 모더니티의 시학을 과거에 대한 현재적 반란의, 기억의 안정성에 대한 끊임없는 도피의, 반복에 대한 차이의 초기적 사례로 간주할 수 있었던 것이다.[20]

인용문에서는 또한 미래 표상에 있어서의 '재생산적 심상'을 언급한다. 여기서 재생산이라는 말은, '지금'을 직관적으로 표상하기 위해서는 '재현적으로 변양된' 심상 속에서 지각을 수행해야 한다는 진술에서 알 수 있듯,[21] '변화'와 '반복'의 과정이 수반된다는 것을 의미한다. 러시아형식주의자들은 기존의 문학적 관습을 끊임없이 변화시키는 방식을 가리켜 '낯설게 하기'라고 부른 바 있다. 사실상 서론에서 언급했던 시간적 표지에서 문학텍스트로의 이행을 가리키는 '변형'이라는 용어는 그런 의미망으로부터 도출되는 것이다. 이런 의미에서, 모더니티의 속성으로 간주되는 변화와 반복이 바로 변형의 요체가 되는 셈이다. 그렇

---

20 마테이 칼리니스쿠, 『모더니티의 다섯 얼굴』, 시각과 언어, 1994. 64쪽.
21 에드문트 후설, 앞의 책, 134쪽.

다면 변화와 반복이라는 모더니티적 기획은 무엇을 미래(not-yet)한 것으로 만드는 것인가?

> 미래는, 유토피아주의자의 눈으로는 현재를 근본적으로 부패시키고 견딜 수 없게 만드는 것으로 여겨지는 "역사의 악몽"으로부터 벗어나는 유일한 길이다. 다른 한편, 미래는—변화와 차이의 산출자인—바로 그 완전성의 획득 속에 숨겨져 있다. 그리고 이때 이 완전성은 정의상 서구문화 전체의 토대인 불가역적 시간이라는 개념을 부정하면서 영원히ad infinitum 반복될 수밖에 없다.[22]

이렇듯 모더니티의 측면에 있어서, 미래란 역사적 악몽의 연장선상에 있는 부패된 현재로부터 완전성을 획득하기 위한 무한 반복에 다른 것이 아니다. 즉, 고통스러운 현재의 삶 속에서의 주체는 해방이라는 미래의 삶을 반복적으로 기획·투사해 나가는 것이다. 특히 근대사회가 도래한 이후로, 정치·경제, 교육·과학 등과 같이 근대 생활의 일상성에 보다 밀착한 분야에 있어서 이러한 '현재에 대한 사랑의 부재'는 보다 빈번히 미래를 지향한다. 그래서 미래의 근거는 실천과 결부됨으로써 세계 변혁의 근거가 되기도 하는 것이다.[23] 이러한 진술들에 따르면, 예의 모더니티적 속성을 담지하고 있는 시에서는 표면적으로 드러나 있어서 포착이 용이한 무시간적인 유토피아주의 뿐만 아니라 현실에 대한 실천과 변혁이라는 미래지향적인 현실주의 또한 내재되어 있다는 것을 말해준다.

---

22 마테이 칼리니스쿠, 앞의 책, 79쪽.
23 마키 유스케, 최정옥 외 역, 「시간의 비교사회학」, 소명출판, 2004, 191쪽.

지금부터 살펴볼 정지용의 시편들에서는 그러한 미래지향적 시간의
식과 더불어 모더니티적 속성이 동시에 드러난다. 주지하다시피 한국
현대시사에서 정지용을 모더니스트로 분류하는 것은 일반적인 사실이
다. 그런데 시간의식을 다루는 저간의 논의들은 그의 시간의식이 자연
지향적이라는 데에 대부분 동의하면서도, 그러한 시적 태도가 현실에
대한 실천과 변혁이라는 현실주의, 그리고 미래지향적 시간의식에 따
른 작용/반작용이라는 모더니티적 속성의 산물이기도 하다는 점에는
관심을 기울이지 않는다.

한밤에 壁時計는 不吉한 啄木鳥!
나의 腦髓를 미신바늘처럼 쫏다.

일어나 종알거리는 「時間」을 비틀어 죽이다.
殘忍한 손아귀에 감기는 간열핀 모가지여!

오늘은 열시간 일하였노라.
疲勞한 理智는 그대로 齒車를 돌리다.

나의 生活은 일절 憤怒를 잊었노라.
琉璃안에 설레는 검은 곰 인양 하품하다.

꿈과 같은 이야기는 꿈에도 아니 하란다.
必要하다면 눈물도 製造할뿐!

어쨋던 定刻에 꼭 睡眠하는 것이

高尙한 無表情이오 한趣味로 하노라!

明日!(日字가 아니어도 좋은 永遠한 婚禮!)
소리없이 옴겨가는 나의 白金체펠린의 悠悠한 夜間航路여!

— 정지용, 「時計를죽임」 전문

　이 시의 시적 화자는 열 시간의 노동으로 인하여 피로한 몸으로 잠
이 들었다. 그런데 "壁時計"와 "啄木鳥"로 표상되는 '時計' 혹은 '時間'
이 그러한 수면을 방해하기에, 그것을 비틀어 죽인다. 그렇게 '時間'이
죽고 난 이후에는 그 이전과 무엇이 변화되었는가? 만약 시의 구절들
을 계기적인 것으로 받아들인다면, 시간이 죽고 난 이후에 시적 화자는
잠을 자는 것이 아니라 "理智"의 "齒車"를 돌린다. 즉, 잠들기 전까지
의 '오늘'이라고 하는 과거에 있었던 기억들을 떠올린다. 시적 화자는
열 시간의 노동으로 생활하지만 분노를 알지 못하며, 그저 피로에 겨운
하품을 할 뿐이다. 그러한 생활에서 벗어나는 "꿈과 같은 이야기"는 꿈
에서도 하지 않을 생각이며, 자신의 삶이 비참하다고 여기고 싶을 때는
필요에 의해서 "눈물도 製造"할 수 있다. 그러나 그런 것들을 일체 뒤
로 하고 오로지 "定刻"에 잠자리에 듦으로써 자신의 "高尙한 無表情"과
"趣味"를 즐기려 한다.
　몰취미적이고 무감각한 시적 화자의 태도는 "明日"에 대한, "永遠한
婚禮"에 대한 인식에서 비롯된 것으로 보인다. 여기서 해(日)와 달(月)
의 혼례라는 언술은 맥락상 그것의 순환을 의미한다. 낮이 밤이 되고,
다시 밤이 낮이 되는 영원한 순환이 지속된다는 것을 인식했기 때문
에, 시적 화자는 '時間'을 죽이면서도 '時間'의 죽음에 대해 무표정해지
는 것이다. 마이어호프에 따르면, "시간은 끊임없는 도전으로서 혹은

좌절의 원천으로서 새로움과 창조라는 열린 미래를 향해, 혹은 망각과 죽음이라는 닫힌 미래를 향해 오직 한 방향으로만 전개되었다."[24] 그렇기에, 미래 지향을 보이는 시적 화자의 시간의식은 "明日"을 향해 "소리없이 옴겨가는" "白金체펠린"의 "夜間航路"를 자신의 것으로("나의") 순전히 받아들이려 하는 것이다. 그러한 순환하는 시간, 즉 반복되는 기억의 받아들임 속에서 시적 화자의 자기만족은 도래하게 된다. 요컨대, "기억 이미지는 심리 장치 속에서 장래의 만족을 위한 표상으로 기능"[25]하는 것이다. 기억 이미지의 이러한 기능은 「아츰」이라는 시에서도 확연히 드러난다.

> 프로펠러 소리………
> 鮮妍한 커―앺를 돌아나갔다.
>
> 快晴! 짙푸른 六月都市는 한層階 더자랐다.
>
> 나는 어깨를 골르다.
> 하품……목을 뽑다.
> 붉은 송닭모양 하고
> 피여 오르는 噴水를 물었다……뿜었다……
> 해ㅅ살이 함빡 白孔雀의 꼬리를 폈다.
>
> 睡蓮이 花瓣을 폈다.

---

24 한스 마이어호프, 앞의 책, 130쪽.
25 조엘 도르, 앞의 책, 227쪽.

옴으라쳤던 잎새. 잎새. 잎새.

방울 방울 水銀을 바쳤다.

아아 乳房처럼 솟아오른 水面!

바람이 굴고 게우가 미끄러지고 하늘이 돈다.

좋은 아츰—

나는 탐하듯이 호흡하다.

때는 구김살 없는 힌돛을 달다.

— 정지용. 「아츰」 전문

    사실상, 이 시에서는 시제의 구분이 석연치 않다. 표면적으로 짙푸른 6월의 도시에서 맞이하는 아침에 대한 정경을 묘사하면서, 과거시제와 현재시제가 병행하여 사용되고 있기 때문이다. 그런데, 여기서 제시되고 있는 과거에 해당하는 언술들은 모두 순간적인 기억 이미지에서 빚어진 것이다. 아침이라는 짧은 순간에 시적 화자에게 포착된 이미지들이 시적 형상화를 거치면서 '과거의 현재'와 '현재의 현재'라는 표상의 형태로 변형된 것이기 때문이다. 이러한 두 겹의 현재는 "돌아나갔다", "더자랐다"라는 과거형 술어에 이어서 "골르다", "뽑다"라는 현재형 술어가 이어지고, 거기에 다시 "물었다", "뿜었다", "폈다", "바쳤다"라는 과거형 술어가 이어지며, 마지막에는 "굴고", "미끄러지고", "돈다", "호흡하다", "달다"라는 현재형 술어로 종결되면서 표출된다. 즉, 아침이라는 순간적인 근원적 인상이 '과거의 현재' '현재의 현재'라는 시간의식에 따라 변화하면서 '앞으로' 나아가는 것이다. 변화의 연속체가 어떻게 시간적 국면들을 구성하는지에 대해서 후설은 다음처럼 언급한다.

> 모든 변양은 끊임없는 변양이다.…이러한 모든 시간적 변양들은
> 하나의 연속체 속에서 비독립적 한계이다. 그리고 이 연속체는 한 측
> 면[근원적 인상의 측면]에서 한정된 곧바른 다양체의 성격을 갖는다.
> 이 다양체는 자신의 출발을 근원적 인상 속에 갖고, 어떤 방향에서 변
> 양으로서 진행한다. 이러한 연속체 속에서 동등한 거리들을 갖는 시
> 점들의 쌍들은 객관적으로 동등하게 멀리 떨어져 있는 객체들의 시간
> 국면들을 구성한다[26]

그런 의미에서, 인용한 시에서 나타나는 '과거의 현재'와 '현재의 현
재'라는 시간적 짝패 또한 변화를 반복적으로 거듭하면서, "좋은 아츰"
이라는 한 가지의 방향으로 나아가는 바, 아직 도달하거나 도래하지 않
은 시간을 향한 시적 화자의 그러한 태도는 바로 미래 지향적인 시간의
식에 근거한 것으로 볼 수 있다.

5. 맺는 말

문학에서의 시간에 대한 논의는 일반적으로 시간, 시간의식, 시간
성이라는 세 가지의 주요 용어에 대한 개념을 먼저 검토하고 과거, 현
재, 미래라는 시간적 표지들을 구분하는 데에서부터 출발한다. 그런데
이러한 논의는 필연적으로 '시간이란 무엇인가?'라는 대상에 대한 근원

---

[26] 에드문트 후설, 앞의 책, 191쪽.

적인 물음과 더불어, 그것으로부터 이행하게 되는 '우리는 시간을 어떻게 인식하는가?'라는 주체에 대한 근본적인 물음에 직면하게 된다. 이것은 대상으로서의 시간에 대해 말할 수 없기 때문에, 그 대신 주체에게 인식되는 시간에 대해 말하는 방식을 택한 것이다. 그러나 그것 역시도 궁극적인 대안이 되지 못하는 것으로 보인다. 그리하여 그러한 이중의 난점은 여전히 '시간'에 대한 탐구를 곤궁함의 미궁 속으로 몰아넣는 원인으로 작용하고 있다. 그런데, 만약 문학과 관련하여 시간에 대한 문제를 풀고자 할 때, 문학적 해석의 상대성을 존중하는 것과 마찬가지로 시간적 해석의 상대성을 존중한다면 어떻게 될 것인가? 기실 이 글의 문제의식은 그러한 소소한 물음에서 비롯된 것이었다. 문학적 논의의 한 가지 측면이 시간의 범주 안에서 이루어질 수 있는 것과 마찬가지로, 시간에 대한 논의도 문학의 범주 안에서 이루어질 수 있다는 판단이 이 글의 요체였던 셈이다.

그러한 전제로부터 한국 현대시와 시간에 대한 본격적인 논의를 전개하지는 못하였지만, 나름의 기준을 설정하여 이용악, 김영랑, 정지용의 시편들을 살펴보았다. 이때의 기준은 첫째, 과거 지향적, 현재 지향적, 미래 지향적인 시간의식을 보여줄 수 있는 시편들이어야 한다는 것, 둘째 그러한 시간의식들이 분명하게 경계지어 있지 않으면서 상호 중첩될 수 있어야한다는 것, 셋째 리얼리티 지향, 서정성 지향, 모더니티 지향이라는 시적 특성에 부합하는 시편들이어야 한다는 것이다. 이 가운데, 세 번째의 기준은 이 글 안에서 미처 논의하지 못하고 기획으로만 남아 있다. 애초의 계획대로라면 한국현대시에서 나타나는 시간의식의 양상들을 일별하고 그것을 다시 한국현대시사에서 나타나는 문예사조적인 측면과 결부시켜 논의를 펼쳤어야 했다. 그러나 지면과 시간, 능력의 한계로 인하여 그러한 문제의식을 가능성으로만 남겨두게

된 것이 안타까울 뿐이다.

　다만, 이 글에서는 첫 번째와 두 번째의 문제의식으로부터 한국현대
시에서 나타나는 시간의식이 '객관적인 시간'이나 '주관적인 시간'으로
명징하게 판명되기 보다는, '여러 겹의 시간'에 가깝기에 그것을 시의
의미와 연결시키기 위해서는 '정도'의 측면에서 다루어야 한다는 점을
확인할 수 있었다는 데에 의의를 두고자 한다.

문학의 정치성, 그 시적 재현과 문화 소통
- 4·19와 5·18, 세월호 사건을 중심으로

1. 들어가며

　문학과 정치, 그리고 정치와 문학은 한국근현대사를 관통하고 있는 문화담론으로서의 대표적인 주제이다. 이 주제는 두 가지 방향의 고민과 함께 전개되는데, 그 하나는 '무엇을' 소통할 것인가에 대한 것이고, 다른 하나는 '어떻게' 소통할 것인가이다. 일제강점기로부터 지금에 이르기까지 우리 문학사는 이러한 고민과 함께 전개되어왔고, 시대에 따라 문학의 소통 양상도 변해 왔다. 문학과 정치의 문화담론이라는 관점에서 최근의 '세월호 사건'은 그 진실 규명과 더불어 문학적 재현과 소통 방식에 대해 많은 질문을 던지고 있다. 아직 재현(representation)의 단계에도 이르지 못한 세월호 사건은 문학과 정치의 문제에 보다 절실하게 다가갈 것을 요구하게 되었다. 본고는 이러한 요구에 답하기 위한 문학적 모색이라 할 수 있으며, 이를 위해 세월호 관련 시편들이 시 고유의 서정성에 어떻게 정치성을 함의하는지, 또 어떻게 문화담론을 생산하고 소통하는지 살피고자 한다.

문화는 본질적으로 소통을 전제한다. 따라서 굳이 '문화 소통'이라고 할 필요가 없는 셈이다. 그럼에도 불구하고 문화 소통을 화두로 삼는다는 것은 문화의 소통과정에 대한 문제 제기라 할 것이고, 이는 곧 이 시대의 담론들이 문화에 기대어 끊임없이 재생산된다는 점에서 그 원인을 찾을 수 있다. 특히 문화산업의 잠식성은 우리의 관심사를 언어 즉 문학으로부터 문화로 옮아가게 하는 데 극적으로 기여했다. 그러나 그러한 관심사의 이동은 결코 '순수한' 동기에 의한 것이 아니었다. 문화에의 관심은, 그것이 모든 교환 불가능한 가치를 교환가치로 바꾸어 자본을 창출하기 위한 수단이라는 점에서 또한 정치적인 것이다.

문학의 언어는 두 가지 방식으로 정치에 관여한다. 하나는 정치현실에 대한 적극적 개입을 전제로 하는 '참여'적 방식이며, 다른 하나는 주류 언어와의 대립, 혹은 "자신의 언어 안에서 스스로 이방인"[1]이 되는 것을 지향함으로써 소수문학의 정치성을 강조하는 방식이다. 그리고 이 두 선택지는 지배적이고 관례적인 언어와의 불일치를 통해 세계의 보이지 않는 실재를 개시하려는 의지와 함께 다양한 문학적 쟁점을 낳았다. 랑시에르는 문학을 비롯한 예술 전반의 문제는 '감각적인 것을 분배하는 문제'이며, 그런 점에서 예술은 필연적으로 정치와 관계한다고 주장한다.[2] 그는 정치 영역에서 결정과 지배력의 행사를 가능하게 하는 감각적인 세계 일반의 분배 양식을 문제 삼는다. 랑시에르에 의하면 '정치적인 것(politics)'은 '치안 활동(police)'을 반성하고 비판하는 작업이며, 나아가 치안의 영역에서 자신의 몫을 분배받지 못하고 비가시화된 채로 존재하는 자들을 가시화하는 방식을 고안하는 활동인 것

---

1 질 들뢰즈·펠릭스 가타리, 이진경 역, 『카프카:소수적인 문학을 위하여』, 동문선, 2004, 67쪽.
2 자크 랑시에르, 오윤성 역, 『감성의 분할—미학과 정치』, 도서출판b, 2008, 9쪽.

이다. 그는 또 정치적인 것은 언제나 미학적인 차원을 통해 출몰한다고 말한다. 왜냐하면 미학적 차원만이 이해관계를 초월한 무관심의 공간을 만들어낼 수 있기 때문이다. 여기에서 미학적 차원이라는 것은 모든 계급이나 위계관계를 무화시키고 중화시키는 '공통감각'을 전제한다.

세월호 사건의 정치성에 관한 논의는 가깝게는 1980년 광주민중항쟁을, 멀게는 1960년의 4·19혁명과 한국전쟁까지도 불러온다. 세월호 사건을 이해하기 위해 과거 사건들을 호명하는 것은 이 사건들 모두 왜곡된 프레임을 가진 '국가'가 만들어낸 파국적 상황이었기 때문이다. 또 세부적으로 그 층위가 다르다 할지라도 서로 유사한 문제적 장면들을 다수 포함하고 있다는 데 주목했기 때문이다. 4·19혁명과 5·18광주민중항쟁, 그리고 세월호 사건은 세부적으로 보았을 때 결코 동일한 맥락에 있지 않다. 그러나 본고는 이 서로 다른 맥락들이 시적 재현의 과정을 통해 문화 소통의 층위로 나아갈 가능성에 주목한다. 따라서 먼저 한국의 문화현장이 처한 정치적 맥락과 소통의 획일화 현상을 검토한 후, 4·19와 5·18, 그리고 세월호 사건의 시적 재현과 소통 방식에 대해 논하게 될 것이다.

2. 문학의 정치성과 문화 소통의 획일화

문학의 정치성은 문화 현장에서 독자와 시대, 그리고 수많은 문화 양식들과 소통한다. 즉 문학의 미적 자율성은 문화 현장의 정치적이고 산업적인 기획에 대한 대응 방식으로 자신의 정치성을 드러내는 것이다. 이러한 문화 현장의 기획 속에서 우리가 접하는 모든 기록과 기억은 권력관계를 보여주기보다 스스로 권력이 된 이후의 것이라는 우울

한 진단을 내릴 수밖에 없게 되었다. 편향적 말하기 방식으로 점철된 언론의 보도는 물론이고, 그것에 환멸을 느낀 사람들을 위한 '그때 그 시절'의 복고 열풍조차 문화산업의 그늘 아래 있는 것이 우리의 현실이다. 자본주의의 문화산업은 갈등을 기반으로 삼아 비대해지기 때문에 근본적인 개선에는 무관심하다. 이를 타개하기 위해 제시된 '소통과 연대'의 문화담론 역시 최근의 영화 「국제시장」과 「암살」, 그리고 드라마 「응답하라 1988」에서 보이듯이 만족스럽지 못한 것이 사실이다. 그것은 분명 과거의 이미지들을 성공적으로 상기시켰을 뿐만 아니라 과거에 대한 나름의 미학적 접근 방법까지도 제안했다. 하지만 이 작품들은 그 시대가 지니고 있었던 역동성과 혁명적 다양성을 보여주지 못하고, 의도하지 않은 경우라 하더라도 오히려 판타지를 통해 그것을 끝내 거세하고 만다.

물론, 단지 오락일 뿐인 영화나 드라마가 왜 역동성과 혁명적 다양성으로서의 문화적 정치성을 담보해야 하는가에 대해 역으로 질문할 수 있다. 그러나 이러한 질문은 문화산업의 결과물들이, 한국전쟁 이후 지금까지도 계속되고 있는 '예외상태'(권리가 전반적으로 정지되고 법 위에 군림하는 권력이 출현하는 상태)[3]의 원인과 영향력, 그리고 '경제발전'만을 지상명령으로 기입하는 데서 공동체의 판타지를 만들어내고

---

3 '예외상태'는 독일의 법학자인 칼 슈미트(C. Schmitt)의 용어로, 그는 바이마르공화국의 의회민주주의가 보여주는 무능력을 비판하기 위해 이것을 사용한다. 그는 '결단'이 문제가 되는 상황에서 이와 같은 답보 상태는 '예외적인' 것이 된다고 말한다. 따라서 '결단'이 정치공동체의 이상을 실현하는 방법인 상황에서 의회민주주의나 법치주의가 그러한 방법을 제대로 실행하고 있지 않다면, 그 외에 다른 형태의 권력이 등장하게 마련이라는 언급을 한다.(칼 슈미트, 김항 역, 『정치신학』, 그린비, 2010. 16쪽 참조.) 하지만 이후 많은 논자들이 지적했듯이 이러한 논리는 독재를 정당화하는 것으로 사용될 여지가 충분하다. 실제로 박정희는 자신의 군사정변을 '혁명'이라 칭하며 자신의 행위를 정당화하는 데 이와 같은 논리를 사용한다. "민주주의 자체가 위협을 받고 국가가 파멸하려는 순간에 처해있을 때, 공산주의분자들이 국가를 삼키려 하고 인류가 땅에 떨어져 부패와 부정이 나라를 휩쓸고 있을 때, 그 국가와 민족의 고난을 피하기 위하여 취해진 행위는 정당한 것"이라고 말하기 때문이다.(박정희, 「혁명과업완수를 위한 지도자의 길」, 『한국 국민에게 고함』, 동서문화사, 2006. 915쪽.)

있다는 사실을 망각한다.[4]

네그리와 하트(A. Negri & M. Hardt)가 지적하듯이, 애초에 그러한 예외상태의 권력 출현은 "일련의 극단적인 사건과 사례들"이 불시적으로 일어나 "많은 이로 하여금 일상적이고 지속적인 권력구조를 보지 못하게 한다."[5] 반면에 소통은 "일상적이고 지속적인 권력구조", 즉 "이례적이거나 예외적인 측면이 하나도 없"[6]는 공화제의 억압 구조를 드러내는 데서 진정으로 가능하게 된다. 한국에서의 예외상태는 휴전과 반공이데올로기로부터 비롯된다. 실제로 '북풍'을 포함한 일련의 사건들이 담론의 판도를 일방적으로 이끌어나가는 상황을 확인하기란 그리 어렵지 않다. 한국의 상황은 예외상태와 일상적 상태가 극단적으로 혼재된 상태라고 할 수 있다. 따라서 문제는 소통과 반응의 획일화다. 이러한 획일화 문제를 타개하기 위해서는 예외상태가 만들어내는 부조리함에 대한 환기뿐만 아니라, 일상화된 권력의 부조리함에 대한 환기 모두가 필요하다. '소통'은 고전적인 의사소통 모델에 따르면 화자와 청자, 그리고 그 사이를 오가는 메시지로 구성되어 있는 것으로 이해된다. 하지만 이것은 바흐친이 지적한대로 순전히 과학적 허구, 다시 말해 요청된 구도에 불과하다.

모든 이해는 응답을 내포하며, 어떤 형식으로든 반드시 대답을 낳는다. 즉 청자는 화자가 되는 것이다. 듣는 말의 의미에 대한 수동적

---

4 박정희 정권이 만들어낸 담론에서 경제발전은 반공이데올로기와 결코 별개의 것이 아니다. 그것은 남북한 사이에서 오갔던 실제 대북, 대남 선전에서 쉽게 찾아볼 수 있듯이 정권에 대한 일종의 보호 수단으로 자리매김하였다. 이것은 지금도 기억공동체인 한국 사람들 사이에서 절대명령으로 작용하고 있다.
5 안토니오 네그리·마이클 하트, 정남영·윤영광 역, 『공통체』, 사월의책, 2014, 30쪽.
6 위의 책, 32쪽.

인 이해는, 뒤따르는 우렁찬 실제적인 대답 속에서 현실화되는 실제
적이고 완전한 이해, 능동적으로 응답하는 이해의 추상적인 계기일
뿐이다. (중략) 복잡한 문화적 소통 장르들은 대부분의 경우 주로 이
와 같은, 행위가 지연되는 능동적인 응답적 이해를 겨냥한다. 여기서
우리가 말하는 모든 것은 씌어지고 읽히는 말에도 해당된다. 물론 적
당한 변화와 보충을 거쳐서이다.[7]

모든 이해는 응답을 내포한다는 것, 그리고 청자가 화자가 된다는
것 등은 문학이론의 과학화를 천명한 바흐친의 명제답게 매우 명료하
다. "능동적인 응답적 이해", "적당한 변화와 보충" 등에는 반응과 소통
의 의미가 내포되어 있다. 문화현상이 어떤 과정을 거쳐 소통되는지가
주된 관심사라면, 그 반응이 무엇이든 상관없을 것이다. 그러나 그 경
우에 굳이 '소통'을 논할 필요가 있을까는 의문이다. 단지 일상적인 장
면에서 일어나는 소통만으로 논의를 끝내는 것이 아니라 '문화—정치'
의 영역까지 논하려면 '어떤' 반응인지도 충분히 중요하다.[8] "듣는 말의
의미에 대한 수동적인 이해"가 그의 말대로 "능동적으로 응답하는 이
해"로 나아가지 못한다면 어떨 것인가.
　소통의 이상적 상황은 이론이 사후적으로 구성해 낸 결과물에 불과
할지도 모른다. 그것은 이론의 개진을 위해 설정한 지향점이라고 할 수
있다. 그러나 그 반대, 즉 소통의 문제적 상황은 비교적 쉽게 만들어진
다. 특히 한국의 '예외상태'는 그러한 소통의 문제 상황으로 쉽게 이끌
어간다. 문화는 거의 '전부'에 관한 영역이라서, 그것이 특정 집단에 의

7　미하일 바흐친, 김희숙·박종소 역, 「담화 장르의 문제」, 『말의 미학』, 길, 2006, 361쪽.
8　여기서 말하는 '정치'는 민주주의와 같은 현실의 제도적 정치만을 가리키는 것이 아니다. 이것은 보다
　　넓은 범주를 가리키는 것으로, '삶을 위한 기술(art)'이라는 의미에 더 가깝다.

해 편협한 영역으로 경계 지어지지 않았다면 결국 삶이 그 주변을 이루고 있는 모든 것과 적극적인 대면을 하는 행위 그 자체라고 할 수 있을 것이다. 그러나 한국에서 그러한 행위가 되고 있는지에 대해 질문할 때는 부정적으로 대답할 수밖에 없다. 이와 같은 맥락에서 제기된 '문화 소통'인 바, 따라서 그것을 논하는 데 있어서 '무엇을', 그리고 '어떻게' 소통하는지가 매우 중요해진다. 적어도 한국의 근현대사를 이루는 장면들에서 소위 '산업화 세대', '민주화 세대' 등으로 불리는 세대들이 그 짝패(pair)에 대해 서로 충분히 대화하지 못했음을 전제해야 할 것이다.

하지만 아직 온전한 소통에의 희망은 남아있다. '대중', '민중', '인민 (people)'[9] 등 여러 가지 명칭으로 불리는 주체들은, 그들을 그처럼 규정하는 것이 현실적으로 어려운 만큼 아직은 다양한 표정들을 가지고 있다. 물론 그 진폭이 줄어드는 것이 사실이지만, 여전히 이 공간에는 상황을 자각하는 힘이 남아있다. 아도르노와 호르크하이머가 『계몽의 변증법』에서 "소비자들은 문화 상품을 꿰뚫어보면서도 어쩔 수 없이 거기에 동화되지 않을 수 없다"[10]고 말한 맥락을 기억할 필요가 있다. 그들은 "꿰뚫어보"고 있다. 다만 그러한 다양성의 힘들을 응집하고 표출함으로써 대화의 국면을 조성하게 만드는, 달리 말하자면 그것을 가로막는 '주저함'의 임계점을 돌파하게끔 그들을 동요시키는 콘텐츠가 없을 뿐이다.[11] 단지 자의식만을 가지고서 이러한 상황을 타개하고 소통

---

9 일반적으로 '인민'이라는 용어는 공산주의자를 연상시킨다. 그러나 이 용어는 정치철학자들 사이에서 '중립적인' 의미를 지닌 용어로 사용되고 있다.

10 테오도르 아도르노·막스 호르크하이머, 김유동 역, 『계몽의 변증법』, 문학과지성사, 2001, 251쪽.

11 실제로 '막장 드라마'라 불리는 서사의 포스트모던적 극치를 보여주는 드라마를 보는 사람들의 일부는 그것에 대해 곱지 않은 시선을 가지고 있다. 그러나 소유와 소비가 공화제의 근간이 되어있는 마당에 금욕주의로의 회귀는 쉽게 선택할 수 없는 길이다. '막장 드라마'가 보여주는 것은 서사가 아니다. 그것이 보여주는 것은 모든 것이 가능하다는, 세상에 안 될 것은 없으며 따라서 하고 싶은 대로 하라는 신자유주의 시대의 복음(이전 시대의 '~해서는 안 된다'를 철저하게 전복시키는)을 그 형식 자체로 보여준다. 따라서 금욕주의가 대안이 될 수 없는 상황에서, 신자유주의와 금욕주의의 사이를 관통하는

을 복원할 마음이 생기는 것은 아니기 때문이다.

> 개인은 경제적 세력 앞에서 완전히 무력화된다. 이 세력은 자연에
> 대한 사회의 폭력을 일찍이 예견하지 못한 정도까지 밀고 나간다. 개
> 인은 그가 사용하는 기술 장치 앞에서 사라질 수밖에 없지만, 그 대가
> 로 이 장치에 의해 과거 어느 때보다도 많은 것을 제공 받는다. 정의
> 롭지 못한 상황에서 대중에게 분배되는 재화의 양이 증가할수록 대중
> 의 무기력과 조종 가능성은 커진다.[12]

'주저함'은 또 하나의 근원을 갖는다. 바로 재화의 분배, 즉 경제인
것이다. '성장과 분배'의 프레임을 용인하는 순간 그 안에서는 모든 것
이 자원과 소비, 그리고 축적이라는 항들로 해체된다. 그 외의 것은 존
재하지 않는다. 하지만 일단 그 프레임으로부터 벗어나게 되면, 세계는
다르게 개념화되고 아울러 그 '주저함'의 임계점이 돌파될 가능성이 생
기게 될 것이다. 아도르노와 호르크하이머는 그에 대한 일말의 희망을
예술에서 본다.

콘텐츠의 부재를 말했지만, 실제로 콘텐츠 자체가 없다는 것은 아니
다. 자본에 비교적 영향을 적게 받는 데다 문자 문화의 특성상 독자의
개입과 재구성의 여지가 많은 문학은 소통의 회복이 요구되는 이와 같
은 상황에 대안이 될 수 있다. 물론 최근의 '문학권력' 사건이 보여주듯
이 문학 역시 거대 자본의 흐름 아래 획일화되어 가고 있지만, 문화 산
업이라 불리는 타 분야들에 비해 그 정도가 그리 크지 않다. 아울러 문

콘텐츠가 없을 때 그와 같은 소비적 콘텐츠에 사람들은 동의할 수밖에 없는 상황이 된다.
12 테오도르 아도르노, 막스 호르크하이머, 앞의 책, 2001, 16~17쪽.

학은 새로운 흐름을 만들어내지 못하고 '복고'라는 이름으로 생기 없는 재생산을 반복할 뿐인 매너리즘 상태의 문화 소통 장을 재편할 수 있는 콘텐츠가 될 수도 있을 것이다.

3. '문학정치'의 시적 재현과 소통 방식

1) 불모성의 재현과 비시적 언어

적극적인 차원에서 문학과 정치 논의는 4·19혁명이 5·16군사정변으로 좌절된 시기 이후의 것이라고 할 수 있다. 이 사건들로 인해 한국의 '예외상태'와 관련된 권력 구조의 민낯이 가시화되었다. 이러한 상황에서 문학은 앞서 말한 고민들을 하지 않을 수 없게 되었는데, 이 시기에 전개된 문학이 지닌 딜레마에 대해 김윤식은 다음과 같이 언급한다.

> 문학은 언어상징을 띤다는 것에 의해 필연적으로 이데올로기를 형성한다는 것, 그 태도형성력은 훨씬 명확하여, 강한 교육작용(프로파간다)을 머금는다. 이것이야말로 문학의 독특한 힘이라면 힘이고, 문학의 사회적 문제성의 근거가 된다. 이 사실에서 우리가 깨닫고 싶은 것은 다음 두 가지이다. 그 하나는 四·一九의 문학적 不毛性은 四·一九라는 歷史가 언어로 인한 교육작용을 작가 및 독자에게 지나치게 강요했다는 데서 찾을 수 있다는 점이다. 지식을 요청할 때 四·一九는 예술적 不毛로 드러나고, 예술을 요청할 때 四·一九는 이데올로기의 消滅에 直面하게 되리라.[13]

그는 '4·19문학의 불모성'을 말하면서, 이전부터 문학과 정치를 논할 때면 으레 제기되어 온 딜레마를 강조한다. 지식을 앞세우면 예술성이 약해지고, 예술성을 앞세우면 지식이 사라진다는 것이다. 하지만 적어도 시에서는 그와 같은 딜레마를 어떻게 극복할 수 있을지에 대해 비교적 선명하게, 그리고 성공적으로 제시한 사례가 있다. 김수영은 '혁명'을 문학적으로 사유하는 데 있어서 결코 전범을 따르지 않았다. 그는 일찌감치 '몸'에 주목함으로써 김윤식이 말한 딜레마로부터 벗어날 수 있었던 것이다.

> 시작(詩作)은 〈머리〉로 하는 것이 아니고 〈심장〉으로 하는 것도
> 아니고 〈몸〉으로 하는 것이다. 〈온몸〉으로 밀고 나가는 것이다. 정확
> 하게 말하자면, 온몸으로 동시에 밀고 나가는 것이다.[14]

　"사유는 어떤 특수한 내용에 앞서 자체로 이미 부정이며 자신에게 닥쳐온 것에 맞선 저항이다."[15] '사유 없음'에 대해 경계하기 위해 김수영이 택한 소통의 방식(자기 자신과의 소통, 사람과 사람 간의 소통, 시대와 시대 간의 소통 등)은 '온몸'이라는 말로 대변된다. "온갖 비속어·악담·야유·요설·선언·비시적 일상언어 등을 자유롭게 구사한 그의 해사체"[16]는 몸이 원초적으로 지닌 '미학적 힘'을 끌어내어 글로 표현한 것이라고 할 수 있다. 그의 시가 시대의 공감을 얻고 소위 '문제적 시'가 된 이유는 바로 여기에 있다. 그리고 또 한편으로 그의 시는 '어두운

13 김윤식, 「4·19와 한국문학 – 무엇이 말해지지 않았는가?」, 「사상계」 통권204호, 1970. 4. 291쪽.
14 김수영, 「시여, 침을 뱉어라」, 「김수영 전집2 – 산문」, 민음사, 2000. 250쪽.
15 아도르노, 홍승용 역, 「부정변증법」, 한길사, 1999. 75쪽.
16 김준오, 「순수·참여와 다극화시대」, 김윤식 외, 「한국현대문학사」, 현대문학, 1996. 378쪽.

힘'으로서의 몸-언어를 전면화함으로써 '공통의 언어'를 확보하면서도 동시에 비평적 언어나 자본의 언어에 포섭되지 않는다. 설령 그러한 상황이 되더라도, 포획을 넘어 새롭게 의미화되길 기다리는 시로서의 해석적 여지를 남겨 놓는 것이 그의 시다.

1980년 5·18광주민중항쟁 이후에 제기된 방법론 역시 여기서 크게 벗어나지 않는다. 황지우는 김수영 시의 연장선에서 다양한 언어의 풍경(몸의 언어)을 만들어냄으로써 소통의 문제를 다룬다. 그는 그가 보여주는 다양한 언어들이 "① 우리 삶의 물적 기초인 파편화된 모던 컨디션과 짝지어진 '훼손된 삶'에 대한 거울이며, ② 파시즘에 강타당한 개인의 '내부 파열'에 대한 창이며, ③ 의미를 박탈당한 언어의 넌센스, 즉 지배 이데올로기에 대한 교란이었으며, ④ 검열의 장벽 너머로 메시지를 넘기는 수화의 수법"[17]이라고 말한다. 그리하여 그는 예외상태에서 군림하며 경제라는 프레임에 사람들을 묶어 놓는 권력을 폭로하고, 끝내 소진되지 않는 문제적 시가 되려 한 것이다. 특히 아래 인용한 시 「심인」은 언론의 방식을 빌려 상징적으로 기득권의 대변자가 되어 버린 언어를 공공의 문제를 말하는 언어로, 다시 말해 '소수를 위한 언어'를 '다수를 위한 언어'로 바꾸어 놓고 있다.

> 김종수 80년 5월 이후 가출
> 소식 두절 11월 3일 입대 영장 나왔음
> 귀가 요 아는 분 연락 바람 누나
> 829-1551

---

17 황지우, 「끔찍한 모더니티」, 『문학과사회』, 1992년 겨울호, 151쪽.

이광필 광필아 모든 것을 묻지 않겠다

돌아와서 이야기하자

어머니가 위독하시다

조순혜 21세 아버지가

기다리시니 집으로 속히 돌아오라

내가 잘못했다

나는 쭈그리고 앉아

똥을 눈다

— 황지우, 「심인」 전문

　김수영과 황지우는 '성(聖)과 속(俗)'의 영역을 전환하여 소통의 방법론을 창안해냈고, 더 나아가 소통을 둘러싼 문학의 고민을 해결할 수 있는 실마리를 발견하는 데 일정 부분 성공했다. 아감벤(G. Agamben)은 푸코(M. Foucault)의 '장치'라는 개념을 재해석하는 과정에서 다음과 같이 말하는데, 이는 김수영과 황지우의 문학적 전략을 고찰하는 데 유효한 논의가 될 것으로 생각한다. 먼저 '장치'에 대한 그의 정의다.

　　푸코가 말하는 장치는 이미 아주 넓은 부류인데 이것을 더 일반화해 나는 생명체들의 몸짓, 행동, 의견, 담론을 포획, 지도, 규정, 차단, 주조, 제어, 보장하는 능력을 지닌 모든 것을 문자 그대로 장치라고 부를 것이다. 따라서 감옥, 정신병원, 판옵티콘, 학교, 고해, 공장, 규율, 법적 조치 등과 같이 권력과 명백히 접속되어 있는 것들뿐만 아니라 펜, 글쓰기, 문학, 철학, 농업, 담배, 항해[인터넷 서핑], 컴퓨터,

휴대전화 등도, 그리고 언어 자체도 권력과 접속되어 있다.[18]

언어는 '포획되고' 또 '포획하는' 장치다. 아도르노가 지적했듯이, "어떤 사상도 상품으로, 또한 언어는 상품을 위한 선전이 되는"[19] 현재의 삶에서 언어는 자본을 배경으로 사람들을 포획하는 장치가 되었고 사람들은 다른 언어 장치에서 벗어나 자본주의적 언어 장치에 포획되었다. 아감벤은 이러한 장치들과 맞대결할 때 어떤 전략이 필요한지에 대해 다음과 같이 말한다.

> 장치들에 의해 포획·분리된 것을 해방시켜 공통으로 사용할 수 있게 되돌리는 것이 관건이기 때문이다. 바로 이런 관점에서 나는 최근 우연히 연구하게 된 어떤 개념에 관해 말해보고 싶다. 그 개념은 로마의 법과 종교의 영역(법과 종교는 비단 로마에서만이 아니더라도 긴밀하게 연결되어 있다)에서 유래한 용어인 세속화(profanazione)이다. 로마법에 따르면 성스러운 것과 종교적인 것은 모종의 방식으로 신들에게 속하는 것이었다. 그것은 그 자체로 인간이 자유롭게 사용하거나 거래할 수 없는 것이었다. (중략) '세속화하다(profanare)'라는 용어는 사물들을 인간이 자유롭게 사용할 수 있게 되돌리는 것을 뜻했다. (중략) 이렇게 보면 자본주의나 현대 권력의 형상은 종교를 정의하는 것인 분리 과정을 일반화하고 극단까지 밀어붙이는 듯하다.[20]

그는 "자본주의나 현대 권력의 형상은 종교를 정의하는 것인 분리

---

18 조르조 아감벤, 양창렬 역, 『장치란 무엇인가? 장치학을 위한 서론』, 난장, 2010, 33쪽.
19 아도르노, 호르크하이머, 앞의 책, 2001, 13쪽.
20 조르조 아감벤, 앞의 글, 2010, 38~41쪽.

과정을 일반화하고 극단까지 밀어붙이는 듯하다"는 통찰로부터, 이러한 상황을 타개하기 위해서는 "장치들에 의해 포획"되고 "분리"된 것을 '세속화'해야 한다고 말한다. 신으로부터 분리된 인간이 자유롭게 사용할 수 있도록 말이다. 자유롭게 사용한다는 것은 문화 소통의 국면을 말하는 것이라 할 수 있다.[21] 김수영과 황지우는 몸의 언어(미학적 힘에 집중하는)를 통해 아감벤이 말한 '세속화'를 실행한 것으로 보인다.

2) 정치성의 호명과 집단기억

2014년 4월 16일의 '세월호 사건'은 문학이 무엇을 어떻게 소통해야 할 것인지 다시 고민하게 한 가장 최근의 일이라 할 수 있다. 이 사건은 '국가'라고 불리는 체제에 대한 근본적인 회의를 불러왔다. '국민'이라고 호명함에도 불구하고 정작 위기의 상황에서는 국가의 프레임이 '국민'에 대한 기본적인 윤리마저 저버린 데 그 원인이 있는 복합적인 사건이라고 할 수 있다.[22] 그러한 복합성과 더불어 지난한 진상 규명의 과정은 문학과 정치에 관한 논의를 새로운 국면으로 접어들게 하였다.

---

21 김윤식, 앞의 글, 1970, 291쪽.
　　김윤식은 다음과 같이 말한다. "머릿속의 혁명과 심장의 혁명, 그리고 피부의 혁명, 기타 인간생활 전반에 걸치는 혁명의 연속선이 가능한 사회, 그것이 문화사회일 것이다. 어떤 조직이나 기구, 혹은 어떤 취미나 감수성에서 몸을 돌려 한 개인이 숨을 쉴 수 있는 空間을 용인하는 것, 그것이 文化가 아닐 것인가."
22 극적인 예로, 세월호 사건에는 '가만히 있으라'라는 말을 트라우마로 만들어 버린 대목이 있었다. 이 말은 침몰하는 배에서 누구보다 먼저 탈출한 선장 일행이 아이들에게 한 말이다. 희생당한 아이들은 한편으로 이 말에 순응하였기 때문에 속수무책으로 죽음을 맞이할 수밖에 없었다. 이와 매우 유사한 장면이 한국근현대사에서도 등장한다. 그것은 이승만이 서울을 누구보다도 먼저 떠나면서, '서울은 안전하니 가만히 있으라'고 한 장면이다. 이로 인해 많은 사람들이 피난을 가보지도 못하고 폭사했다. 김동춘은 그리하여 정부를 믿지 못하게 된 사람들이 소위 '피난사회'를 형성하게 되었고, 이것이 집단기억으로 남아 지금에 이르고 있다고 보았다. "피난사회에서는 모두 떠날 준비를 하고, 모두가 피란지에서 만난 사람처럼 서로를 대하며, 권력자와 민중들 모두 어떤 질서와 규칙 속에서 살아가기보다는 당장의 이익 추구와 목숨 보존에 여념이 없다." (김동춘, 『전쟁과 사회』, 돌베개, 2006, 121쪽.)

개들이

한 마리

두 마리

세 마리

(중략)

끝없이

걸어가고 있다

한 손에 국화꽃을 들고

옷깃에 노란 리본을 꽂고

낑낑대며

끙끙거리며

눈물 콧물 범벅 속 쭈그리고 앉아

세상 어디 떠날 곳도 기약할 곳도 없는

노란 절망의 종이배를 접고 있다

생각하면

두 발로 꼿꼿이 서서

자유와 정의와 노동의 참해방을 부르짖던 시절이 우리에게 있었다

더 좋은 세상을 만들자고

사랑도 명예도 이름도 남김없이

한평생 나가자던 뜨거운 맹세의 시절이 있었다

오천만 마리의 개가 아닌

오천만의 따뜻한 피를 지닌 인간으로 서서

세상에서 제일 살기 좋은 나라를 만들자고

절규하던 시절이 우리에게 있었다

- 곽재구, 「반도의 자화상」 부분[23]

"흰 국화꽃 한 송이 들었다고 해서/ 갈 곳 없는 노란 종이배를 하나 접었다고 해서/ 우리가 개가 아닌 것은 아니다"라고 말하며 "주인과 함께 살 아름다운 세상을 위해/ 멧돼지와 싸우다 죽는다"는 "진짜 개"를 대비하는 시인의 시적 논리는 다분히 계몽적이다. 하지만 그럼에도 불구하고 이 시가 추모의 의미를 전달하고 지금에 있어서 소통의 공감대를 형성할 수 있는 것은, 「임을 위한 행진곡」으로 상징되는 5·18광주민중항쟁에 대한 집단기억을 상기시키고 있기 때문이다. 이와 같은 과거 사건의 호명은 세월호 사건을 '억압과 저항'이라는 프레임에 들어가게 함으로써, 그것이 단순한 자연 재해가 아니라 민중적 차원의 저항정신이 필요한 사건으로 기억하는 사람들의 공감대와 합치하게 된다. "지나간 과거의 것을 역사적으로 표현한다는 것은 〈그것이 도대체 어떠했던가〉를 인식하는 것을 뜻하는 것이 아니다. 그것은 어떤 위험의 순간에 섬광처럼 스쳐 지나가는 것과 같은 어떤 기억을 붙잡아 자기 것으로 만드는 것을 의미한다."[24]는 벤야민의 말처럼 그러한 과거가 어떤 형태로든 상존한다면, 그렇게 이미지를 붙잡아 자신의 것으로 만드는 것은 소통의 공간을 마련함으로써 파국의 삶을 피하기 위한 필수적 행위가 된다. 그것을 공공의 영역으로 세속화하는 작업도 마찬가지다.

---

23 고은 외, 「우리 모두가 세월호였다」, 실천문학사, 2014. 29~33쪽.
24 발터 벤야민, 반성완 편역, 「역사철학테제」, 「발터 벤야민의 문예이론」, 민음사, 1983. 345~346쪽.

다음의 시는 보다 직접적으로 한국근현대사의 파국적 장면들을 통해 세월호 사건을 재현하고자 한다.

어쩌면 너희들은
실종 27일, 머리와 눈에 최루탄이 박힌 채 수장되었다가
처참한 시신으로 마산 중앙부두에 떠오른
열일곱 김주열인지도 몰라
이승만 정권이 저지른 일이었다

어쩌면 너희들은
치안본부 대공수사단 남영동 분실에서
머리채를 잡혀 어떤 저항도 할 수 없이
욕조 물고문으로 죽어간 박종철인지도 몰라
전두환 정권이 저지른 일이었다

너희들 아버지와 그 아버지의 고향은
쥐라기 공룡들이 살았던 태백이나 정선 어디
탄광 노동자였던 단란한 너희 가족을
도시 공단의 노동자로 내몬 것은
석탄 산업 합리화를 앞세운 노태우 정권이었다

나는 그때 꼭 지금 너희들의 나이였던 엄마 아빠와 함께
늘어가는 친구들의 빈 자리를 아프게 바라보며
탄가루 날리는 교정에서 4월의 노래를 불렀다
꽃은 피고 있었지만 우울하고 쓸쓸한 날들이었다

여객선 운행 나이를 서른 살로 연장하여

일본에서 청춘을 보낸 낡은 배를 사도록 하고

영세 선박회사와 소규모 어선을 보호한다는 명목으로

엉터리 안전 점검에 대기업들이 묻어가도록 하고

4대강 물장난으로 강산을 죽인 것은 이명박 정권이었다

차마 목 놓아 부를 수도 없는 사랑하는 아이들아

너희들이 강남에 사는 부모를 뒀어도 이렇게 구조가 더뎠을까

너희들 중 누군가가 정승집 아들이거나 딸이었어도

제발 좀 살려달라는 목멘 호소를 종북이라 했을까

먹지도 자지도 못하고 절규하는 엄마를 전문 시위꾼이라 했을까

— 권혁소, 「껍데기의 나라를 떠나는 너희들에게 – 세월호 참사 희생자에게 바침」 부분[25]

　　이 시는 세월호 사건과 김주열 열사 사건, 박종철 열사 사건, 그리
고 성장만을 염두에 두고 삶의 질이나 윤리를 외면한 역대 정권의 폭력
적 행태 등을 병치시킴으로써 그것이 단순한 성격의 재해가 아님을 강
조한다. 일련의 사건들에는 부정하기 어려운 상호 연관성이 있으며 해
결 방법 또한 상호 연관성을 가질 여지가 있다. 이러한 담론 내용은 지
난 2년 동안 사람들 사이를 오갔던 수많은 SNS 메시지와 인터뷰 등에
서 쉽게 확인 가능하다. 하지만 시는 정서의 지속성을 가지고 있기 때
문에 그러한 메시지에 비해 발화의 한계 지점인 일회성을 극복하는 데

25　이 시는 2014년 5월 1일, 민주노총이 주관한 124주년 노동절 행사에서 낭독된 것이다.

용이하다. 자연적 재해든 인공적 재해든, 어떤 사건이 인력으로는 어찌할 수 없음이 명백할 때, 사회 구성원들은 충분한 애도의 과정을 거침으로써 그 사건으로 인한 슬픔을 해소할 수 있다. 그러나 세월호 사건은 구조 작업을 더디게 만든 재난대책본부의 무능력과 사건을 축소·은폐하려 한 정부 당국의 행태로만 기억되고 있다. 이와 같은 이해불가의 상황이 만들어진 이유는 결코 단순하지 않다는 것, 그래서 애도가 슬픔을 해소하는 데 소용이 없다는 것이 이 사건에 대한 집단기억으로서의 공감대이고 이 시의 코드이다.

> 최초에 명령이 있었음을 우리는 기억해야 한다
> 가만있으라, 지시에 따르라, 이 명령은
> 배가 출항하기 오래전부터 내려져 있었다
> 선장은 함부로 명령을 내리지 말라, 재난대책본부도
> 명령에 따르라, 가만있으라, 지시에 따르라
>
> 배가 다 기운 뒤에도 기다려야 하는 명령이 있다
> 목까지 물이 차올라도 명령을 기다리라
> 모든 운항 규정은 이윤의 지시에 따르라
> 침몰의 배후에는 나태와 부패와 음모가 있고
> 명령의 배후에는 은폐와 조작의 검은 손이 있다
> (중략)
> 뒤집어라, 뒤집힌 저 배를 뒤집어라
> 뒤집어라, 뒤집힌 세상을 뒤집어야 살린다
>
>   — 백무산, 「세월호 최후의 선장 박지영」 부분[26]

이 시는 "뒤집힌 저 배를 뒤집어라"라고 말하면서 곽재구의 시와 비슷하게 계몽적인 어조와 논리를 내세운다. 그는 "배가 출항하기 오래 전부터", "가만있으라, 지시에 따르라"는 명령이 내려졌다고 말하면서, 희생된 학생들에게 내려진 '명령'의 배후를 문제시한다. "최초에 명령이 있었"다는 시의 첫 구절은 "태초에 말씀이 있었다."는 성경의 창세기 첫 구절을 연상시킨다. 창세기에 등장하는 '말씀', 즉 로고스(logos)는 '진리'를 의미하는 것이 아니라 오히려 '창세기'라는 텍스트가 '진리-거짓'의 프레임을 원리로 구성되었음을 의미한다. 따라서 이와 같은 연상은 "침몰의 배후"이며 "명령의 배후"인 '대한민국'이라는 텍스트가 '명령-복종'의 프레임을 원리로 구성되었음을 가리키기 위한 시적 전략이라 할 수 있다. 이러한 배경에서 그는 "뒤집어라"라는, 결코 명령이 될 수 없는 명령이 곧 최후의 명령이 되어야 함을 역설하는 것이다. 그러나 그는 먼 곳에서 희망을 찾지 않는다. 그 '뒤집는' 방법은 어떤 특별한 행동이 아니다. 선장을 대신하여 마지막까지 승객들의 안전을 위해 분주히 움직이다가 배와 함께 운명한 박지영을 전범으로 내세우기 때문이다.

> 세월호 참사 후에 무슨 이런 나라가 있냐고,
> 도대체가 한심한 나라라고, 나라 원망하는 소리가 들린다.
> 크게 한스러운 나라 대한민국의 백성들아
> 이 닭대가리들아 들어라
> 그러니까 너희가 나라 원망을 하는 그 배경에는
> 나라는 곧 대통령이나 어떤 책임자라는 생각이 있을 것이다.

---

26 고은 외, 앞의 책, 2014, 82~85쪽.

그렇지 않고서야 나라를 원망할 수는 없다.

단언컨대, 이 닭대가리들아 들어라!

나라니 국가니 하는 것은 대한민국의 산천이나

금수강산을 흐르는 물이나 공기가 아니니라.

바로 우리들 자신, 백성이 나라이며 국가다.

– 최종천, 「이 닭대가리들아」 부분[27]

이 시 또한 계몽적이면서 매우 직설적인 어조로 '변화'를 촉구한다. 그는 흔히 사용하는 '나라'라는 말에 어떤 생각이 전제되어 있는지 진단하면서, "나라는 곧 대통령이나 어떤 책임자라는 생각"이 지배하고 있다고 말한다. 그는 나라란 "바로 우리들 자신, 백성이 나라이며 국가"라고 말하며, 그러한 나라의 목숨을 보장해주기는커녕 앗아가는 세력은 '반국가적' 존재일 뿐이라고 규정한다. 나아가 '닭대가리'로 표상된 기억공동체가 자각해야 할 것을 두 가지로 제시한다. 첫째, 국가는 대통령이나 특정한 누군가가 아니다. 둘째, 국가는 특정인이 아니고 국민 모두이므로 세월호 사건은 국민 모두가 저지른 사건이다. 최종천의 시는 이 두 가지 사실을 강조하되, 그 관계를 한편이 다른 한편을 수렴하지 않는 관계로 놓으면서 시적 논리를 단순화시키는 위험에서 비켜간다.

국가를 대통령이나 특정인이라고 규정하는 것은 책임을 전가하기 위함이다. 그렇게 해야 자신이 짊어져야 할 죄책감의 무게가 덜어지기 때문이다. 그러나 이와 같은 규정이 위정자들에게 전이될 경우, 한국전쟁 발발 당시 '자신이 곧 국가'라 하여 국민을 저버리고 가장 먼저 피

---

[27] 위의 책, 166~171쪽.

신했던 이승만과 같은 사례가 생긴다. 분명히 국민을 저버린 위정자는 '반국가적' 존재이다. 따라서 원망의 대상이 될 수 있고, 또 되어야 한다. 하지만 "원망만" 하는 것은 사태에 올바로 대응하는 것이 아니다. 그와 같은 '반국가적' 위정자를 용납한 것은 다름 아닌 국민이기 때문이다. 모든 이에게 일말의 책임이 있다는 것, 여기서 '국가는 곧 국민'이라는 명제가 나올 수 있다. 국가가 곧 국민이므로 세상을 변혁시켜야 한다는 논리가 자연스럽게 등장하는 맥락은 바로 이것이다.

이상에서 살펴 본 것처럼 대부분의 세월호 관련 시편들이 아직 추모시와 애도시 형태여서 집단기억에 의한 정치성의 호명, 즉 4·19와 5·18을 떠올림으로써 세월호 사건의 이면을 말하고자 하는 소통전략으로 창작되고 있음을 알 수 있다. 그럼에도 불구하고 나희덕의 「난파된 교실」이나 손택수의 「바다무덤」 등은 세월호 사건이 어떻게 시적으로 재현될 수 있는지 그 가능성을 열어놓은 작품들이라 할 수 있겠다.

4. 남는 문제

이제 문화 소통을 위해 주어진 시적 재현의 과제는 무엇인가. 다름 아닌 '역사를 호명하기'다. 역사가 '과거-현재-미래'로 발전한다는, 이른바 진보사관을 허구의 산물로 보는 데 동의한다면, 시적 재현을 통해 다른 시공간에 대한 개념을 세울 여지가 생길 것이다. 사실 과거와 현재는 기호적 체계에서 비롯된 일종의 조작된 개념이다. 현재는 과거와 단절되어 있다거나 혹은 연속선상에 있다거나 하는 규정들은 어떤 진실에 대해 말하는 것이 아니라 하나의 시각, 이를테면 선형적 시간관을 채택했음을 말하는 것에 불과하다. 즉 저 규정들이 의미하는 바는 그것이 선형적 시간관을 전제하고 있다는 사실뿐인 것이다. 오히려 과거는 현재와 '함께 있다.' 물론 그것이 언제 어디서건 명시적으로 감각할 수 있는 형태로 상존하는 것은 아니다. 드러나 있음으로써 은폐되어 있을 수도 있고, 반대로 다른 이미지들에 가려 은폐되어 있을 수도 있다. 하지만 그럼에도 불구하고 과거는 현재 속에 존재한다.

이러한 생각이 갖는 장점은, '단절'이나 '연속'이라는 개념들이 갖는 단점을 뛰어 넘을 뿐만 아니라 보다 높은 설득력을 확보한다는 것이다. 그렇다면 '미래'는 어떤가. 미래는 현재에 잠재되어 있다. 이때 '잠재되어 있다'는 것은 미래가 현재의 맹아에 의해 기계적으로 발생한다는 생각을 거부한다. 하지만 잠재되어 있기 때문에 그것은 언제든 적합한 조건이 조성될 때라면 필연적으로 발생하게 된다. 이 지점에서 '기억'을 언급하지 않을 수 없다. 과거가 현재 속에 공존하는 것도 바로 기억의 형태로서다. 아울러 미래 역시 현재 속에 도사린 기억을 매개로 촉발되기 때문에 잠재태로서의 기억이라고 할 수 있다. 그러나 앞서 말했듯이 그러한 기억은 명백하게 감각 가능한 형태일 수도, 혹은 은폐되어 있어 즉각적인 감각이 불가능한 형태일 수도 있다. 시인과 역사가들은 그러한 기억을 호명하기 위해 노력한다. 그리고 그것을 '재현'이라고 불러왔다.

한국근현대사의 중요한 역사적 변곡점, 이를테면 제주 4·3과 4·19 혁명, 5·18광주민중항쟁, 그리고 최근의 세월호 사건 등 일련의 사건들은 그 맥락과 결이 상이하지만 모두 '위험의 순간'이라고 할 수 있다. 그것은 그때까지 가시화되지 않았던 긴장이 임계지점에 도달하여 가시화된 상태이기 때문이다. 이를 호명하는 데 있어 최근 시집『우리 모두가 세월호였다』나 한강의 소설『소년이 온다』등은 과거의 신체적 목소리에 주목한다. 결코 명시적으로 드러난 적이 없었던 희생된 주변인들의 목소리를 미학적으로 재현해 내는 것이다. 『우리 모두가 세월호였다』의 몇몇 시편은 죽은 아이들의 목소리를, 『소년이 온다』에서는 통상 역사서에서는 언급조차 되지 않았거나 단순한 주변인으로 취급되었던 어린 학생들의 목소리를 재현한다. 아울러 이와 같은 전략은 현재의 공적 상황에 소통의 공간을 마련해줄 수 있는, 여전히 유효한 전략일 수 있다.

제2부

한국 현대시 담론 읽기의 실제

「국경의 밤」의 담론과 장르 상관성

1. 머리말

김동환의 장편 「국경의 밤」은 그 장르 성격의 애매성으로 인해 지금까지 많은 논자들에게 관심의 대상이 되어 왔다. 그것은 「국경의 밤」이 역사적 장르이자 이론적 장르로서의 '서사시'로 규정될 수 있는가라는 문제로 집약되었으며, 아울러 한국 근대서사시의 존재 가능성 탐색이라는 차원에서 「국경의 밤」의 문학사적 가치에 대해 논의하여 왔다. 그러나 지금까지의 이러한 논의들은 한국 서사시의 역사적 계보를 밝히는 측면에서도, 또 서사시에 관한 장르론적 측면에서도 만족할만한 해명에 이르지 못하고 있음이 사실이다. 그것은 하나의 개별 텍스트인 「국경의 밤」을 이러한 계보학적 또는 장르론적 기준에 의해 서사시, 서술시, 극시 등의 제도적 문학 양식에 편입시키려 한 데 이유가 있다.[1]

---

[1] 장르론의 관점에서 「국경의 밤」의 서사시 가능성 및 한계를 논한 선행 연구들은 다음과 같다.
김우종, 「어두운 역사의 서사시」, 「문학사상」, 30호, 문학사상사, 1975.
홍기삼, 「한국서사시의 실제와 가능성」, 「문학사상」, 30호, 문학사상사, 1975.

장르란 "미적 특징을 형성하는 문학양식"[2]인 것이며, 또한 "문학의 대표적 관습"[3]이다. 관습의 실체가 되풀이되는 규칙에 있다는 점에서 문학의 장르는 규범적이지만, 반면에 모든 규칙이나 미적 가치는 시대와 지역에 따라 변화한다는 점에서 또한 탈규범적인 것이기도 하다. 그러기에 문학의 양식은 가치개념과 역사개념에 의해 동시적으로 정의되어야 한다. 그러나 기존의 논의들 대부분은 「국경의 밤」을 서구의 서사시 개념에 맞추어 보는데 급급하여 서사시 또는 서술시로 단정하려 하였을 뿐, 텍스트의 구성 원리와 미적 구조를 명확하게 밝혀 주지 못하고 있는 실정이다. 서사시의 개념 정립은 서구와 우리 서사시의 횡적인 연결에 대한 탐구와, 우리 서사시의 종적인 맥락에 대한 연구가 수반될 때에 가능한 것이다. 이런 점에서 우리 근·현대 서사시에 대한 연구 방법은 전면 재조정되어야 할 필요가 있다고 본다.

서사시 논의에서 제기되는 일차적인 난관은 '서사시'라는 용어의 쓰임새가 매우 혼란스럽다는 점이다. 이는 서사시라는 개념 자체가 지니고 있는 포괄성뿐만 아니라, 그것이 동양문화권 내에서는 의식적으로 정리된 바 없는 용어인 데에도 기인한다. 일반적으로 서사시는 장르로서의 성장을 멈추었을 뿐 아니라 그 자리를 이미 소설에 양보한 것으로 받아들여진다. 여기에서 우리는 세계의 문학적 보편성과 한국문학의 독자성이라는 문제에 봉착하게 된다. 따라서 문학 장르의 상위개념으로서 순문학의 3대 양식 중 하나인 '서사문학'을 지칭하는 동시에 그 하

오세영, 「국경의 밤과 서사시의 문제」, 「국어국문학」 75호, 국어국문학회, 1977.
김흥기, 「한국현대서사시 연구」, 「국학총론」, 한양대 국학연구원, 1980.
김용직, 「한국근대시사」, 새문사, 1983.
염무웅, 「서사시의 가능성과 문제점」, 「한국문학의 현단계」, 창작과비평사, 1982.
장윤익, 「한국서사시연구」, 명지대학교 박사학위논문, 1983.
2 김흥기, 앞의 글, 209쪽.
3 김준오, 「한국 근대문학의 장르론에 대한 연구」, 계명대 박사논문, 1986, 7쪽.

위개념인 '서사시'를 가리키는 말로 사용되는 'Epic'의 개념을 「국경의 밤」에 그대로 적용하기에는 무리가 따른다.

장르는 일종의 문학적 제도이다. 토도로프에 의하면, 문학 장르가 독자들에게는 '기대지평'으로, 작가들에게는 '글쓰기의 모델'로 기능하는 것은 그것이 하나의 제도로 존재하기 때문[4]이라는 것이다. 담론과 장르는 매우 긴밀한 상호관계를 유지한다. 실재하는 텍스트의 담론들이 계보화와 제도화의 과정을 거쳐 역사적 장르로 형성되며, 장르는 텍스트 생산자에게 담론 규약으로서의 이론적 장르체계를 제시하기 때문이다. 이런 점에 비춰볼 때 「국경의 밤」이 창작되던 1920년대는 역사적 장르의 형성도, 이론적 장르체계도 아직 우리 문단에 뿌리내리지 못한 시기라 할 수 있다. 일제 강점기의 굴절된 근대 체험은 우리 문학의 양식적 계보를 무너트렸는바, 최남선의 신시론이나 이광수의 계몽문학론, 임화의 이식문화론 등은 이러한 식민지 근대 체험의 산물이었던 것이다. 전통과 서구의 충돌로 요약되는 우리의 근대 체험은 시 창작에 있어서도 상징주의시를 필두로 한 자유시의 모색과 민요시로의 회귀, 서사적 장시의 실험 등 장르 특성을 규정하기 어려운 다양한 시도를 수반하였다. 특히 「국경의 밤」은 김 억으로부터 처음 장편서사시로 언급[5]된 이후 여러 논자들에 의해 우리 근대서사시의 가능성을 보인 작품으로 평가되고 있음에도 불구하고, 그것은 김동환이 의식적으로 시도했던 장르 복합 또는 반 장르의 실험성을 압축하고 있는 텍스트라 할 수 있다. 이는 김동환이 단편 형태의 서정시와 민요시도 두루 창작하였다

---

4 Tzvetan Todorov, 송덕호·조명원 역, 「담론의 장르」, 예림기획, 2004, 76쪽.
   토도로프는 역사적 존재로서의 장르의 두 가지 측면을 제시한다. 한 측면은 작가들이 존재하는 종속체계에 부응하여 글을 쓴다는 것이며, 다른 한 측면은 독자들이 그러한 종속체계에 따라 책을 읽는다는 것이다.
5 1924년 12월 14일 岸曙 김억이 쓴 시집 「국경의 밤」 서문.

는 사실뿐만 아니라, 이러한 단편 서정시의 모티프들이 「국경의 밤」에 변용되어 담론체계를 이루고 있다는 점에서도 분명하다 하겠다.

따라서 「국경의 밤」을 한국 서사시의 역사적 계보나 제도화된 장르로 규정하기 이전에, 실재하는 텍스트로서 그 담론체계가 장르의 제도적 특성을 어떻게 반영하고 있는지를 밝히는 작업이 선행되어야 할 것이다. 이를 위해 본 논문은 「국경의 밤」이 서사시인가, 서술시인가하는 장르 규정의 시도로부터 벗어나고자 한다. 즉 기존의 논의들과는 역으로 「국경의 밤」 역시 하나의 시적 담론이자 '텍스트'[6]라는 점을 전제하고 통사구조와 의미구조의 층위에서 장르적 특성들이 어떻게 상호 관계하고 있는가를 구명하는 데 본 논문의 목적이 있는 것이다.

문학작품을 담론 텍스트로 이해하고자 하는 관점들은 대체로 텍스트가 현재라는 시점의 여러 가지 다른 읽기에도 열려있다는 점을 인정한다. 즉 텍스트의 담론적 의미는 작가에 의해 고정된 것이 아니며 독자의 생산품이라는 면이 존재한다는 것이다. 특히 시 장르에 속한 텍스트는 의미구조뿐만 아니라 통사구조와 리듬구조가 동시에 작용하고 있어서 더욱 그러하다 하겠다. 시의 이러한 특성에 주목한 엔터니 이스톱은 시적 담론이 물질적(언어적), 이데올로기적, 주체적이란 세 차원에서 응집되고 결정된다고 말한다.[7] 본 논문은 이러한 관점을 방법론적 토대로 하되 물질적 차원을 통사구조의 층위로, 이데올로기와 주체의 차원을 의미구조의 층위로 설정하여 「국경의 밤」의 담론체계를 분석하고 그 장르론적 의미를 검토해 볼 것이다.

6　텍스트로서의 문학작품은 그것이 어떠한 양식적 특성을 갖든 간에 '담론'의 일종이라는 점에서 공통분모를 갖는다. 극양식이나 서사양식은 물론이고 서정양식 역시 기본적으로 화자와 청자가 존재하는 담론의 한 형태임이 분명하다.(김동근, 『서정시의 기호와 담론』, 국학자료원, 2001, 14쪽.)

7　Antony Easthope, 박인기 역, 『시와 담론』, 지식산업사, 1994, 5쪽.

2. 통사구조의 단절과 장르 복합

시를 일종의 담론으로 읽는다는 것은 시를 하나의 작업으로 인식해서 구성체로 논의하려는 것이며, 독자를 능동적이자 생산하는 주체로 인식하는 것이다. 비평의 임무는 작품의 '진실들'을 밝혀내는 데 있는 것이 아니라 '정당성'을 밝혀주는 데 있다[8]고 한 롤랑 바르트의 언급은 이런 점에서 시사하는바 크다. 문학 텍스트가 독자의 수용 과정에서 최종적으로 구성된다는 점은 그 텍스트의 장르 특성 역시 독자가 속한 시대의 문학적 규약, 즉 제도화된 담론 방식에 의해 결정된다고 볼 수 있기 때문이다.

담론이란, 여러 문장들이 연속된 질서를 형성하는 방식, 즉 이질적이면서 동질적인 하나의 전체에 참여하게 되는 방식을 구체적으로 밝혀주는 용어이다.[9] 그러므로 구조들의 체계인 문학 작품을 분석하기 위해서는 담론이라는 차원에서 그 언어 조건들을 해명해야 한다. 특히 언어로 짜여진 가장 긴밀한 유기적 통일체인 시 텍스트에 있어서는 더욱 그러하다. 언어는 화자와 청자간의 의사소통을 가능케 하는 전달 수단으로만 사용되는 것이 아니라, 그 자체만으로도 자족적인 물질적 본질, 즉 물질성(materiality)을 갖고 있다[10]는 점이 엔터니 이스톱이 제시한 담론 분석의 첫 번째 차원이다. 기표와 기의의 관계를 자의적 결합으로 설명하는 소쉬르의 말도 따지고 보면 언어의 기표적 물질성을 긍정하고 있는 것이다. 물질로서의 이러한 언어가 담론의 법칙에 따라 구성됨으로써 하나의 의미를 생성한다는 점에서 본 논문에서는 이를

---

8   R. Barthes, Essais Critiques, Eds du Seuil, 1964, p. 255.
9   Antony Easthope, 박인기 역, 앞의 책, 27쪽.
10 위의 책, 31쪽.

통사구조 층위의 분석 과정으로 삼는다.

이에 대한 논의가 좀더 구체적이고 설득력을 갖기 위해 데리다의 견해를 참고할 필요가 있다. 표기 기호, 즉 언어가 독서 과정에서 원래의 맥락이나 실제의 맥락으로부터 유리되어 재생산되거나 반복되는데, 이때의 재생산이나 반복은 바로 기표가 갖는 물질적 조건에 의존하여 이루어지는 것이다. 그러므로 작자의 의식적인 의도와 텍스트의 수용자 사이에는 항상 맥락의 유리가 있게 되고, 텍스트에서 보이는 의도와 읽기 사이의 이 맥락의 유리를 데리다는 '차연'[11]이라고 명명한다. 텍스트에서의 이러한 차연이 가장 극명하게 나타나는 글의 형태가 곧 시이다. 시는 산문에 비해 기표를 반복되고 응축되는 형태로 특수하게 사용하기 때문이다. 이렇게 본다면 시의 담론적 특성은 결국 기표의 의도적인 반복에 있는 것이고, 기표의 반복을 통해 발화가 전경화됨으로써 의도와 읽기 사이의 차연이 일어나는 허구적 담론으로 읽혀질 수 있으며, 여기에서 언어의 시적 기능이 형성된다.

이상의 전제를 바탕으로 「국경의 밤」의 담론체계를 살펴보면, 각 부가 독립된 통사구조를 이루고 있음을 볼 수 있다. 「국경의 밤」은 전체가 3부 72장으로 구성되어 있으며, 이는 각각 제1부 1~27장, 제2부 28~57장, 제3부 58~72장으로 나뉜다. 일반적으로 서사양식에서 부와 장을 나누는 경우는 서사 맥락의 차이에 의거한다. 그러나 「국경의 밤」은 과거에 대한 회상을 제외하고나면 실제 서사시간이 하룻밤 동안으로 한정되어 있어 서사적 맥락보다 언술의 방식, 즉 통사구조가 부와 장을

---

11 데리다는 언어의 의미가 발화자와 수신자 사이에 개재하는 맥락의 '차이(difference)'에 의해서 만들어 진다고 한다. 또한 언어의 시간적 성질은 인식의 '연기(deferment)'를 초래하고, 이로 인해 이전의 의미는 나중의 의미에 의해서 수정되어진다고 한다. 이를 조어한 것이 '차연(differance)'이다.(J. Derrida, "Signature event context", Glyph I , 1977, pp. 181~182.)

나누는 원리로 작용하고 있는 것이다. 그리고 각 부의 통사구조가 현격하게 다른 특징을 보이고 있으며, 이러한 점이 서로 다른 장르체계의 복합 현상으로 드러난다. 이는 김동환이 「국경의 밤」 창작과정에서 여러 가지 장르체계를 실험하고자 했던 의도에 의한 것임이 분명하다.

이 중에서 가장 시적인 통사구조를 보이고 있는 부분은 제1부이다. 제1부 27개의 장은 각각 독립된 시편으로 존재하는 서정적 무시간성의 발화로 읽혀진다. 서정적 자아가 담론 주체의 자리에 있게 되는 이러한 담론은 따라서 공간성을 구조의 '지배소(dominant)'[12]로 하는 배경 묘사의 양태로 발화되며, 각 장의 관계 역시 서사적 맥락보다 공간 이동에 의해 설정되어있음을 볼 수 있다. 제2부 30개의 장은 대과거로서의 여진족 이야기를 모티프로 삼고, 과거 젊은 날에 있었던 서사적 발단을 서술하고 있다. 따라서 제2부는 '시간성'이 통사구조의 지배소로 작동하고 있는 서사적 중심부이다. 마지막 제3부 15개의 장은 처녀와 청년 사이의 대화가 중심이 된 극시형태이며, 통사구조는 대화를 통한 인물의 성격과 상황의 '장면성'을 지배소로 하고 있다. 이처럼 「국경의 밤」은 서로 다른 지배소에 의한 담론 방식의 차이, 통사구조의 단절성을 보여주는 텍스트이다. 이제 이러한 통사구조가 각 부별로 어떻게 체계화되어 있는지, 또 그 특성들이 보이는 장르 상관성이 무엇인지 구체적으로 살피기로 한다.

---

12 무카로프스키는 시적 언어의 특성을 '전경화'와 '지배소'로 설명한다. 지배소는 다른 요소를 평가하는 관점이 된다. 지배소는 작품 속에서 계속 움직이며, 다른 요소들의 방향을 지시하고 다른 요소들과 관계를 맺어 시작품에 통일성을 부여하는 요소이다.
(J. Mukarovsky, 「Standard Language & Poetic Language」, *Linguistics & Literary Style*, ed. D. C. Freeman, Holt, 1970, pp. 40~56.)

1) 공간성의 지배소와 서정적 담론

제1부의 내용을 시퀀스에 의해 요약하면 다음과 같다. 경비가 삼엄한 국경 마을의 겨울밤, 정적을 깨고 들리는 소리에 순이는 소금 밀수출을 나간 남편의 안위를 걱정하며 불안해한다(1~7장). 그날 밤 국경의 S촌에 낯선 한 청년이 찾아온다(8~10장). 순이는 남편에 대한 걱정과 옛날의 '언문 아는 선비'에 대한 그리움으로 갈등을 겪는다(11~16장). 수상한 청년은 첫사랑이었던 '언문 아는 선비'였고, 순이는 자신을 찾아온 청년을 발견하고 매우 놀란다(17~27장). 이상의 시퀀스는 비록 앞으로 전개될 이야기를 암시하고 있다고는 하나, 본격적인 서사의 출발이라기보다는 서사적 배경과 상황에 대한 묘사라고 할 수 있다. 이러한 의도로 인해 제1부의 통사론적 담론 특성은 서정적 무시간성, 묘사적 문체, 도치와 반복에 의한 시적 리듬 등으로 나타난다.

① 아하, 밤이 漸漸 어두어 간다,/ 國境의 밤이 저 혼자 시름 업시 어두어 간다./ 함박눈좃차 다 내 쏨은 맑은 하늘엔/ 별 두어개 파래저/ 어미 일흔 少女의 눈동자갓치 감박거리고/ 눈보래 甚한 江벌에는/ 외아지 白楊이/ 혼자 서셔 바람을 거더안코 춤을 춘다,/ 아지 불너지는 소리조차/ 이 妻女의 마음을 핫! 핫! 놀내 노으면서-.

- 제1부 5장

② 그날 저녁 우스러한 째이엇다/ 어대서 왓다는지 焦燥한 靑年 하나/ 갑작히 이마을에 나타나 오르명 내리명/ 그 슬픈 노래를 불으면서-/ 「달빗에 잠자는 豆滿江이어!/ 눈보래에 쌀녀 우는 넷날의 거리여,/ 나는 살아서 네 품에 다시 안길줄 몰낫다,/ 아하, 그리운 넷날의

거리여!」/ 애처러운 그 소리 밤하날에 울녀/ 靑霜寡婦의 하소연갓치 슬프게 들엇다./ 그래도 마을 百姓들은/ 또 「못된 녀석」이 왓다고,/ 수군거리며 門을 다더 매엿다.

– 제1부 8장

③ 아하 그립은 한 넷날의 追憶이어./ 두 塑像에 덥히는 한 넷날의 다순한 記憶이어!/ 八年後 이날에 다시 불탈줄 누가 알엇스리./ 아, 處女와 總角이어!/ 둘은 고요히 바람소리를 드르며/ 지나간 싸스한 날을 들춘다-./ 國境의 겨울밤은 모든 것을 싸안고 다라난다./ 거이 十年동안을 울며 불며 모든 것을 壞滅식히면서 다라난다./ 집도 헐기고, 물방아간도 갈니고, 山도 變하고 하늘의 白狼星 位置조차 조곰 西南으로 비탈리고/ 그러나 이 靑春男女의/ 기슴속 깁히 파뭇치둔 記憶만은 닛치지 못하엿다./ 봄 꼿이 저도 가을 열매 써러저도/ 八年은 말고 八十年을 가보렴 하듯이 고이고이 깃헛다-./ 아, 처음 사랑하던 쌔!/ 처음 가슴을 마조칠 쌔!/ 八年前의 아름다운 그 記憶이어!

– 제1부 27장

위에 인용한 장들처럼 제1부에 속한 장은 각각 독립된 시편들이라 해도 무방할 정도로 서정적 완결성을 갖는 텍스트이다. 그만큼 서사적 시간의 긴밀성이 느슨할 뿐만 아니라, 직시적인 배경과 상황에 대한 묘사적 담론이라 할 수 있다. 서술 시제가 비록 과거형이나 현재형으로 쓰이고 있다고 하더라도 이는 시적 화자의 정서적 변화에 의한 발화일 뿐, 사건의 전개를 매개하지 않고 있는 것이다. 이러한 '무시간성'과 '지속시상'[13]은 서정시의 기본 특질이라 할 수 있다. 즉 ①의 "아하, 밤이 점점 어두워간다"나 ②의 "그날 저녁 우스러한 때이었다", ③의 "아하 그리운 한 옛날의 추억이여" 등은 계기적인 시간 표상이 아니라 '어두움', '우스러함', '그리움'의 정서를 환기하는 기표인 것이다. 그리고 이러한 정서들은 경계가 삼엄한 국경의 산촌이라는 공간적 배경을 전경화한다. 국경 두만강의 강안(江岸)과 순이가 처한 방안이라는 공간의 단절과 대립이 불안과 그리움이라는 상반된 정서를 고조시키고 있는 것이다. 따라서 제1부의 시퀀스들을 통사론적으로 구조화하고 있는 지배소는 공간성이라고 할 수 있다.

이러한 공간성과 더불어 제1부의 통사구조 특징은 언술행위, 즉 문체의 측면에서도 찾아진다. 그것은 공간적 배경과 시적 화자의 상황에 대한 묘사적 이미지가 주를 이룬다는 점과 도치 형태의 언술이라는 점이다. 위의 ①은 국경의 강(江) 벌이라는 배경의 이미지를, ②는 초조한 청년이 찾아든 산촌의 상황적 이미지를, ③은 과거의 사랑하던 정경을 추억하는 심리적 이미지를 묘사하고 있다. 또한 1장에서 6장까지는 각 장 마다에서 "파! 하고 붓는 魚油 등잔만 바라본다./ 북국의 겨울 밤은 차차 깊어 가는데.(1장)"와 같은 도치 형태로 통사구조를 반복시켜 리듬 효과를 강화하고 있기도 하다. 이러한 점은 제1부의 통사구조 특징이 서정시의 장르 성격에 가장 가깝다는 점을 보여주는 것이다. 즉, 지금까지 「국경의 밤」의 장르 성격에 대해 장르류를 기준으로 삼은 논자들은 서술시로, 장르종을 기준으로 삼은 논자들은 서사시로 주장하여 왔으나, 제1부에는 이러한 기준의 적용이 적합하지 않게 되는 것이다.

---

13 Hans Meyerhoff, 김준오 역, 『문학과 시간현상학』, 삼영사, 1987. 15~17쪽 참조.

2) 시간성의 지배소와 서사적 담론

「국경의 밤」이 서사시인가 서술시인가라는 논란을 야기한 가장 문제적인 부분은 제2부이다. 제2부 30개 장을 시퀀스로 나누어 보면, 순이는 처녀시절에 집중(재가승)의 딸이라는 놀림을 받는다(28~29장). 유목생활을 하며 평화롭게 살던 여진족은 고구려 군사에게 정벌당한 후 머리를 깎이고 종으로 살게 되면서부터 재가승이라 불렸다(30~34장). 몇 백 년이 지난 후, 재가승의 딸로 태어난 순이가 부잣집 선비에게 시집간다는 소문이 샘터 아낙들 사이에 나돈다(35~39장). 재가승과 언문 아는 계급을 초월하여 순이와 소년 사이에 사랑하는 마음이 깊어간다(40~46장). 재가승의 定則에 따라 순이는 같은 재가승 집에 시집가게 되고, 상심한 소년은 타성적인 도덕률에 한을 품고 마을을 떠난다(47~52장). 몇 해 후 검은 문명과 외지인들이 이 마을에 들어오자 마을 사람들이 떠나고, 순이도 남편을 따라 지금의 두만강변으로 이주하였다(53~57장).

제2부는 시적 화자의 발화시점으로부터 8년 전의 과거사 이야기다. 즉 제1부가 발화의 시간이 화제의 시간을 초월한 무시간성의 지속시상에 의한 담론이었다면, 제2부는 발화의 시간이 화제의 시간 내부에 존재하는 완료시상의 담론이다.[14] 따라서 제2부에만 국한한다면 시적 화자는 오히려 서술자의 기능을 담당한다고 할 수 있다. 즉 이 부분

---

[14] 담론의 시상은 사건시와 발화시의 관계를 통해 살펴볼 수 있다. 사건시란 달리 말해 발화의 초점이 되는 화제의 시간, 즉 이야기의 시간(story time)인 반면, 발화시란 주어와 술어를 관계 짓는 발화 과정의 시간, 즉 기술의 시간(writing time)이다. 그리고 이 화제와 과정의 범주적 관계에 의해 시적 담론의 시상이 결정되고 그에 의해 의미론적 차이를 드러내게 된다. '완료시상'이란 발화 과정의 시간이 화자의 중심 화제가 되는 시간 내부에 존재하는 양상이며, '지속시상'이란 과정이 화제와 동일한 범위에 걸쳐 나타나거나 화제의 범위를 초월하는 경우에 해당한다. (이승훈, 『한국시의 구조분석』, 종로서적, 1987. 107~108쪽 참조.)

이 「국경의 밤」 전체 구조 속에서 가장 전형적인 서사담론에 해당하는
셈이다. 이러한 완료시상의 '시간성'이 통사구조의 지배소가 되어 다른
요소들을 작동시킨다는 점이 제2부의 중요한 담론 특성이라 할 수 있
다. 또한 언술행위의 측면에서도 묘사적 문체가 아닌 서술적 문체로의
전환을 보여준다. 30개의 장으로 나뉘어 있으면서도 각각 서사적 맥락
에 의해 연결되어 있다는 점, 각 장이 분행 형태를 취하고 있으면서도
화제에 대한 서술로 통합된다는 점에서 시적 서사의 담론에 해당하는
것이다.

① 가을이 다 가는 어느날 順伊는/ 멀구광주리 맥업시 내려 노으
며 아버지 다려,/「아버지, 우리를 중놈이라고 해요, 중놈이란 무엇인
데」/「중? 중은 웬중? 長衫 입고 곳갈 쓰고 木鐸 두다리면서 남미아미
타불 불너야 중이지, 너 안보앗늬, 日前에 왓던 동양버리 중을」/ 그러
나 엇던지 그 말소리는 비엿다./「그래도 남들이 중놈이라던데」하고,/
앗가 山에서 나무꾼들에게 몰니우던 일을 생각하엿다./ 老人은 憤한
드시 낫자루를 휙 집어 쑤리며,/「중이면 엇대?- 중은 사람이 아니라
던? 다른 百姓하고 婚事도 못하고 마음대로 옴겨 사지도 못하고」/ 하
며, 입을 담을엇다가/「잘덜 한다, 어듸 봐! 내 쌀에야 손가락 한아 대
게 하는가고」/ 하면서 말업시 쌀의머리를 쓰다듬엇다./ 낫헤는 눈물이
두루루 어울니고,/ 順伊도 그저 슬푼 것 갓해서 함께 울엇다, 얼마를.

- 제2부 29장

② 그러나 일이 낫다/ 압마을에 고구려군사가 처드러 왓다고 쩌들
쌔,/ 天幕마다 여러 곳에서 나만은 壯丁들이 모조리/ 石釜를 차고 활
을 메고/ 여러代 누려먹든 제 짱을 안쌔지려,/ 싸홈터로 나갓다/ 나갈

째엔 울며불며 매여달니는 안해를 물니치면서/ 처음으로 大義를 위한 눈물을 흘녀보면서./ 남은 食口들은 쩌난 날부터/ 냇가에 七星壇을 뭇고 밤마다 비럿다, 하늘에/ 無事히 사라오라고! 싸홈에 익이라고!/ 그러나 그 이듬해 가을엔 슬픈 奇別이 왓섯다./ 싸홈에 나갔던 군사는 모조리 敗해서 모다는 죽고 더러는 江을 건너 오랑캐령으로 다라나고,/ 사랑하던 女子와 말과 石釜와, 石銅篩를 내버리고서.

– 제2부 34장

③ 村夫들이 쩌난 지 五年,/ 諺文아는 선비 쩌난 지 八年.// 이것이 이 門간에서/ 서로 들추는 아름다운 넷날의 記憶,/ 間諜이란 放浪者와 密輸出馬夫의 안해 되는 順伊의/ 아! 이것은 둘의 넷날의 記憶이엇다.

– 제2부 57장

위의 부분들은 제2부의 통사구조상 기능단위들에 해당한다. ①은 징조단위이고 ②는 정보단위이며 ③은 핵단위이다.[15] 그리고 이들이 행위단위에 해당하는 전·후 장들과 연결되면서 서술의 층위를 이루는 것이다. 또한 위의 장들 역시 제1부에서 예를 들었던 장들과 마찬가지로 ①의 "가을이 다 가는 어느 날 순이는"이나 ②의 "그러나 일이 낫다", ③의 "촌부들이 떠난 지 5년" 등 시간 표상의 발화로 시작하지만, 그것이 지속시상의 발화시가 아닌 완료시상의 사건시라는 점에서 다르다.

---

15 징조단위는 인물의 성격이나 감정, 혹은 어떤 분위기, 인생관 등에 관련되는 것으로 함축적인 기의들을 가지고 있다. 정보단위는 함축적인 기의를 갖지 않은 채 직접적인 의미로서 주어진 것들로 사건, 인물 혹은 작품 전체를 시간과 공간 속에 위치시키는데 사용된다. 핵단위는 상황의 변화를 담당하며 이야기의 매듭이라 할 만한 것으로, 줄거리의 연속 속에서 결과적인 교체를 열어주는 분기점들이 이에 해당한다.(Rond Barthes, 「이야기의 구조적 분석 입문」, 김치수 편역, 『구조주의와 문학비평』, 홍성사, 1980, 105~110쪽 참조.)

이는 제1부와 구별되는 통사구조의 근본적인 차이라고 할 수 있다.

이 제2부는 마지막 장인 ③에 와서야 사건시와 발화시가 일치한다는 점에서 과거의 서사이다. 그렇다면 제2부의 담론은 서사시 장르의 제도적 요건을 충족하고 있는 것인가. "서사시는 무엇보다 당대를 재현의 대상으로 삼고 있지 않다는 점에서 현재를 재현의 대상으로 삼고 있는 「국경의 밤」은 일차적으로 서사시가 될 수 없다"[16]는 평가로부터 자유로울 수 있는 것인가. 제2부로만 국한하고 의미구조의 측면을 고려하지 않는다면, 통사구조의 측면에서는 최소한 서사시의 방식을 차용하고 있다고 말할 수 있을 것이다. 그러나 비록 과거의 서사라 할지라도 전체적으로 단일 시점에서 발화된 '회상'의 서사라는 점에서 제2부만으로는 서사시의 장르로 성립되지 못한다. 아울러 통사구조가 제1부 및 제3부와 전혀 다른 방식으로 단절되어 있다는 점에서 장르류로서의 서술시 형태라고 보는 것이 타당하다 하겠다. 이는 김동환이 새로운 장르를 시도하고자 했던 창작 의도를 미숙하게 장르 복합 형태로 드러낸 결과라고 판단된다.

3) 장면성의 지배소와 극적 담론

제3부는 세 개의 장면 시퀀스로 구성되어 있다. 첫 번째 장면은 '청년'과 '처녀'가 주고받는 17개의 대사 단위로 배열된 대화의 장면으로, 청년은 옛날의 사랑을 호소하면서 함께 떠나자고 하고 처녀는 이를 거절하며 서로 논쟁한다(58장). 두 번째는 소금 밀수출에 나섰다가 마적의 총에 맞아 죽은 남편이 시체로 돌아오는 장면이다(59~62장). 세 번

---

16 송기한, 「「국경의 밤」은 과연 서사시인가」, 『시와 시학』, 시와시학사, 1995, 283쪽.

째는 이튿날 아침, 마을 사람들이 남편의 시체를 눈 쌓인 산곡에 매장하며 한탄하는 장면이다(63~72장). 제3부는 「국경의 밤」의 전체 구조 속에서 가장 현재적인 시간성의 담론에 해당한다. 제1부가 지속시상에 의해, 제2부가 완료시상에 의해 발화되었다면, 제3부는 현재시상에 의해 발화되고 있는 것이다. 이러한 발화 방식이 직접적이고 현장적인 장면을 매개하는 극적 담론의 효과를 강화한다는 점에서 제3부 통사구조의 지배소를 '장면성'이라 할 수 있다.

> −靑年
> 너무도 깁버서/ 妻女를 우슴으로 보며/「오호, 나를 모르세요, 나를요?/ 꿈을 깨고 난드시 손길을 드러,/「아아, 國師堂 물방아간에서 쌀닙으로 머리 언고/ 終日 풀싸홈 하던 그의를−/ 쏘 山밧에서 멀구광주리 이고 단니든/ 당신을 그립어 그립어하던/ 諺文아는 선비야요!」// 「在家僧이 가지는 迫害와 侮辱을 갓치 하자던/ 그러면서 소몰기 牧童으로 지내자던/ 한째는 봄이 온다고 기대리든 내야요」
> −妻女
> 「諺文아는 선비? 諺文아는 선비!/ 이게 꿈인가! 에그, 아! 에그! 이게 꿈인가,/ 엇더케 오섯소, 당신이 엇더케 오섯소,/ 이 추운 밤에, 新長路에는 눈이 어지럽은데,/ 봄이 와도 가을이 와도 멧 가을 봄 가고 와도/ 가신 뒤 자최좃차 업든 당신이/ 이 한밤에, 엇더케 어듸로 오섯소?/ 시집간 뒤 열흘만에 쩌나더라더니만」.
>
> − 제3부 58장에서

이는 제3부 58장의 도입부이다. 58장은 청년과 처녀의 대화 형식을 차용한 17개의 대사 단위가 중심을 이룬다. "너무도 기뻐서/ 처녀를 웃

음으로 보며"와 같은 서술적 발화가 몇 차례 삽입되어 있기는 하나, 이
는 마치 희곡의 지문처럼 등장인물의 행동을 묘사할 경우로만 극히 제
한되어 있음을 볼 수 있다. 일반적인 서사양식의 대화가 단문 형태로
발화되어 인물 상호간의 접촉성을 매개한다면, 여기서는 한 인물의 대
사가 장문 형태로 일정한 시간동안 지속되어 마치 무대 위의 연기를 보
는 듯한 장면성을 강화시키고 있다. 이는 시적 담론으로는 매우 보기
드문 독특한 구성법이다. 제3부의 담론적 특이성은 여기에서 그치지
않는다. 58장이 극적 담론인데 반해 59장부터 72장까지는 다시 서술
형태의 발화로 전환하는 것이다.

① 바로 그째이잇다,/ 저리도 웬 발자최 소리 요란히 들니엇다./
아조 急하게- 아조 慌怯하게/ 妻女와 靑年은 놀아 하던 말을 뚝 끈치
고,/ 발자최 나는 곳을 向하여 보앗다./ 새벽긔 갓가운지 바람은 더
甚하다,/ 나문가리엔 덥혓다 눈발해가,/ 둘의 귀쌀을 탁 치고 다라낫
다.

- 제3부 59장

② 마을서는, 그째/ 굵은 춤베장삼에 묵긴 송장 한아가 여러 사람
의 억개에 메이어 나갓다/ 눈에 싸인 山谷으로 첫눈을 쑤지면서.

- 제3부 64장

③ 거이 뭇칠 째 죽은 丙南이 글 배우던 書堂집 老訓長이,/ 「그래
두 朝鮮짱에 뭇긴다!」하고 한숨을 휘- 쉰다,/ 여러사람은 쏘 孟子나
通鑑을 닑는가고, 멍멍하엿다./ 靑年은 골을 돌며/ 「煙氣를 避하여
간다!」하엿다.

- 제3부 71장

위의 장들은 공히 묘사적이며 또한 서술적인 발화들이다. 앞의 58장과 같은 부에 속해 있으면서도 전혀 다른 언술 방식으로 쓰인 것이다. 여기에는 공간과 정서를 묘사한다는 점에서 서정성이, 사건과 행위를 서술한다는 점에서 서사성이 병존하고 있다. 이러한 언술 방식은 어떤 효과를 의도하고 있는 것일까. ①은 대화를 나누던 청년과 처녀가 급하게 들려오는 발소리에 놀라 불길한 시선으로 밖을 바라보는 장면을 묘사하고 있다. ②는 죽은 남편의 송장을 묶어 눈 덮인 산에 매장하러 가는 장면의 묘사이다. ③은 시체를 매장하는 장면에서 그를 바라보던 노훈장과 청년이 무연해하고 있는 행위에 대한 서술이다. 여기서 살펴지듯이 제3부의 59∼72장은 제1부와 제2부의 장들에 비해서 상당히 짧은 발화체로 이루어져 있다. 문장의 길이가 짧을 뿐만 아니라 시행의 수도 적다. 이는 담론 주체의 진술을 최대한 억제한 채 영화의 쇼트처럼 장면을 통한 보여주기의 효과를 시도하기 때문이다.

이상에서 살펴보았듯이 「국경의 밤」은 세 개의 부가 각기 다른 담론 방식을 이루고 있어 통합적인 통사구조로 보기 어렵다. 시적 담론의 통사구조는 장르의 제도화된 문법을 가장 우선적으로 반영할 수밖에 없다. 따라서 「국경의 밤」은 제1부에서 제3부에 이르기까지 서정 양식, 서사 양식, 극 양식이 순차적으로 복합된 텍스트라 하겠다. 즉 「국경의 밤」의 장르 성격을 하나의 장르종 개념으로 규정하기 위해서는 다른 장르적 속성들을 의도적으로 배제시켜야 하는 무리가 따를 수밖에 없으며, 이는 1920년대라는 우리의 문학적 상황 속에서 새로운 장르로서의 제도성을 탐색하고자 했던 김동환의 실험적 시도를 올바로 이해했다고 보기 어려운 것이다.

3. 의미구조의 연쇄와 반 장르

앞 장에서는 「국경의 밤」의 통사구조를 분석해 보았다. 이제 의미구조 층위에서의 담론 특징과 장르 성격에 대해 살피기로 한다. 이는 엔터니 이스톱이 제시한 담론의 세 차원 중 이데올로기와 주체성의 차원에서 담론 특징을 찾아내는 일로부터 시작될 것이다. 엔터니 이스톱에 의하면, 시적 담론은 거기에 아로새겨진 기표가 지속적으로 어떤 형태를 이루고 있어 물질적으로 결정된다고 할 수 있지만, 읽어 가는 과정에는 '이데올로기'가 작용하고 있어서 이데올로기적으로 결정되는 역사적 산물이기도 하며, 또한 행위의 주체에 의해 주관적으로 결정되는 것이기도 하다.[17] 한편, 문학에서의 이데올로기를 논한 알튀세르에 따르면, 언어는 사회적 산물이기 때문에 담론을 이루는 개인적 발화는 사회적 사실에 의해 한정된다. 그러므로 구체적인 개인을 사회적 형성체로 구성하는 '주체성'이 곧 담론의 이데올로기이다.[18] 시란, 언어의 역사적이고 상대적인 자율성에 의거해 규정되는 이데올로기적 실천의 특수한 사례라는 것이다.

장르는 상이한 두 개의 관점, 즉 경험적 관찰의 관점과 추상적 분석의 관점에서 서술할 수 있는 단위들이다. 한 사회에서 사람들은 모종의 담론적 속성들의 반복을 제도화하고, 개별 텍스트들은 그 체계화가 구성하는 규준에 맞추어 생산되고 인지된다. 문학적이건 아니건 간에 하나의 장르는 담론적 속성들의 그러한 체계화 외의 다른 어느 것도 아니다.[19] 물론 이데올로기와 주체성은 언어의 물질성 등 다른 요소들과 함

---

17 Antony Easthope, 박인기 역, 앞의 책, 5쪽.
18 L. Althusser, Lenin and Philosophy and Other Essays, London ; New Left Books, 1977.
19 Tzvetan Todorov, 송덕호·조명원 역, 앞의 책, 74쪽.

께 담론 텍스트의 이러한 체계화에 기여하고 있는 것이며, 그 체계화의 양상이 문학적 제도로 받아들여질 때 그것은 하나의 장르로 성립된다 할 수 있다.

이런 전제하에 「국경의 밤」의 의미구조를 분석해보면 두 가지의 의미 있는 특징을 발견할 수 있다. 하나는 「국경의 밤」이 이중적 의미구조로 체계화되어 있다는 점이다. 즉, 순이와 청년(언문 아는 선비)과 남편 사이의 삼각관계를 축으로 하는 사랑 이야기로서의 의미구조가 첫 번째 양상이며, 재가승 모티프와 청년의 발화를 통해 제시되는 시대상 이야기로서의 의미구조가 그 두 번째 양상이다. 다른 하나의 특징은 이 두 양상들이 각각 담론의 두 가지 차원에 더 깊이 관계하고 있다는 점이다. 사랑 이야기로서의 의미구조는 주로 주체성 차원에서 실현되고 있고, 시대상 이야기로서의 의미구조는 주로 이데올로기 차원에서 내포되어 있다. 이러한 두 가지 특징은 「국경의 밤」 담론체계의 의미론적 원리이면서, 반면에 장르로서의 제도화를 지연시키는 반 장르의 원리로 작동하고 있는 것이다. 즉, 각 부의 단절된 통사구조가 서로 독자적인 장르의 복합 형태를 보이는 것이라면, 의미구조는 이런 통사구조의 차이에도 불구하고 각 부에 이중적으로 연쇄됨으로써 장르 초월의 현상을 보인다고 할 수 있다.

1) 주체성 차원의 연쇄와 반 장르성

시의 담론에 있어서 주체성의 차원이 문제시되는 이유는 그것이 언어적으로, 그리고 이데올로기적으로 결정되고 의미화하지만, 그 과정의 수행이란 결국 주체에 의해서 이루어지기 때문이다. 그러므로 시 텍스트 속에서 주체가 어떻게 언어에 이입되는가, 즉 기표가 주체를 '내면화'하는 방식이 무엇인가에 따라서도 시의 담론은 결정된다. 즉 담론에서의 주체는 인칭대명사로든 또는 객관적 사물에 투사되어서든 기표화 되어 있으며, 기표의 연쇄체 속에서 의미가 '주장'되고 있기 때문에, 의미를 유지시키는 단일한 목소리로 전개되어진다. 다시 말해, 주장되고 있는 의미의 유지를 주체의 일관성이라 한다면, 주체의 일관성은 "결합관계적 연쇄를 따라"[20] 이루어진다.

야콥슨에 의하면, 기표로 대체된 주체는 결합관계축의 연쇄에 의해서 의미를 유지해 가는데, 이러한 연쇄가 가능한 것은 다른 문맥에서 선택된 계열관계적 기표에 의해 의미의 연상이 전달되기 때문이다. 그러므로 담론 주체의 자아 즉 시적 자아란 "객체들에 자신의 모습으로 반영된 그것"[21]이라 할 수 있는데, 이는 주체와 객체 사이의 전개 과정이거나 이동이며, 소외구조에서 이루어지는 동일성인 것이다. 한편, 벵브니스트는 언술행위의 대표적 표지인 인칭기호의 유무에 따라 '담론(discourse)'과 '이야기(story)'를 언술행위의 하위양식으로 규정한다.[22] 인칭을 나타내는 표지는 주체가 현상적인가 함축적인가의 차이일 뿐이지, 주체의 유무를 말하는 것은 아니다. 왜냐하면 담론의 주체가 다른 기표로 '재현'되어 있듯이 이야기의 주체는 '가정'되어 있기 때문이다. 따라서 언술행위의 주체와 언술내용의 주체란, 담론에서 이 두 주체 사이에서 분열되어 있는 말하는 주체에 대한 두 가지 다른 위치인 것이다. 이에 비추어 본다면 시적 담론의 주체는 화자의 위치에 자리하는 것이며, 또한 화자는 인칭대명사에 의해 명시적으로 드러나 있거나 다른 중개자나 해석적 장치 속에 숨어있게 된다.

---

20 J. Lacan, Ecrits,tr. Alan Sheridan, London : Tavistock, 1977. p. 153.
21 위의 책, 194쪽.
22 E. Benvenist, Problems in General Linguistics, Miami Univ. Press, 1971. pp. 206~209.

「국경의 밤」의 경우, 우선 그것이 시적 담론이라는 점에서 언술행위의 주체는 여러 가지 다른 기표들, 즉 은유적이고 상징적인 언어의 기표들로 재현되어 있다. 반면 서사적 이야기라는 점에서는 언술내용의 주체가 '순이'와 '청년'으로 가정되어 있다. 그리고 이러한 주체의 두 위치에서 담론적 의미의 일관성을 유지하기위해 결합관계적 연쇄를 주도하는 주체의 기표는 '순이'이다. 즉 담론 주체의 시점이 '순이'의 시점으로 초점화되어 있다고 말할 수 있는 것이다. 그렇다면 '순이'라는 인물의 성격에 따라 「국경의 밤」의 장르 특성도 서사시 또는 서술시 중 어디에 합당한 것인지 밝혀 볼 수 있을 것이다.

① 「아하, 無事히 건넛슬가,/ 이 한밤에 男便은/ 豆滿江을 탈업시 건너슬가?// 저리 國境江岸을 警備하는/ 外套쓴 거믄 巡査가/ 왔다−갓다−/ 오르명 내리명 奔走히 하는대/ 發覺도 안되고 無事히 건넛슬가?」// 소곰실이 密輸出馬車를 씌워노코/ 밤새가며 속태이는 젊은 안낙네/ 물네 젓든 손도 脈이 풀녀저/ 파! 하고 붓는 魚油등잔만 바라본다./ 北國의 겨울밤은 차차 깁허 가는대.

　　　　　　　　　　　　　　　　　　　　　　　− 제1부 1장

② 順伊는 혼자 속으로/ 가만히 「시집」「新婦」하고 불너 보앗다./ 어엽분 일홈이다 함애 저절로 낫치 불거진다,/「나두 그러케 된담! 더구나 그 「선비」하고/ 그리다가 문득 앗가 아버지 하던 말을 생각하고/ 나는 집중 집중으로 시집가야 되는 몸이다 하매/ 제 신세 가엽슨 것 갓해서 퍽 슬펏다「엇재 그 선비는 집중이 아닌고? 諺文아는 선비가, 에그/ 그 富者집은 집중 家門이 아닌고? 가엽서라」/ 그는 그저 울구 십헛다 가슴이 답답하여지면서/ 멀니 해는 山 마루를 넘구요−

　　　　　　　　　　　　　　　　　　　　　　　− 제2부 38장

③ 삼동에 뭇기운 「丙南」의 송장은/ 쫏겨가는 者의 마즈막을 보여 주엇다,/ 안해는, 順伊는 手巾으로 눈물을 씨스며/ 「밤마다 춥다고 동 나무를 집히우라더니/ 추운 곳으로도 가시네/ 이런 곳 가시길내 區長 의 말도 안 듯고-」

- 제3부 67장

위의 부분들은 각 부에서 「국경의 밤」의 근본서사를 성립시키고 있는 장들이다. 근본서사가 '순이'를 중심으로 한 '남편'과 '언문아는 선비' 사이의 이야기라고 할 때, 이는 언술내용의 주체인 '순이'가 처한 상황과 과거의 사랑 이야기가 연쇄되고 있다고 할 수 있다. ①은 남편이 위험에 처할지 모른다는 서사적 징후이며, ②는 한 남자를 사랑했지만 다른 남자와 결혼할 수밖에 없었던 서사적 맥락이고, ③은 옛사랑의 남자와 재회하는 날 남편의 죽음을 맞는다는 서사적 결말에 해당한다. 이처럼 근본서사의 결합관계축에 의해 연쇄되는 의미구조는 한 여자의 사랑 이야기이거나 국경을 배경으로 한 사적인 사건에 대한 이야기에 불과하게 된다. 즉 서사성에 기반하고 있으면서도 서사시의 의미구조로서 갖추어야 할 요건들이 충족되지 못하고 있는 것이다. 주체인 '순이'를 통해서 순수한 사랑의 가치와 인간의 존엄성에 대한 믿음은 찾아볼 수 있으나, 서사시의 요건인 집단의식에 의한 의지적 행위와 영웅적 의미는 발견되지 않는다는 점이 그렇다. 또 '순이'가 언술내용의 주체이면서 동시에 언술행위의 주체인 시적 화자의 의식을 가정하고 있지만, 그 주체성의 기표가 '순이/아낙네/처녀/아내' 등으로 무분별하게 나타나고 있다는 점 역시 서사시의 3인칭 시점에 혼란이 야기되고 있음을 보여주는 것이다.

「국경의 밤」의 담론과 장르 상관성 171

주체성 차원에서 살펴본 「국경의 밤」의 의미구조는 결과적으로 서사
구조에 대응하고 있음에도 불구하고 비서사시적이라 할 수 있다. 「국경
의 밤」은 의미구조의 연쇄라는 점에서 하나의 텍스트로 통합된다. 또한
시적 언술행위와 서사적 언술내용으로 직조된 텍스트이다. 「국경의 밤」
의 이러한 담론 조건은 장르종으로서의 서사시 가능성을 내포하고 있
기는 하지만, 서사시로서의 규범적 한계를 분명히 드러내고 있다. 이는
담론 주체로서의 김동환이 장르의 규범성에 얽매이지 않고 당대의 현
실적 문제와 세계관을 표현하고자 했던 반 장르적이고 의도적인 모색
이었다고 하겠다.

2) 이데올로기 차원의 연쇄와 반 장르성

　　시대는 제각기 지배 이데올로기 등과 관계가 있는 고유한 장르 체계
를 가지고 있다. 여느 제도와 마찬가지로 장르도 그것이 속해 있는 사
회를 구성하는 특징들을 명백히 드러내고 있는 것이다. 문학을 가리켜
시대와 사회를 반영하는 역사적 산물이라고 하듯이, 문학의 담론 역시
사회적 사실임을 부정할 수 없다. 그러므로 담론은 언어에 의해 결정됨
과 동시에 이데올로기에 의해서도 결정된다. 이는 언어를 조직해 가는
담론 과정을 통해서 담론의 생산주체와 수용주체가 "세계에 대한 체계
적인 사고들과 표상으로서의 이데올로기"[23]를 능동적으로 개입시켜 나
가기 때문이다.
　　시적 담론은 알튀세르의 지적대로 상대적인 자율성에 의거해 규정
되는 이데올로기적 실천의 특수한 사례인 것이며, 물질로서의 언어가

---

[23]　L. Althusser, 김동수 역, 「아미엥에서의 주장」, 솔출판사, 1992, 103쪽.

사회적 관념인 이데올로기에 의해 의미화하는 것이다. 그리고 담론의 이데올로기적 실천, 곧 '의미작용의 실천'[24]은 의미를 기호화하는 일정한 체계 속에서 이루어진다. 기호가 나타나는 곳 어디에서나 역시 이데올로기도 나타나며 모든 이데올로기적인 것은 기호적인 가치를 갖는다고 한 바흐친의 전제에 따른다면, 시에서의 이데올로기는 곧 의미작용의 기호라고 볼 수 있다.

담론의 이데올로기적 성격을 논한 김상욱은 담론 주체의 이데올로기적 의미화 과정을 지속, 확장, 전이, 대체라는 네 가지 양상으로 구분한다.[25] 문학 텍스트는 이상의 네 가지 양상 중에서 '확장'과 '전이'에 의해 이데올로기를 의미화한다. 문학 텍스트의 담론이 특정한 개별적 청자를 상정한다기보다는 아주 일반적인 수준의 불특정한 다수를 수용자로 전제하고 있으며, 그 불특정한 수용자의 기대지평 내에서 작동해야 하기 때문이다. 그러므로 의미의 '확장'과 '전이'를 가능하게 하는 시적 장치들을 의미론적 차원의 조건이라 할 수 있다.

모든 장르는 빠롤의 행위에서 유래하며, 사회는 그의 이데올로기에 가장 가까이 해당하는 행위들을 선택하여 체계화한다. 한 사회 안에는 있지만 다른 사회에는 없는 어떤 장르들의 존재는 이 이데올로기를 계시하고 있는 것이며, 각 장르의 선택은 이 이데올로기적 배경에 좌우

---

24 S. Hall, "The rediscovery of 'Ideology'", Culture, Society and the Media, Methuen & Co. Ltd, 1982, p.64.
25 '지속'은 텍스트 속에 구성된 의미가 사회적 가치에 의해 준용된 의미와 동일한 경우이다. 이 때의 이데올로기적 의미화 양상은 지배적 이데올로기를 유지하는 형태로 이데올로기적 개입을 실현한다. '확장'이란 어휘소를 둘러싸고 있는 사회적 가치를 그대로 승인하면서, 그 가치가 담지하는 외연의 틀을 벗어나지 않은 채 더욱 풍부한 의미화를 실현하는 과정이다. 이 때는 지배적 이데올로기를 강화하는 이데올로기적 효과를 발휘한다. '전이'와 '대체'는 지배적 이데올로기와 대척적인 입장에서 그 의미화를 실현하는데, '전이'는 준용된 사회적 가치와 질적으로 상이한 의미화를 기획하는 가운데 새로운 함축적 의미를 덧붙여 나간다. 한편 '대체'는 인식론적 단절로 지칭될 수 있을 만큼 기존의 개념적 표상을 완벽하게 거부하고, 전적으로 상이한 인식론적 지평 위에 전반적인 가치화를 이루어낸다.(김상욱, 앞의 글, 386~388쪽.)

된다.[26] 그렇다면 「국경의 밤」이라는 빠롤로서의 담론 텍스트는 우리의 문학적 이데올로기에 어떻게 상응하고 있는가? 이는 역사적 실재로서의 텍스트 이데올로기를 논증적 개념으로서의 어떤 장르 이데올로기로 설명할 수 있는가의 문제이다.

① 電線이 운다, 잉- 잉- 하고/ 國交하라가는 電信줄이 몹시도 운다,/ 집도 白楊도 山谷도 오양간 「당나귀」도 싸라서 운다,/ 이러케 춥길내/ 오늘싸라 間島移舍군도 別로 업지/ 어름짱 짤닌 江바닥을/ 박아지 달아매고 건너는/ 밤마다 밤마다 외로히 건너는/ 咸鏡道 이사군도 별로 안보이지,/ 會寧서는 벌서 마즈막 車고동이 텃는대.

                                                    ― 제1부 6장

② 에라, 나 보아라!/ 자유인에 탈이 업는 것이다,/ 「家憲」이라거나 「률법」이라거나,/ 모다 줏밟어라/ 쓰더 곳처라 酋長이란 녀석이 제 맘대로 쑤며논 情性의 道德律을/ 집중을 사람을 맨들자/ 順伊 는 아바지의 싸님을 맨들자,/ 超人아, 絶大한 힘을 빌녀라./ 이것을 곳치게, 아름답게 맨들게/ 불상한 눈물을 흘니지 말게.// 「쿠핏트」의 지나간 뒤는 꿈이 쓰러지고,/ 「밧카스」의 노래 뒤는 피가 흐르나니.

                                                    ― 제2부 51장

③ 「굴쪽이 勞動者의 肉盤 우에 서고/ 豪奢가 剩餘價値의 종노릇 하는/ 모든 魂精이 傳統과 因襲에 눌니어/ 모든 桎梏밧게 살 집이 업는/ 그런 都會에, 都會人 속에,// 「쩨카당」, 「다다」, 「厭世」, 「惡의 讚

26 Tzvetan Todorov, 송덕호·조명원 역, 앞의 책, 77쪽.

美/ 豆滿江 가의 짜작돌가치/ 무룩히 잇는 近代의/ 어붓자식 갓흔 조선의 心臟을 차저 가라구요!/ 아, 田園아, 愛人아, 遊牧業 아!/ 國家와, 禮式과, 歷史를 벗고 빨간 몸둥이/ 네 품에 안기려는 것을 막으려느냐?-」

- 제3부 58장 일부

위의 인용부는 「국경의 밤」의 담론 이데올로기가 가장 전면적으로 제시되어 있는 부분들이다. 이들은 문학 텍스트라는 담론의 전체성 측면에서 보면 '확장'에 의한 의미화과정이라고 할 수 있다. 즉, 사회적 가치를 승인하면서 텍스트의 서사적 의미를 확장해 가고 있기 때문이다. 그러나 각각의 발화단위 측면에서 보면 비문학적인 '지속'에 의한 의미화과정이기도 하다. 발화의 구성적 의미가 사회적인 지배 이데올로기를 직접적으로 재현하고 있다는 점이 그러하다. 이는 「국경의 밤」의 문학적 형상화가 완전한 단계에 이르지 못하였음을 보여준다. 담론 주체의 이데올로기가 문학의 발화단위에 그대로 노출되어 있다는 점은 시인의 창작 의도가 예술 지향적이었다기보다는 목적 지향적이었음을 시사하는 것이다.

①은 '간도 이사꾼'과 '함경도 이사꾼'을 통해 식민지 현실의 비참한 실상을 폭로하고자 하는 이데올로기가 국경의 배경 묘사 발화 속에 확장되어 있다. ②는 재가승 모티프를 빌어 와 인습적인 '家憲'과 '율법'을 비판하고자 하는 이데올로기 지속에 의해 의미화하고 있다. ③은 근대 문명에 대한 비판적 의식을 '청년'의 목소리로 노출시키고 있다. 1~3부에 걸친 이러한 이데올로기의 연쇄는 「국경의 밤」의 또 다른 의미구조인 셈이다. 그러나 이는 주체성 차원의 서사적 의미 연쇄와는 달리 사회적 자아의 이데올로기가 서사 맥락을 깨트리며 틈입하여 있는 것

이다. ①의 경우만이 서사적 전개를 추동하고 있을 뿐, ②와 ③은 사회적 자아가 직접 개입하고 있는 비문학적 발화들이다.

따라서 이러한 의미구조는 시양식으로나 서사양식으로나 장르의 경계를 모호하게 할 뿐만 아니라 문학적 담론의 속성을 근본적으로 위협하고 있는 것이라고 말할 수 있다. 김동환이 의도했던 식민지 현실 폭로의 민족주의 의식이나, 구습 타파의 근대정신이나, 문명 비판의 전원의식 등이 시대 담론으로서의 유효성을 지닐지라도 그것이 문학적 형상화의 과정을 거치지 않고 있다는 점에서 분명한 한계를 드러내고 있는 것이다. 이는 문학의 장르가 요구하는 규범들, 즉 장르의 이데올로기에 대한 해체이며, 반 장르적인 담론이라 하겠다.

4. 맺음말

지금까지 김동환의 「국경의 밤」을 텍스트로 하여 담론 특성을 분석하고, 그 결과에 의해 장르 성격과의 상관성을 검토하여 왔다. 이는 「국경의 밤」을 한국 서사시의 역사적 계보나 제도화된 장르로 규정하기 이전에, 실재하는 텍스트로서 그 담론체계가 장르의 제도적 특성을 어떻게 반영하고 있는지를 밝히고자 한 작업이었다. 이를 위해 「국경의 밤」 역시 하나의 시적 담론이자 텍스트라는 점을 전제하고 통사구조와 의미구조의 층위에서 장르적 특성들이 어떻게 상호 관계하고 있는가를 구명하고자 하였다. 본 연구의 결과를 간략히 요약하면 다음과 같다.

먼저, 「국경의 밤」은 세 개의 부가 각기 다른 담론 방식을 이루고 있어 통사구조가 단절되어 있음을 밝혔다. 즉, 제1부의 통사구조는 무시간의 공간성을 지배소로 하고 있으며, 제2부에서는 시간성의 지배소가, 제3부에서는 장면성의 지배소가 통사구조를 주도하고 있음을 제시하였다. 이와 같은 지배소의 차이로 볼 때, 「국경의 밤」은 제1부에서 제3부에 이르기까지 서정 양식, 서사 양식, 극 양식의 통사성이 순차적으로 복합되어 있는 텍스트인 것이다. 이런 점에서, 「국경의 밤」의 장르 성격을 하나의 장르종 개념으로 규정하기보다 1920년대 우리의 문학적 상황 속에서 새로운 장르류로서의 제도성을 탐색하고자 했던 김동환의 실험적 시도로 보아야 할 것이다.

다음으로, 「국경의 밤」의 의미구조를 주체성 차원과 이데올로기 차원에서 검토하고 그것이 장르 규범에 대한 반 장르의 담론임을 밝혔다. 이 두 차원에서의 의미 연쇄가 「국경의 밤」의 각 부를 하나의 텍스트로 결합시키지만, 그것은 오히려 서로 상이한 장르의 속성들을 넘나들며 시양식과 서사양식이 갖는 장르 규범을 해체 또는 초월하고 있는 것이다. 따라서 「국경의 밤」의 창작 의도가 특정한 장르의 수립에 있었다기보다 식민지 지식인으로서의 사회적 자아가 강하게 개입한 문학적 실천의 행위였다고 할 수 있다. 이는 「국경의 밤」의 장르 속성을 모호하게 한 주된 요인이었다고 하겠다. 결국 담론체계의 특성에 비추어 「국경의 밤」의 장르를 귀속시켜야 한다면, 그것은 서정시, 서사시, 극시 등의 장르종 개념이 아닌 장르류로서의 서술시 개념으로 정의될 수밖에 없을 것이다.

永郎詩의 담론주체와 언술 특성

1. 머리말

시 텍스트를 담론체계로 이해할 때, 시의 언어는 일상적 언어와 달리 그 이면에 의미를 숨기고 있는 외적 실체가 아니라 관계들의 결(texture)을 형성하면서 역동적으로 의미를 생성하는 구조적 실체[1]이다. 이런 점에서 언어의 계열관계와 통합관계에 관심을 갖는 기호학적 이해는 시의 담론체계에서 언어학적 의미 이상의 시적 의미를 읽어내는 데 유용한 통로를 제공하고 있는 것이며, 언어의 이러한 관계들을 구조화시켜 독특한 문학성을 담보하게 하는 요소를 지배소(dominant)[2]라 한다. 즉 통화체계임과 동시에 문학적 지배소에 의해 축조된 담론태인 시 텍스트는 그 수용자인 독자와의 소통 과정에 재생

---

1 R. Scholes, Semiotics and Interpretation (Yale Univ. Press, 1981), pp. 12∼13.
2 무카로프스키는 시적 언어의 특성을 '전경화'와 '지배소'로 설명한다. 지배소는 다른 요소를 평가하는 관점이 된다. 지배소는 작품 속에서 계속 움직이며, 다른 요소들의 방향을 지시하고 다른 요소들과 관계를 맺어 시작품에 통일성을 부여하는 요소이다. (J. Mukarovsky, 「Standard Language & Poetic Language」, Linguistics & Literary Style, ed. D. C. Freeman, Holt, 1970, pp. 40∼56.)

산 가능한 상태로 놓여있는 까닭에, 독자는 화자에 대한 청자임과 동시에 담론의 주체가 되는 초월적 자아의 자리에 위치하는 것이다. 독자의 이러한 역할이 가능한 것은 시라는 텍스트가 미메시스의 차원을 넘어 세미오시스의 차원으로 부상해 있기 때문인데, 이는 곧 시 텍스트가 해석의 多價性으로 열려 있음을 의미한다. 그러므로 시는 시인의 서정적 정서를 매개할 뿐만 아니라, 그 언술방식에 의해 독자에게 서사적 대상물로서의 의미망을 구축하고 있기도 한다.

이런 점에서, 텍스트의 의미를 저자에 의해 고정된 의미로 이해하는 것은 재래적인 관습적 견해이며, "텍스트는 현재라는 시점의 여러가지 다른 읽기에도 언제나 열려져 있다는 사실을 받아들여야 한다"[3]고 주장하는 앤터니 이스톱(Antony Easthope)의 말은 주목할만 하다. 그에 의하면, 시적 담론은 거기에 아로새겨진 기표가 지속적으로 어떤 형태를 이루고 있어 물질적으로 결정된다고 할 수 있지만, 읽어가는 과정에는 '이데올로기(ideology)'[4]가 작용하고 있어서 이데올로기적으로도 결정되는 역사적 산물이기도 하며, 또한 행위의 주체에 의해 주관적으로 결정되는 것이기에 독자의 생산품이란 면이 존재하기도 한다는 것이다. 그러므로 담론은 물질적, 이데올로기적, 주체적이란 세 차원에서 동시에 응집되고 결정된다고 할 수 있는데, 특히 시에서의 화자와 청자는 작품이 창조되는 시대와 관습, 사회적 이데올로기, 시인의 시적 주체성 등에 의해 각각 다르게 나타난다는 점을 간과할 수 없다. 이런 이

---

3 Antony Easthope, 박인기 역, 『시와 담론』, 지식산업사, 1994. 5쪽.
4 문학에서의 이데올로기를 논한 알튀세르에 따르면, 언어는 사회적 산물이기 때문에 담론을 이루는 개인적 발화는 사회적 사실에 의해 한정된다. 그러므로 구체적인 개인을 사회적 형성체로 구성하는 주체성(subjectivity)이 곧 담론의 이데올로기이다. 시란 언어의 역사적이고 상대적인 자율성에 의거해 규정되는 이데올로기적 실천의 특수한 사례라는 것이다. (L. Althusser, Lenin and Philosophy and Other Essays, London ; New Left Books, 1977.)

유로 구조주의 방법에서는 철저히 배제되었던 시인의 문제가 시를 담론으로 이해하고자 할 때는 그 체계화를 주도하는 '주체(subject)'[5]라는 개념으로 받아들여진다.

이 글은 시의 이러한 담론적 특성을 담론주체와 언술방식이라는 측면에 맞추어 고찰하되, 텍스트로는 김영랑의 시를 선택하였다. 그 이유는 김영랑의 시가 우리 현대시사에서 서정시의 본질을 가장 충실하게 구유하고 있다고 인정되는 만큼, 그의 시를 통해 시적 서정의 언술방식을 밝혀 봄으로써 역으로 순수 서정시가 서사적 언술과 어떻게 관계하고 있는가를 유추할 수 있기 때문이다.

2. 서정주체의 담론적 내면화

1) 담론 조건으로서의 주체성

시적 담론에서 주체의 위치는 언술행위의 주체(subject of the enunciation)와 언술내용의 주체(subject of the enunced)라는 두 가지 측면에서 고찰될 수 있다. 벵브니스트(E. Benvenist)는 언술행위의 대표적 '표지'인 인칭기호의 유무에 따라 담론(discourse)과 이야기(story)를 언술행위의 하위 양식으로 규정한다.[6] 따라서 언술행위의 주

---

5 담론의 주체란, 언어의 통합관계적 연쇄 속에서 의미의 일관성을 유지하는 '단일한 목소리'이다. 시에서의 담론 주체는 기표(signifiant)와 기의(signifie)에 의해 재현되어진다. 그러므로 담론 주체는 발화행위자로서의 언술행위(enunciation)의 주체와 발화를 통해 진술되어지거나 서 술되어지는 언술내용(enunced)의 주체로 구분된다. 일차적으로 언술행위의 주체를 시인, 언술내용의 주체를 화자라 할 수 있지만, 시적 담론이란 시인에 의해 생산된 역사적 산물임과 동시에 항상 독자에 의해 재생산되는 현재적 산물인 까닭에, 독자 역시 언술행위의 주체일 수 있다.
6 벵브니스트는 '인칭 기호'를 언술행위의 형식상 장치라고 하면서, 발화자인 1인칭이 수화자인 2인칭과

체와 언술내용의 주체란 담론에서 이 두 주체 사이에서 분열되어 있는 말하는 주체에 대한 두 가지 다른 위치인 것이며, 이에 의해 담론의 통화체계에는 언술행위의 주체로서의 내포작가와 내포독자, 언술내용의 주체인 화자와 청자의 관계가 설정되어진다. 챠트먼이 제시한 담론의 통화체계[7]에 비추어 볼 때 시적 담론의 주체는 화자의 위치에 자리하는 것이며, 또한 화자는 인칭대명사에 의해 명시적으로 드러나 있거나 다른 중개자나 해석적 장치 속에 숨어있게 된다. 김영랑 시의 담론은 주로 현상적 화자에 의해 수행되고 있다. 드러나 있는 화자와 내포독자로 이루어지는 통화 모형에서의 언술 행위는 일인칭적인 시점을 취하게 되고, 따라서 언술행위의 주체와 언술내용의 주체가 일치하거나 긴밀한 관계를 유지한다. 이 경우 언술행위의 주체인 시인이 명시된 화자인 '나'의 목소리[8]로 대상을 질서화하고 있기 때문에, 시적 담론은 독백적 양상으로 드러나게 되고 그로 인해 내밀화·주관화된 분위기가 형성된다. 이는 영랑시의 종결어미가 주로 자기 표출의 강도가 가장 강한 감탄형 어미로 이루어져 있다는 점과도 무관하지 않은 것이다. 이러한 일인칭 담론에서는 현상적 화자와 독자가 쉽게 동일화를 이루게 되고 따라서 시는 독자에게 언술행위의 주체로 자리하게 하는 정서적 매개물이라 할 수 있다.

는 결합되고 부재자인 3인칭과는 대립되는 것으로 간주한다. 그리하여 3인칭이란 비인칭적 형식의 언어곡용이기 때문에 이 비인칭적 언술행위는 이야기(histoire) 양식이고, 1인칭과 2인칭에 의한 인칭적 언술행위가 담론(discourse)이라 규정한다. (E. Benvenist, Problems in General Linguistics, Miami Univ. Press, 1971, pp. 206~209.)

7   S. Chatman, 한용환 역, 『이야기와 담론』, 고려원, 1990, 179쪽.
텍스트
실제작가 → { 내포작가 → 화자 → 수화자 → 내포독자 } → 실제독자

8   Jakobson에 의하면 언술행위의 목소리는 일인칭 '나'가 중심인 화자 지향과 이인칭 '너'가 중심인 청자 지향, 비인칭 '그', '그것' 중심인 화제 지향의 셋으로 구분되는데, 영랑의 시 57편과 4행소곡 29편 중에서는 '나' 61건, '나'의 범주인 '마음'과 '가슴'이 56건으로 압도적인 데 반해, '너'는 『두견』에서 단 한 차례 나올 뿐이며, '그'는 「그대는 호령도 하실만하다」 외 9편에서, '자네'는 「북」에서만 드러난다.

시적 담론에서의 주체성의 문제는 텍스트의 체계를 이루는 각 층위와 밀접한 관계를 맺는다. 먼저, 영랑시의 담론체계에서 살펴지는 주요한 통사론적 특징은 은유와 직유에 의해 발화되고 있다는 점이다. 이 경우, 기표들은 '계열적 관계'보다 '통합적 관계'에 의해 조직화되어 있기 때문에 의미전달이라는 면에서 더 직접적이며, 동시적 공간적으로 인식되기 보다는 연쇄적 시간적으로 인식되어 음악적 효과를 가져온다.

> 돌담에 소색이는 햇발가치
> 풀아래 우승짓는 샘물가치
> 내마음 고요히 고흔봄 길우에
> 오날하로 하날을 우러르고십다
>
> — 「내마음 고요히 고흔봄 길우에」 일부

> 내마음을 아실이
> 내혼자ㅅ마음 날가치 아실이
> 그래도 어데나 게실것이면
>
> — 「내마음을 아실이」 일부

위의 시에서는 비록 즉물적 언어가 쓰이고 있다고 하더라도 '내', '내마음'과 같은 명시된 화자 기표에 의해 즉물적 기표들이 통어되어 있음을 볼 수 있다. 즉 '～가치'나 '～아실이' 등의 반복이 이루어지고 있지만, 이는 계열적 관계로서의 병치나 대구라기 보다는 통합적 관계 속에서의 연쇄인 것이다. 계열적 관계는 언어의 선택(selection)이 이루어지는 환경이며, 통합적 관계는 선택된 언어가 결합(combination)되는 환경이다. 이러한 통사론적 구조화 방식은 연 또는 텍스트 전체를 중문이나 복문 형태가 아닌 하나의 단문 형태로 조직하고 있으며, 기표와 기의는 비유에 의한 의존적 관계를 형성한다. 여기에서 음악적 효과가 발생한다. 그것은 기표의 의미가 비유에 의해 이미 전제됨으로서, 기표의 주된 역할이 기의에 대한 이분성을 드러내기 보다는 오히려 기표 자체의 음성적 자질을 강화하는 데 주어지기 때문이다.

한편, 김영랑 시의 어휘들은 준용된 사회적 가치의 의미망에서 벗어나 있지 않다. 사회적 기의의 강화란 언어의 의미에 작용하는 지배적 이데올로기에 더욱더 충실하기 위해 의미를 확장시키는 것이라 할 수 있다. 그리고 이러한 의미화의 방식이 시적 효과를 얻기 위해서는 주체와 대상, 대상과 대상이 비유적으로 결합되어야 한다. 비유의 기능이 원관념의 의미론적 확장을 위해 보조관념을 동원하는 데 있기 때문이다. 그러므로 이 때의 시적 주체는 대상에 투사된 채로 객관적 위치에 존재한다기보다는 대상을 적극적으로 통제하고 내면화시키는 주관적 위치에 자리한다.

> 쓸쓸한 뫼아페 후젓이 안즈면
> 마음은 갈안즌 양금줄 가치
> 무덤의 잔듸에 얼골을 부비면
> 넉시는 향맑은 구슬손 가치
>   산골로 가노라 산골로 가노라
>   무덤이 그리워 산골로 가노라
>
> － 「쓸쓸한 뫼아페」 전문

위의 시는 주체와 대상간에, 또 대상과 대상간에 비유적 결합이 이루어져 있다. 주체의 의미소적 범주에 속하는 '마음'과 '넋'의 시적 의미를 강화하기 위하여 '양금줄'과 '구슬손'이라는 외부세계의 대상을 보조관념으로 동원하고 있고, 여기에서 비유적 이미지가 표출되어 진다. 양금줄과 구슬손은 '갈안즌', '향맑은'이라는 지배적 이데올로기로 표상되는 기표이다. 시적 주체가 기표의 이러한 준용된 사회적 의미를 보조관념으로 차용하는 비유적 기법으로 인해 외부세계는 내면화의 양상을 띠게 된다. 시의 담론이 대상의 내면화 과정으로 이루어 질 때, 그 담론적 의미는 주체의 전이에 의한 상징적 의미를 갖는 것이 아니라 주체의 확장을 위한 비유적 의미를 갖게 된다. 즉 이 시의 통사론적 연쇄는 대상과 주체의 비유적 결합에 의해 주도되고 있으며, 주체의 내면성에 의해 그 의미가 통제되고 있다고 할 수 있다. 그렇다면, 은유체계로서의 담론이 이처럼 기표를 지배적 이데올로기에 입각하여 의미화함에도 불구하고 독자에게 시적 의미를 부여하는 이유는 무엇인가? 그것은 은유체계가 '주어+서술어' 형태로 통사 문법을 만족시키면서도 의미론적으로는 비문이라는데 있다. '마음', '넋' 등의 무인격 주어가 능동의 서술형과는 부합되지 않는 의미론적 비문을 이루면서도 '共起關係'[9]에 의해서 시적 의미로의 확장을 가져오고 있는 것이다.

---

9 차봉희, 『현대사조 12장』, 문학사상사, 1981, 250∼251쪽 참조.
   공기관계는 한 기호의 표현면이 어떤 형태로든지간에 내용면을 모사할 때 생겨나며, 시적 구조화를 통해서 무엇인가는 감성·지각적으로 경험되고 동시에 지적으로 실현되어 의미의 일치를 가져오게 한다.

2) 서정주체에 의한 대상의 내면화

1930년대 우리 서정시의 흐름을 크게 주정적 서정시와 주지적 서정시로 구분할 때[10], 주정적 서정시는 낭만주의 시관에 맥이 닿아 있는 정감성을 바탕으로 하고 있다고 볼 수 있다. 그러므로 주정적 서정시는 서정시의 여러 특성들 중에서도 특히 다음의 몇 가지 특성들이 강하게 드러난다. 주정적 서정시는 우선 근원을 명료하게 파악할 수 없는 영혼의 깊이 속에 기반을 둔 정조의 표출로 이루어진다. 또한 회상의 상태를 지향하기때문에 주정시에서의 모든 존재물은 단절된 대상이 아니라 융화된 상태로 존재한다. 그러나 무엇보다도 중요한 특성은 주정적 서정시가 언어의 의미보다는 음악의 상태를 지향하는 까닭에 논리와 문법의 차원을 초월하며 동시에 단형의 시형을 이루게 된다는 점에 있다. 주정적 서정시의 이러한 특성은 결국 주체와 객체가 시적 자아에 의해 내면화된 담론적 양상을 보이게 되는 것이며, 김영랑의 시 역시 이런 점에서 예외적이지 않다.

　　내마음의 어듼듯 한편에 끗업는
　　　강물이 흐르네
　　도처오르는 아츰날빗이 빤질한
　　　은결을 도도네
　　가슴에듯 눈엔듯 또 피ㅅ줄엔듯
　　마음이 도른도른 숨어잇는곳
　　내마음의 어듼듯 한편에 끗업는

10　김동근, 「1930년대 시의 담론체계연구」, 전남대박사학위논문, 1996, 17~21쪽.

강물이 흐르네

– 「동백닢에 빗나는 마음」 전문

　김영랑의 이 작품은 『시문학』 창간호의 허두를 장식한 것이다. 뿐만 아니라 그후 여러 비평가들에 의해 1930년대의 한국시를 대표하는 가작으로 일컬어진 바 있다.[11] 이러한 평가는 이 작품이 1930년대 시의 경향, 즉 주정성과 주지성을 겸하고 있다는 측면에서 이루어진 것이다. 그러나 여기서의 화자의 감정이나 생각은 객관적 사물로 대체되어 있는 것이 아니며, 또한 시인의 목소리가 주지주의의 경향으로 나타나 있는 것도 아니다. 그렇다기보다는 오히려 주정적이며 낭만주의의 색채가 더 짙어 보이는 것이 이 작품이다. 물론 이 시의 중심을 이루는 의미내용이 '강물'에 전이되지 않았는가 하는 반문을 제기할 수도 있겠지만,[12] 시적 객체로서의 '강물'은 서정적 회상의 대상이 되어 자아와의 합일을 시도하고 있는 것이지 자아를 구체적이며 객관적 사물로 제시하고 있는 것은 아니다. 그러므로 얼핏 감각화된 듯 보이는 화자의 마음(향수 또는 동경의 감정)은 실제에 있어서는 주관의 테두리를 벗어나 있지 못하다. 영랑시에 대한 박용철의 언급에서처럼 "감동을 언어로 변형시키는 것"[13]이야말로 영랑시 담론의 정체임을 밝혀주는 단서라 할 수 있다. 그가 택한 소재들은 모두가 화자의 눈길과 목소리로 새롭

11　김춘수, 『한국현대시형태론』, 해동문화사, 1958, 68~69쪽.
12　이에 대해서는 김춘수의 아래와 같은 언급이 대표적이다.
　　"영랑의 시의 언어는 비단 이 시에서 뿐만 아니라, 퍽 시각적·촉각적이다. 설명적·개념적인 것을 되도록 피하고, 구체적·감각적인 것을 사용한다. 사용한다고 하기 보다는 그런 언어로 되어 있다. 그가 예민한 감각을 가졌다는 증좌일 것이다. 이 시에서의 〈빤질하다〉는 형용사와 〈도른도른〉이라는 부사는 언어로서는 한층 빛난다. 이 언어의 빛나는 감각성이 그러나 시 한 편의 의미에까지 깊이 관련을 못 맺고 있다. 영랑이 스타일리스트(stylist)가 아닌 증좌다." (김용직, 「1930년대 시와 감성시의 주류화」, 『문학사상』, 1986. 7, 282쪽 재인용.)
13　『박용철전집』 2, 108쪽.

게 나타나는 객체들이다. 그리고 이러한 화자의 목소리도 객체의 침투를 받아서 성숙하고 시가 되는 것이다. 이렇게 보면 영랑의 시들은 주체와 객체간의 간격 부재를 특성으로 하는 주정적 서정시의 한 보기에 해당되는 셈이다.

3. 시적 지배소와 언술 특성

1) 시적 지배소로서의 '시간성'

김영랑의 서정시는 낭만적 색체를 뚜렷이 가지고 있음에도 불구하고 대부분 '시간성'을 구조적 지배소로 하고 있다. 이러한 시간 인식이 현상적 화자 '나'의 직접적 발화로 표출되어지므로써 시적 담론을 하나의 텍스트로 체계화하고 있다는 점이 영랑시의 언술 특성이라 할 수 있다. 즉 그의 시는 시간의 이항대립과 현상적 화자의 통화 모형에 의해 상호텍스트적 관계를 형성하며 체계의 변이를 이루고 있는 것이다. 그러나 영랑시에 있어서 담론적 지배소로서의 시간성은 일상적 담론에서처럼 자연적 시간(time in nature)의 순차적 전개에 있다고 할 수는 없다. 일상적 담론이 발화 상황을 구성하는 요소인 상황소(deixis)를 기본 조건으로 하여 추론적 시간 인식을 보여준다면, 문학적 담론 특히 시적 담론은 비상황소적으로 조직되어 있어서 비추론적 시간 인식을 보여준다.[14] 즉 문학적 담론은 일상적 담론처럼 현재를 중심으로 조직되기는 하지만 현재를 초월하면서 의미를 획득하는데, 그것은 문학

---

14 이승훈, 『문학과 시간』, 이우출판사, 1983, 142~174쪽 참조.

적 담론에는 주체의 약호적 의도가 작용하고 있기 때문이다. 따라서 문학적 담론은 첫째로 발화 행위의 기본 시제가 현재로 나타나는 경우에도 그 현재는 발화 순간과는 무관한 의미를 띠며, 둘째 다른 시제로 나타나는 경우에도 다른 것들과의 상호 관련성, 곧 주체의 약호적 의도에 의해 의미를 띤다고 할 수 있다. 영랑시의 경우 담론적 지배소로서의 시간성이 특히 두드러지는데, 이 때의 시간은 이런 점에서 주체의 의식이나 정조에 의해 표상되는 경험적 시간(time in experience)이며, 심리적 시간[15]인 것이다.

영랑의 시가 '내마음'의 세계를 서정화하였다는 것은 이미 여러 연구에서 지적된 바 있다. 아울러 영랑의 시는 일인칭 자아의 내향성에 치중하였다고 흔히 말해진다. 이 말은 영랑의 시에서 '너'의 세계나 '그'의 세계를 발견하기 어렵다는 말과 통한다. 영랑시에 보이는 자연의 사물들은 단독적으로 존재하는 것이 아니라 나와의 관련 속에서만 의미를 지닌다. 모란꽃도 나와의 관련 속에서만 보람찬 꽃이 되며 고운 봄 하늘도 내 마음과 맺어질 때 에머랄드처럼 빛난다. 그만큼 그의 시는 일인칭 자아의 내적 세계에 강한 집착을 보이는 것이다.[16] 따라서 대상의 상실은 심리적 시간의 상실로 이어지고, 그 상실감이 현재 시제로 발화되어 주체의 상태성을 진술하므로써 영랑시 특유의 애상적 정조를 표출하게 된다.

실제적 자아로서의 주체와 시적 자아로서의 화자가 일치할 때, 담론

---

15 한스 마이어호프에 따르면, 문학에서의 시간은 자연적 시간과는 달리 비현실적 배분, 불규칙성, 비일관성 등을 특징으로 하는 경험적 요소들과 관계를 맺고 있다고 한다. 문학적 시간의미는 경험세계라는 맥락 속에서 또는 이런 경험의 총화인 인간생애의 맥락 속에서만 터득되어지는 것이고, 따라서 문학적 시간은 사적이고 주관적이며 심리적인 시간이라는 것이다. (Hans Meyerhoff, 김준오 역, 『문학과 시간현상학』, 삼영사, 1987. 15~16쪽 참조)
16 이숭원, 「순결성에 바탕을 둔 시간인식」, 『문학사상』 168호, 문학사상사, 1986. 10, 182쪽.

은 사적 시점으로 형상화되고 자연적 시간은 심리적 시간으로 내면화된다. 즉 자연적 시간으로서의 현실 시간에는 어떠한 것도 대상성으로 '실재(reality)'하지 않는다. 자연적 시간이란 한 순간도 정지된 상태로 있지 않기 때문에, '실재'는 오히려 의식 속의 경험적 시간에서 상태성으로 인식되어지는 '비실재적 환상'이라는 모순성을 내포하고 있는 것이다. 이런 점에서 실재는 무시간적이며 초시간적이다.[17] 그리고 '실재'에 대한 이러한 모순성이 영랑시에서는 '상실'의 주제로 드러나 있음을 볼 수 있다.

그렇다면 이러한 경험적 시간은 시적 담론의 텍스트에서 어떻게 표상되고 변이되는가? 이는 텍스트 내에 경험적 시간으로 설정되어진 사건시와 발화시의 관계를 통해 살펴볼 수 있다. 사건시란 달리 말해 발화의 초점이 되는 화제의 시간, 즉 이야기의 시간(story time)인 반면, 발화시란 주어와 술어를 관계짓는 발화 과정의 시간, 즉 기술의 시간(writing time)이다. 그리고 이 화제와 과정의 범주적 관계에 의해 시적 담론의 시상이 다음과 같이 결정되고 그에 의해 의미론적 차이를 드러내게 된다.

- 완료 시상 : 화제의 시간 〉 과정의 시간
- 지속 시상 : 화제의 시간 〈 과정의 시간

'완료 시상'이란 발화 과정의 시간이 화자의 중심 화제가 되는 시간 내부에 존재하는 양상이며, '지속 시상'이란 과정이 화제와 동일한 범위에 걸쳐 나타나거나 화제의 범위를 초월하는 경우에 해당한다. 그리

---

17 Hans Meyerhoff, 앞의 글, 19~20쪽 참조.

고 이러한 시상은 시제를 통해 구체화되는데, 일반적으로 담론의 시제는 시시소(time deixis)와 발화동사에 의해 결정된다.[18] 이 때에 시적 담론이 나타내는 전형적인 시제는 현재 시제이며, 현재 시제는 다시 순수 현재와 현재 진행형으로 요약할 수 있다.[19] 순수 현재가 대상과 상황에 대한 표면적 수행을 의미한다면, 현재 진행형은 지속적 수행을 의미한다. 시적 담론의 시간적 특성이 현재 시제에 있다는 것은 따라서 시적 담론이 일상적 담론이나 소설적 담론처럼 완료적 수행이나 예기적 수행의 세계를 나타내는 것이 아니라, 표면적 수행과 지속적 수행의 세계를 나타냄을 뜻한다.

한편, 경험적 계기성을 기본으로 하는 화제의 시간이 발화 과정의 시간과의 관계에 의해 어떻게 변이되는가에 따라 시적 담론의 시간 유형을 사실적 시간과 낭만적 시간, 초월적 시간과 실존적 시간으로 구분[20]할 수 있다. 사실적 시간은 사건시의 계기성을 발화시가 그대로 수용하는 경우이며, 이러한 시간 유형에 의해 담론이 체계화 될 때 그 담론의 의미는 미래에 대한 신뢰를 표명하는 것으로 나타난다. 반면 낭만적 시간은 계기성을 역의 방향으로 수용하는 경우인데, 이 때의 담론적 의미는 기억의 논리로 전개되어 과거에 대한 신뢰를 드러내거나, 다양한 시간적 요소들을 통합함으로써 자기동일성을 증명하려는 낭만주의적 태도에 의해 결정된다. 초월적 시간은 사건시의 계기성을 배제한 채, 현재의 어떤 순간에서 곧바로 미래를 지향하는 상향적 시간 유형이다. 따라서 이 경우에는 순간성이 강조되며, 그 담론적 의미 역시 현재의

---

18 시시소는 발화시, 사건시, 지정시를 내포하는 개념이며, 발화동사는 수행동사, 삽입동사, 서법동사를 내포한다. (이승훈, 「한국시의 구조분석」 종로서적, 1987, 107~108쪽 참조)
19 S. K. Langer, Feeling and Form(Routledge & Kegan Paul Limited, 1967), pp. 258~279.
20 이승훈, 「문학과 시간」 이우출판사, 1983, 180~187쪽 참조.

삶에 내포된 긴장을 극복하고자 하는 초월의 의미를 띠게 된다. 마지막으로, 실존적 시간은 초월적 시간처럼 계기성을 배제하면서도 현재의 한 순간을 신뢰하는 삶의 태도이며, 이러한 시간 인식의 담론에서는 주체가 삶의 긴장이나 갈등을 극복한다기 보다는 그대로 수용한다. 김영랑의 시적 담론은 이 네 가지 시간 유형 중 특히 낭만적 시간과 초월적 시간의 유형에 의해 체계의 변이를 이루고 있음을 볼 수 있다.

2) 낭만적 시간의 지속적 현재화

영랑의 시는 주체와 화자의 자아가 일치하는 사적 시점을 취함으로써 주관성이 두드러지고, 대상성뿐만 아니라 시간성까지도 자아의 내면으로 내밀화하는 경향을 갖고 있다. 사적 시점은 필연적으로 시적 담론의 공간을 단일화하게 되며, 단일 공간에서의 순간적 느낌을 포착하여 발화를 전개해 간다. 여기서의 단일 공간은 그러므로 현실의 공간이 아니라 의식 속의 공간이며, 담론의 결합관계축을 주도하는 시간표상의 지표 역시 자아의 의식 속에서 변주하는 심리적 시간의 기호이다. 말하자면, 영랑시에서 주체의 담론적 계기·흐름·변화를 알려주는 '시간지표(temporal index)'[21]들은 서정적 자아의 정조와 밀접하게 관련을 맺고 있는 것이다. 이런 까닭에 과거나 미래를 표상하는 시간 지표까지도 현재의 시제로 발화되어지며, 그 시간 속의 존재나 대상은 객관적 대상성 보다 주체의 정서적 상태성을 강하게 드러내게 된다.

영랑시에서 강조되는 것은 무시간성과 함께 주관적 정서에 의해 실현되는 시간의 지속성이다. 「除夜」, 「내마음을 아실이」, 「모란이 피기까

---

21 Hans Meyerhoff, 앞의 글, 11쪽.

지는」 등에서도 보이듯이 영랑의 시는 의미 내용이 두드러지지 않는 대신 각 행이 환기하는 불확실하고도 환상적인 심상의 순간적인 고착에 의해 생기가 살아나는 것이다. 즉 어떤 정조의 환기로 전체적인 분위기를 고조시키고, 인상의 순간적인 고착을 통해 시의 효과를 극대화하는 '순간 지속'[22]의 특성을 보인다고 하겠다. 무시간성과 지속성이라는 경험적 시간의 두 가지 속성 중에서 지속성은 그의 사행소곡 작품들에서 특히 현저하게 나타난다. 아마도 4행이라는 짧은 시행이 순간적 경험을 형상화하는데 적절하였을 것이며, 또한 짧은 만큼 정서의 지속이 필요하였으리라 생각된다.

> 밤ㅅ사람 그립고야
> 말업시 거러가는 밤ㅅ사람 그립고야
> 보름넘은 달그리매 마음아이 서어로아
> 오랜밤을 나도혼자 밤ㅅ사람 그립고야
>
> — 「작품·14」 전문

이 시에는 시간의 지속이 나타나 있다. 지속이란 시간을 연속적 흐름으로 경험하는 것이다. 시간경험은 순간의 영속성과 변화의 다양성뿐만 아니라, 이 연속과 변화 내에 관류하는 어떤 지속성에 의해서도 특징을 가지게 된다. 시간의 흐름에 대한 경험은 의식 속에서 이루어지는 현상이며, 따라서 시에서는 정서의 지속으로 나타난다. 이 시의 시간 지표는 '밤'이라는 자연적 시간의 지정시로 단일화되어 있는 까닭에, 자연적 시간의 계기적 변화에 따라 그 상황을 묘사하고 있다고 할

---

22 최동호, 「한국현대시에 나타난 물의 심상과 의식의 연구」, 고려대 석사논문, 1981, 23쪽.

수는 없다. 오히려 밤이라는 자연적 시간에서 일어나는 주체의 순간적 느낌을 포착하여 발화하고 있는 것이다. 그럼에도 불구하고 이 시에서 시간의 지속성을 발견할 수 있는 이유는 무엇인가? 그것은 주체에 의해 부정적으로 인식되어 있는 자연적 시간이 시적 담론을 통해 긍정적 가치의 경험적 시간으로 전환되어 있기 때문일 것이다. 슈타이거가 주정적 서정시의 본질을 '회상'에서 찾았듯이, 여기에서의 밤은 자아에 의해 내면화되어 있는 회상 시간으로서의 밤인 것이고 이 회상 시간이 화자의 발화에 의해 "거러가는", "오랜밤" 등 현재 진행의 지속성으로 표상되어 있다고 할 수 있다. 순간적 시간 체험이 과거에 대한 회상적 정서를 현재화하므로써 이 시의 담론체계는 시간의 계기성으로부터 벗어나 변이되어 있는 것이며, 그리하여 "그립고야"라는 화자의 어조는 반복적이고 지속적인 주체의 상태성을 진술하고 있는 것이다. 순간적 시간 경험을 지속시키기 위해 이 시는 낱말, 구절, 문장 등을 등위적으로 병치하거나 반복하는 통사·의미론적 배려를 보이고 있는데, 이로 인해 대조·점층의 음악적인 상승 효과까지도 부수되어진다고 볼 수 있다.

> 풀우에 매져지는 이슬을 본다
> 눈섭에 아롱지는 눈물을 본다
> 풀우엔 정긔가 꿈가치 오르고
> 가삼은 간곡히 입을 버린다
>
> — 「작품·12」 전문

이 시의 담론체계는 짧은 단형으로 이루어져 있으면서도 발화의 복합성으로 인해 사건시와 발화시가 복합적으로 체계화되어 있다. 이슬이 '매져지는', 눈물이 '아롱지는', 정긔가 '꿈가치 오르'는 사건시와 그것을 바라보고 입을 벌리는 발화시는 복합적 관계를 형성하고 있으며, 또한 동일 시점으로 일치하고 있다. 이는 주체의 심리적 시간 표상으로서의 사적 시점의 결과라 할 수 있는데, 앞선 시간의 사건과 뒷선 시간의 발화가 시적 담론에서는 동시에 이루어지는 순간 체험으로 나타나고 있는 것이다. 이처럼 자연적 시간이 경험적 시간으로 전환됨으로 인해 '매져지는', '아롱지는'과 같이 현상을 현재 진행으로 인식하는 것이 가능한 것이며, 여기에서 순간 체험의 정서적 지속이 이루어지게 된다.

행	1	2	3	4
사건시 지표	매져지는	아롱지는	오르고	
발화시 지표	본다	본다		버린다
시간 변이	발화시→사건시	발화시→사건시	사건시	발화시

이처럼 시간성을 지배소로 하는 담론태에 있어서는 계열관계축의 선택적 측면, 즉 의미의 부가화가 강화된다기 보다는 결합관계축의 연쇄적 측면이 강화됨으로써 선형적 형태를 이루게 되고, 여기에서 정서의 지속적 효과를 보여주게 된다. 1행과 2행이 '～본다'로 각운을 일치시켜 반복되어 있다거나, 3행과 4행이 하나의 접속문 형태를 이루고 있다는 점이 그러하다. 따라서 각 행은 동음보의 규칙적인 반복으로 구체화되고, 전체적으로는 주기적인 일회성 속에 수렴되어 간다. 이 시의 이러한 특성은 율격적 상승에 기여하고 있을 뿐만아니라, 화자의 발화를 통해 주체의 상태성을 진술하는 효과를 보이게 된다. 4행에서의 '버린다'는 그러므로 순간에의 몰입과 그 감동으로 무심하게 입이 벌어지는 상태성을 표상하는 것이며, 순간 체험의 시간이 정서적으로 지속되고 있음을 보여주는 것이다.

김영랑의 시적 담론이 현실의 구체적인 모습을 담아내지 못했다는 주장은 그의 시적인 경험 세계의 진폭을 문제삼은 것이지만, 이처럼 의미를 증발시킬 수 밖에 없는 음악성의 快美한 인상과도 관계가 있는 지적인 것[23]이다. 즉 영랑시에 있어서의 체계 변이는 시간을 지속화하고 리듬을 상승시키기 위한 담론적 태도와 그의 정서가 어우러진 결과라 할 수 있으며, 특히 사행소곡은 영랑이 율적 성형으로 현대시의 한 가능성을 탐색해본 초기시의 두드러진 편향성을 반영하는 것이라고 판단된다.

3) 초월적 시간의 무시간적 현재화

시적 담론에 있어서 시간 변이의 또다른 양상은 '무시간성'에 있다. 무시간이란 영속하는 순간을 뜻하는데, 이런 관점에서 본다면 과거나 미래는 곧 자연적 시간으로 단절되어 있는 것이 아니라 심리적으로 영속하는 시간인 것이다. 그러므로 과거는 현재에 일어나는 '기억'이며, 미래는 현재에 일어나는 '기대'라고 할 수 있다. 담론의 발화시가 이처럼 무시간성을 띠게 되는 것은 주체가 사건시를 초월적 시간으로 인식하는 데서 가능하다. 이 경우, 주체는 현재와 미래의 관계를 계기적으로 경험하는 것이 아니라, 현재의 한 순간에서 시간성을 초월하여 곧바로 미래로 지향하고자 하는 삶의 태도를 드러내게 된다. 따라서 삶과 그 시간에 대한 초월의 의지는 인식론적으로는 주체와 객체의 대립, 존재론적으로는 자연과 초자연의 대립이라는 이원론적 태도에 의해 환기된다.

---

23 김명인, 「1930년대 시의 구조연구」, 고려대 박사학위논문, 1985, 116쪽.

내옛날 온꿈이 모조리 실리어간
하날갓 닷는데 깃븜이 사신가

고요히 사라지는 구름을 바래자
헛되나 마음가는 그곳 뿐이라

눈물을 삼키며 깃븜을 찾노란다
허공은 저리도 한업시 푸르름을

업듸여 눈물로 따우에 색이자
하날갓 닷는데 깃븜이 사신다

– 「하날갓 다은데」 전문

이 시의 담론은 '내옛날'에 대한 화자의 기억으로 시작하고 있다. '내옛날'은 시적 담론의 시간 지표이자 그 기표 자체로서도 자아와 시간의 상호 침투현상을 분명하게 보여주는 어휘이다. 따라서 이 시가 표상하고 있는 시간이 자연적 시간이 아니라 심리적 경험의 시간임을 쉽게 알 수 있다. '온꿈이 모조리 실리어간' 과거의 사건시는 화자의 발화시에 회상되므로써 시간 초월의 무시간성을 띄게 되고, 정서적으로 영속하게 된다. 그리고 자아와 시간 사이에 동적 연상을 일으키는 매개기호는 '허공'과 '구름'이다. 화자는 허공에 사라지는 구름을 바라보며 사라져 버린 자신의 꿈을 회상하게 되고, 주체의 자아와 외부세계로서의 허공은 구름의 연상작용에 의해 '꿈의 상실'과 '눈물'이라는 인과관계를 형성한다. 그러므로 꿈의 상실로 기억되는 옛날과 눈물을 삼키는 현재는 경험적 시간체계로서의 이항 대립을 일으킨다. 그리고 이러한 대립의 극복은 '꿈의 상실'을 변형시키는 것이 아니라, 그러한 시간성 자체를 거부하므로써 가능해진다. 즉 이러한 대립성을 조화하고자 하는 주체의 정서는 시간 연상의 매개기호인 구름이 떠 있는 '하늘갓'을 긍정적 가치로 상정하므로써 거기에 '깃븜'이 '사신다'고 말할 수 있는 것이다. 이는 과거의 시간을 현재의 초월적 시간으로 인식하는 심리적 시간 변이를 통해 가능한 것이며, 따라서 발화의 서술어가 '사신가', '뿐이라', '찾노란다' 등의 표면적 현재 시제로 드러나 있는 것이다.

> 승은 아까워 못견듸는양 희미해지는 꿈만 뒤조찻스나
> 끝업는지라 돌여 밝는날의 남모를 귀한보람을 품엇슬뿐
> 톳기라 사슴만 뛰여보여도 반듯이 긔려지는사나이 지낫섯느니
>
> 고흔輩의 거동이 잇슴직한 맑고트인날 해는기우는제
> 승의보람은 이루웟느냐 가엽서라 미목청수한 젊은선비
> 앞시내ㅅ물 모히는 새파란 쏘에 몸을 던지시니라
>
> ─「佛地菴抒情」 일부

이 시는 사건시, 즉 화제의 시간이 '(그밤의) 꿈 → 밝는날 → 맑고 트인날 → 해는기우는제'로 이어지는 계기성을 갖고 있는 것으로 생각될 수 있다. 그러나 주어와 서술에 관계하는 발화 과정의 시간이 '지낫섯느니', '가엽서라', '던지시니라' 등 무시간적 현재의 시제로 이루어져 있는 점에서, 이 시의 사건시는 주체에 의해 심리적으로 인식되는 경험적 시간이라 할 수 있다. 사건시의 이러한 계기성이 주체의 정서에 의해 발화되는 과정에서 자체의 시간성에서 벗어나 초월적 시간으로 변이되어 있는 것이다.

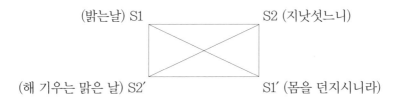

(밝는날) S1   S2 (지낫섯느니)

(해 기우는 맑은 날) S2′   S1′ (몸을 던지시니라)

S1 / S2 , S2′ / S1′ : 대립관계

S1 / S2′, S2 / S1′ : 등가적 모순관계

S1 / S1′, S2 / S2′ : 연루관계

여기에서 S_1과 S_2'는 사건시 지표로 동위소를 이루고 있으며, S_2와 S_1'는 발화시가 나타나는 동위소적 서술어이다. 그리고 사건시와 발화시는 의미론적으로 대립되어 있으며, 각 동위소 내부에는 등가적인 모순 의미가 개재하여 있다. 서정적 주체의 갈등을 표상하는 이 대립적이고 모순적인 의미가 조화를 이루기 위해서는 모순의 원인이 되는 사건시의 시간적 계기성을 부정해야만 한다. 따라서 계기성을 부정하고자 하는 주체의 담론적 의도에 의해 발화시 지표가 무시간의 현재 시제로 제시되어 있으며, 화자를 현상적으로 드러내기 보다는 함축시키므로써 시간의 초월성이 더욱 강화되어 있는 것으로 보인다. 이는 영랑시가 보편적으로 보이고 있는 순간 체험의 한 방식이라 할 수 있지만, 현상적 화자를 통해 낭만적 시간 인식을 보이던 초기시와는 달리 함축적 화자에 의해 현재의 삶이 내포하는 긴장을 극복하고자 하는 초월의 의미를 드러내고 있는 것이다. 따라서 "앞시내ㅅ물 모히는 새파란 쏘에 몸을 던지시니라"라는 마지막 발화는 죽음을 의미하는 것이 아니라 현실 극복의 초월적 의미라 할 수 있다. 김영랑의 이러한 초월적 시간 인식은 그의 후기시인 다음의 작품에서 더욱 분명하게 드러난다.

내 가슴에 毒을 찬지 오래로다

아직 아무도 害한 일 없는 새로 뽑은 毒

벗은 그 무서운 毒 그만 흩어버리라 한다

나는 그 毒이 벗도 선뜻 害할지 모른다고 위협하고,

毒 안 차고 살어도 머지않어 너 나 마주 가버리면

屢億千萬 世代가 그 뒤로 잠잣고 흘러가고

나중에 땅덩이 모지라져 모래알이 될것임을

「虛無한듸!」 독은 차서 무엇하느냐고?

― 「毒을 차고」 일부

   이 시에는 어떠한 공간적 질서도 내재되어 있지 않은 까닭에, 주체를 지키기 위한 '毒'은 공간 상실 보다는 시간 상실에 대립하는 기호라 할 수 있다. "내 가슴에 毒을 찬" 시간을 화제의 시간(사건시)이라 하고 "나는 毒을 품고 선선히 가리라"라는 발화 과정의 시간을 발화시라 할 때, 담론적 시상은 '화제 〈 과정'의 지속적 시상으로 나타난다. 그러나 여기서의 시간 지속이 현재 진행의 시제에 의해 이루어 지고 있는 것이 아니라, 무시간적 현재의 시제로 발화되는 과정에서 얻어진다는 점에서, 사건시와 발화시의 관계는 계기성에 구속되지 않은 초월적 경험의 시간으로 변이되어 있는 것이다. 즉, 가슴에 毒을 찬 주체의 정서 속에서 과거와 현재의 시간들은 한 순간의 시간 체험으로 의미화되며, 그 체험이 지향하는 시점은 현재가 아니라 미래로 표상된다. 따라서 이 시의 마지막 연 "나는 毒을 품고 선선히 가리라,/ 마금날 내 깨끗한 마음 건지기 위하야."의 의미는 단순한 피동적 죽음이나 낭만적 죽음일 수 없다. 여기에는 현실에 대한 주체의 적극적인 극복 의지가 초월적 시간 인식으로 형상화되어 있는 것이다.

4. 맺음말

김영랑의 시는 서정성의 본질을 주체와 객체, 영혼과 풍경, 내용과 형식, 시인과 독자 사이의 '간격의 부재'나 '대상의 내면화'로 규정하는 낭만주의적 서정시관에 입각해 있다. 시에서 이 간격을 메꾸어 주는 것은 '회상'이며, 이 회상이야말로 주정적 서정시 문체의 기본 특성이라 할 수 있다. 주정시의 이러한 특성은 결국 주체와 객체가 시적 자아에 의해 내면화된 담론적 양상을 보이게 되는 것이며, 아울러 기표들이 동시적 공간적으로 인식되기 보다는 연쇄적 시간적으로 인식된다는 점에서 현재적 담론주체인 독자에게 서사적 전망까지도 가능하게 하는 것이다. 또 영랑시의 담론은 주로 현상적 화자에 의해 수행되고 있음을 볼 수 있다. 이 경우 언술행위의 주체인 시인이 현상적 화자인 '나'의 목소리로 대상을 질서화하고 있기 때문에 시적 담론은 독백적 양상으로 드러나게 되고, 그로 인해 내밀화·주관화된 분위기가 형성된다. 이러한 일인칭 담론에서는 그 언술 방식이 대상에 대한 묘사보다는 상태에 대한 진술에 의존하고 있기 때문에 현상적 화자와 독자가 쉽게 동일화를 이루게 되며, 따라서 시는 독자에게 정서적이면서도 동시에 서사적으로 전달되어진다.

한편, 김영랑의 시는 시간의 이항대립과 현상적 화자의 통화 모형에 의해 상호텍스트적 관계를 형성하며 체계의 변이를 이루고 있다. 영랑시에 있어서 담론적 지배소로서의 시간성은 물론 온전한 서사양식에서처럼 순차적으로 전개되는 현실 시간이 아니라, 주체의 정조에 의해 표상되는 심리적 시간이며, 가상의 시간이다. 영랑시의 담론은 사적 시점으로 형상화되어 있으며, 역사적 시간이 심리적 시간으로 내면화되어져 있다. 따라서 영랑시는 주체에 의해 부정적 가치의 현실 시간과 긍정적 가치의 가상 시간이라는 이항대립적 시간 인식을 보여주는 언술 특성을 갖고 있다고 할 수 있다. 결국 영랑의 시적 담론을 체계화하는 발화시가 심리적 시간의 무시간적 현재화 또는 순간지향의 지속적 현재화를 거침으로써 그 변이의 양상을 드러내고 있다고 할 것이다. 또 영랑시는 주목할 만한 주제의식을 노출시키고 있지 않다는 점이 특징적이지만, 그러나 대상의 상실이 심리적 시간의 상실로 이어지고, 그 상실감이 현재 시제로 발화되어 주체의 상태성을 진술하는 영랑시 특유의 애상적 정조를 표출하고 있다는 점에서 상실, 모순, 극복, 초월의 주제적 변주를 짐작하게 한다. 즉 상실과 모순의 주제소를 통해서 비애의 정서를, 극복과 초월의 주제소를 통해서 자아의 조화와 확충 의식을 보이고 있다고 판단된다.

정지용 시의 공간체계와 텍스트 의미

1. 머리말

한국 현대시문학사에 있어서 이미지즘 운동은 정지용의 초기시에서 비롯하였으며, 이를 계기로 우리 시단도 전통 서정시의 흐름과는 변별적인 새로운 서정시의 경향성을 갖게 되었다고 볼 수 있다. 이런 점에서 1930년대 시단은 "전통지향성과 모더니티지향성의 변증법적 발전구조"[1]로 파악되기도 한다. 특히 1930년대의 모더니즘은 전통과 낭만주의 및 편내용주의에 대한 부정으로 출발한 것이며, 그들이 추구했던 모더니티 역시 이러한 전시대적 요소와의 대척점에서 찾아진다.

시에 있어서의 모더니티란 무엇인가? 이에 대한 분명한 대답을 구하기란 매우 어려운 일이지만, 프레이져는 일단 그 기준을 시의 복합성, 암시성, 반어성, 모호성 등으로 제시[2]한 바 있다. 또한 스피어즈는

---

1 김윤식, 『한국현대시론비판』, 일지사, 1975, 241쪽.
2 G. S. Fraser, The Modern Writen and His World (Kenkyusha, 1956), p. 4.

모더니즘의 기본 이념을 '단절의 원리(principle of uncontinuity)'[3]라 지적한다. 그에 의하면 단절은 '형이상학적 단절', '미학적 단절', '수사학적 단절', '시간적 단절' 등으로 나뉜다. 그리하여 그는 이러한 단절을 기본 원리로 하는 모더니즘시의 중요한 특징을 '공간적 형식(spatial form)' 즉 시간 질서의 공간화라고 요약하였다. 모더니티로서의 이러한 기준과 이념은 시적 화자의 직접적 목소리에 의해서보다는 객관적 사물을 통한 '보여주기' 수법에 의해서 더 효과적으로 구현될 수 있는 것이며, 이는 정지용의 시에 있어서도 예외가 아니었다.

'공간체계'야말로 정지용의 여러 시편들에 일관되어 있는 구조적 지배소(dominant)라 할 수 있으며, 이러한 사실은 공간기호론이 정지용 시 텍스트 분석의 유용한 방법적 틀로 작용할 수 있음을 보여준다. 지배소는 텍스트를 체계화하고 있는 각각의 층위들을 매개하여 시적 효과를 만들어내는 주도적 요소이다. 공간성을 지배소로 하는 정지용의 시는, 시간의 방향성과 통제에서 벗어난 무시간의 공간적 질서에 따라 언술 내용이 전개되고 있기 때문에, 마치 한 폭의 그림처럼 존재하고 있다. 또한 지용시는 공간체계가 수평공간의 분리와 결합 또는 수직공간의 이행이나 역전으로 의미화되어 있어서 그 텍스트 의미를 해석하기 위해서는 먼저 공간 질서의 의미론적 가치를 전제해야만 한다. 따라서 본고에서는 일차적으로 정지용 시의 공간체계에 의해 조직된 의미구조를 분석하고, 다음으로는 의미구조가 표상하고 있는 주제적 불변소를 추출하여 텍스트의 변이구조를 해석함으로써 정지용의 시정신과 미학 원리가 어떻게 상응하고 있는지를 밝히고자 한다.

---

3 M. K. Spears, Dionysus and the City ; Modernism in 20th Century Poetry, Oxford Univ. Press, 1970, p. 11.

2. 공간체계와 의미구조

정지용의 시는 공간 질서가 통사·의미론적 층위에서 시 텍스트를 체계화하는 지배소로 작용하고 있는 까닭에 음악적 효과보다는 시각적 효과를, 언어 사용에 있어서 결합관계적 연쇄보다는 계열관계적 중첩을, 주체의 정서적 상태성보다는 객관적 대상성을, 정서의 환기보다는 지성의 표출을 강화하고 있다고 보여진다. 그리고 그의 시에서의 공간 질서는 다시 공간의 분절(「유리창 1」의 경우)과 이동(「구성동」의 경우), 대립(「장수산 1」의 경우)으로 세분할 수 있다. 지배소에 의해 변별되어지는 이러한 특징적 차이는 결국 시 텍스트의 통화 모형에도 영향을 미쳐 화자가 감추어져 있거나, 허구적 화자를 내세워 주체와 화자를 분리함으로써 텍스트 자체가 하나의 대상이자 기호이게끔 의도되어 있다고 볼 수 있다.

의미란 하나의 차이이다.[4] 그리고 그러한 차이는 여러 층위의 분절에서 생겨난다. 시 텍스트에서 공간이 언어처럼 어떤 의미를 나타내는 기호로서 작용하게 되는 것은 그것이 안과 밖, 上과 下 등으로 분절되고 그러한 차이화가 음운처럼 이항 대립의 체계를 만들어내고 있기 때문이다. 이러한 대립은 하나의 텍스트에서 긍정항과 부정항의 기호체계로 나타나고, 이들에 대한 의미론적 층위는 여기에 기능하는 비정상적 혹은 이례적인 세 번째 범주인 매개항에 의해 파악된다.[5] 정지용 시에 있어서의 이항대립은 내/외 공간의 기호체계와 상/하 공간의 기호

---

4 Umberto Eco, A theory of Semiotics, Bloomington : Indiana Univ. Press, 1976, p.74.
5 E. R. Leach, "Genesis as Myth", Myth and Cosmos : Reading in Mythology and Symbolism, ed., by J. Middleton, Texas Univ. Press, 1967, pp. 33~35.
  매개항이 존재하는 중간영역, 즉 경계공간은 비정상적이고 비자연적이며 성스러운 것으로 파악되며, 전형적으로 모든 금기의 정합(focus)이 되고 제의의 정합이 되는 곳이다.

체계에 의해 극명해진다. 그러므로 양항에 관계하는 매개항의 기능[6]은 화자와 대상 사이에 기호론적 의미를 성립시키는 담론 주체의 기능과 밀접한 상관선상에 있게 된다. 시 텍스트가 이처럼 공간 분절에 의해 체계화된다는 것은 결국 담론 주체가 공간성의 대립적 가치를 인식하고 있음을 뜻한다. 따라서 주체는 서로 다른 가치로 표상되는 화자의 공간과 대상의 공간을 매개 공간에 의해 관계 짓고자 한다. 지용시에 있어서 주체와 화자는 서로 분리되어 있다. 즉 대상이나 상황을 객관적으로 묘사하는 관찰자의 자리에 화자를 위치시키거나, 허구적 화자를 내세워 주체를 대상화시킴으로써 화자와 주체의 관계를 화자와 대상의 관계로 전이시키고 있는 것이다. 주체를 전이시키는 이러한 언술 방식은 수평공간에서는 주체와 대상간의 분리 또는 결합으로, 수직공간에서는 이행 또는 역전으로 그 의미론적 변이를 이루고 있게 된다.

1) 수평공간체계와 의미의 분리·결합

정지용 시에서 수평공간체계의 대표적인 형태는 내/외 공간의 대립으로 드러나는데, 이때의 주된 매개공간으로 작용하는 기호가 '창'이라 할 수 있다. 이 외에 '문'과 '유리' 등도 내/외 공간의 매개기호로 발견되며, 이들 매개기호는 주로 양항에 분리와 결합의 기능으로 작용함이 보여진다. 이는 매개공간이 주체와 대상 사이에 분리—결합—분리의 기능

---

6 양항과의 관계에 의한 매개항의 기능은 다음과 같이 분류된다.(이사라, 『시의 기호론적 연구』, 중앙사, 1987, 110∼111쪽 참조.)
   ① 移行: 매개항이 긍정항 쪽으로 기능하거나 부정항 쪽으로 기능하는 경우.
   ② 逆轉: 매개항이 부정항에 기능하여 부정항을 긍정항으로 역전시키거나 매개항이 긍정항의 요소를 잠재하고 있다가 부정항에 기능하여 부정항을 긍정항으로 전성시키는 경우.
   ③ 分離: 매개항이 양항의 의미대립을 확고히 하는 경우.
   ④ 結合: 매개항이 양항의 의미대립을 소멸시키는 경우.

을 반복하여 전이된 의미를 생성하도록 배려된 것으로 볼 수 있다.

내어다 보니

아조 캄캄한 밤,

어험스런 뜰앞 잣나무가 자꼬 커 올라간다.

돌아서서 자리로 갔다.

나는 목이 마르다.

또, 가까히 가

유리를 입으로 쫏다.

아아, 항안에 든 金붕어처럼 갑갑하다.

별도 없다, 물도 없다. 쉬파람 부는 밤.

小蒸汽船처럼 흔들리는 窓

透明한 보라ㅅ빛 누뤼알 아,

이 알몸을 끄집어내라, 때려라, 부릇내라.

나는 熱이 오른다.

뺌은 차라리 戀情스레히

유리에 부빈다, 차디찬 입마춤을 마신다.

쓰라리, 알연히, 그싯는 音響――

머언 꽃!

都會에는 고흔 火災가 오른다.

-「유리창 2」 전문

　　이 시의 특징은 지용시에서 보기 드물게 서사적 전개를 보여준다는
점에 있다. 그리고 서사적 전개의 순서에 따라 공간체계와 매개항의 변
이가 진행된다. "내어다 보니"는 공간 대립을 암시하는 기호체계이고

그 경계 영역에 창이라는 매개공간이 존재함을 의미한다. 이 시의 매개
항은 외부공간을 긍정가로 내부공간을 부정가로 만들고 있으며, "입으
로 쫓다"에서는 새장의 창살로, "항안에 든 金붕어"에서는 어항의 유리
벽으로 변이되어 있다. 그리고 공간체계는 다시 '목이 마르다', '갑갑하
다', '열이 오르다' 등의 감정모티브와 '내어다 보다', '입으로 쫓다', '유
리에 부빈다' 등의 행위모티브에 의해 그 대립성이 강화된다. 즉 감정
모티브는 부정적 가치의 공간인 '방', '어항' 등 내부공간과의 상관선상
에 있으며, 행위모티브는 긍정적 가치의 공간인 '도회', '별', '물' 등 외
부공간의 대상을 지향한다. 결국 텍스트의 주체가 긍정가인 외부공간
의 대상에 투사되어 있으며, 부정적 공간에 존재하는 화자와 분리되어
있음으로 인해 주체의 갈등 양상이 시적 의미로 실현되어지는 것이다.

砲彈으로 뚫은듯 동그란 船窓으로
눈섭까지 부풀어 오른 水平이 엿보고,

하늘이 함폭 나려 앉어
큰악한 암닭처럼 품고 있다.

透明한 魚族이 行列하는 位置에
훗하게 차지한 나의 자리여 !

망토 깃에 솟은 귀는 소라ㅅ속 같이
소란한 無人島의 角笛을 불고--

海峽午前二時의 孤獨은 오롯한 圓光을 쓰다.

설어울리는 없는 눈물을 少女처럼 짓쟈.

나의 靑春은 나의 祖國 !
다음날 港口의 개인 날세여 !

航海는 정히 戀愛처럼 沸騰하고
이제 어드메쯤 한밤의 太陽이 피여오른다.

－「海峽」전문

이 시 역시 첫 연부터 두 개의 공간, 즉 내부와 외부의 이항대립적
코드에 의해서 시작한다. 船窓에 의해 시적 공간은 '선실/바다'로 분절
되며, "눈섭까지 부풀어 오른 水平"의 바다가 팽창과 확산의 이미지라
면, "砲彈으로 뚫은 듯 동그란" 선창을 가진 선실은 포탄처럼 응축된
내밀한 자아 공간으로서의 이미지를 갖는다. 이러한 공간 대립에 의해
서 닫혀진 내부공간의 계열체를 S_1, 이에 대립되는 외부공간의 계열체
를 S_2라 하여 의미소들을 분류하면 다음과 같다.

S_1	S_2
눈섭, 나의 자리, 망토 깃, 고 독, 청춘, 연애	수평, 하늘, 소라ㅅ속, 원광, 조국, 태양

船窓에 의한 공간 분절은 S_1, S_2의 공간적 대립소들을 생성하며, 이
들은 일차적으로 S_1은 부정가(－), S_2는 긍정가(＋)로 상정될 수 있다.
그러나 S_1, S_2의 공간적 변별성은 상반된 것끼리 서로 연결되어 하나
의 모순어법(oxymoron)을 보여준다. 이는 S_1, S_2가 매개항 '선창'에 의
해 서로 열려있기 때문이다. 즉 내부공간의 화자와 외부공간의 세계에

기능하는 선창은 공간의 결합을 매개하고 있으며, 이에 의해 양항 S1
과 S2의 의미 대립의 소멸을 가져온다. 요컨대 '선실/바다'의 공간체계
는 '출발지/기항지'이자 '조국/타향'의 부가 의미로 형상화되어 결국 청
춘과 미래의 시간적인 대응[7]으로 나타나 있지만, 그것들이 선창이란 중
간 영역의 매개항에 의해 인식되는 과정에서 서로 결합됨으로써 "한밤
의 太陽"이라는 시간적 모순어법이 출현한다. 화자의 이러한 모순어법
을 통해 시적 주체는 외부공간의 대상과 등가적 관계를 형성하게 되고,
따라서 내부공간 역시 주체와 대상의 결합이 이뤄지는 긍정적 가치체
계로 표상된다. 매개항인 '선창'을 통해 바라다 보이는 "어족이 행렬하
는" 수평의 바다는 이제 더 이상 외부공간이 아니며, 화자의 발화를 통
해 주체의 자기 인식을 경험하는 시적 공간으로서, "홋하게 차지한" 자
리이자 "고독이 오롯한 원광을 쓰는" 자아의 공간으로 의미화 하는 것
이다.

문 열자 선뜻!
먼 산이 이마에 차라.

雨水節 들어
바로 초하루 아침

새삼스레 눈이 덮인 뫼뿌리와
서늘옵고 빛난 이마받이 하다.

---

7 이어령, 「窓의 공간기호론」, 『문학사상』, 문학사상사, 1988. 4, 184쪽.

얼음 금가고 바람 새로 따르거니
흰고름 절로 향긔롭어라

웅숭거리고 살어난 양이
아아 꿈 같기에 설어라

미나리 파릇한 새순돋고
옴짓 아니 긔던 고기입이 오물거리는,

꽃 피기전 철아닌 눈에
핫옷 벗고 도루 칩고 싶어라.

—「春雪」전문

위의 시에서의 매개공간은 '문'이다. 문은 창과 마찬가지로 외부공
간과 내부공간을 분절하는 경계 영역의 공간기호이며, 동시에 내부에
서 외부로 나가고 외부에서 내부로 들어오는 연결의 통로이다. "문 열
자 선뜻!/먼 산이 이마에 차라."로 시작되는 이 시의 의미는 마치 연역
법처럼 이 첫 연에 집약되어 있다고 볼 수 있다. 왜냐하면 이 시가 바
로 내부와 외부의 경계 영역에서 출발하고 있으며, 화자의 의지에 의
해 열려진 문은 이미 단절의 기호가 아니라 결합의 통로로서의 기호이
기 때문이다. '열다'의 화자 행위와 '차다'의 촉각적 인식은 거의 동시적
인 것이며, 그 말속에는 '닫다'와 '따뜻하다'의 대립항이 잠재되어 있다.
"선뜻!"이라는 부사와 감탄부가 바로 그러한 의미의 대립과 전환을 나
타내주고 있다.

중간 영역 '문'은 공간 대립뿐만 아니라 시간 대립에까지 매개적 기

능을 수행한다. 즉 화자는 문에 의해서 내부와 외부를 동시에 체험하며, 또한 봄과 겨울이라는 현재와 과거를 동시에 감지한다. 따라서 부정적 가치체계여야 할 '눈덮인 먼 산', '얼음'과 긍정적 가치체계 '방', '봄'의 의미 대립은 매개항 '문'의 결합 기능에 의해 소멸되어 "핫옷 벗고 도루 칩고" 싶어지는 시적 자아의 정서를 보여준다. 이는 현실적 공간의 이항대립에 매개항 문이 기능함으로써, 또한 현실시간인 봄 속에 과거의 시간 겨울이 역류함으로써 시적 공간과 시간을 구축하고 있는 것이다. 따라서 이 시는 공간의 대립을 통해 시간의 전환을 표상하는 시간의 공간화가 이루어진 작품이라 할 수 있다.

2) 수직공간체계와 의미의 이행과 역전

정지용의 시 텍스트는 수평공간에서뿐만 아니라 공간의 수직적 질서에 의해서도 의미화를 이루고 있다. 지용시에서 수직적 상/하 공간체계에 속하는 매개기호로 묘사되고 있는 것은 '바람', '구름', '비', '눈', '나무', '언덕' 등이다. 이러한 상/하 공간의 매개항들은 긍정항과 부정항의 관계 속에서 의미의 이행, 역전의 기능을 담당하여 우주론적 부가의미를 표출한다. 그리고 이 우주론적 의미들이 동양의 자연관과 일치하고 있다는 점에서 주목된다. 이 경우 담론의 이데올로기 조건이 동양적 세계관으로부터 형성된 것이기에 지용시를 순전히 모더니즘의 범주로만 제한할 수 없게 된다.

돌아다 보아야 언덕 하나 없다, 솔나무 하나 떠는 풀잎 하나 없다.
해는 하늘 한 복판에 白金도가니처럼 끓고, 똥그란 바다는 이제 팽이처럼 돌아간다.

갈메기야, 갈메기야, 늬는 고양이 소리를 하는구나.

고양이가 이런데 살리야 있나, 늬는 어데서 났니? 목이야 히기도
히다, 나래도 히다, 발톱이 깨끗하다, 뛰는 고기를 문다.

한물결이 치여들때 푸른 물구비가 나려 앉을때,

갈메기야, 갈메기야, 아는듯 모르는듯 늬는 생겨났지,

내사 검은 밤ㅅ비가 섬돌우에 울때 호롱ㅅ불앞에 났다더라.

내사 어머니도 있다, 아버지도 있다, 그이들은 머리가 히시다.

나는 허리가 가는 청년이라, 내홀로 사모한이도 있다, 대추나무
꽃피는 동네다 두고 왔단다.

갈메기야, 갈메기야, 늬는 목으로 물결을 감는다, 발톱으로 민다.

물속을 든다, 솟는다, 떠돈다, 모로 날은다.

늬는 쌀을 아니 먹어도 사나? 내손이사 짓부러졌다.

水平線우에 구름이 이상하다, 돛폭에 바람이 이상하다.

팔뚝을 끼고 눈을 감었다, 바다의 외로움이 검은 넥타이 처럼 맞
어진다.

– 「갈메기」 전문

「갈메기」의 소재는 자연이다. 자연은 우주론적 축 위에 존재하며 상·
중·하의 공간체계를 포괄한다. 자연은 단지 미메시스(mimesis)에 그치
는 것이 아니라 전체의 체계 속에서 기호화된 자연으로 시적 의미의 세
미오시스(semiosis)를 이룬다. '하늘/땅', '하늘/바다'의 공간 대립이 화
자인 '나'와 '갈메기'에 의해 복합적으로 이루어져 있으며, 구름과 바람
이 매개기호로 추출된다. 이 시의 의미는 경계 영역인 공중에서의 매
개기호 '바람'의 존재유무에 따라 (−)→(+)→(−)와 같이 그 가치체계
가 이행되고 있음을 보여준다. '바다'는 열려진 공간이지만 반면에 외로

움, 죽음의 원형심상을 가지며, 여기서의 바다는 부정적 가치체계를 표상한다. 하늘은 상승과 승화의 기호로서 긍정적 가치이다. 매개기호 바람은 텍스트의 언술에 의해 바람 없음(-), 바람 있음(+)으로 나타난다. 부정적 성향의 바람(-)이 긍정적 가치인 하늘에 기능하여 부정적 가치의 하늘(-)로 전성시키게 되고 여기에서 의미의 역전이 이루어진다.

주목할 것은 이 시의 지배소인 공간체계가 복합적으로 변이되어 있다는 점이다. 즉 수직공간으로서의 상/하 대립과 이동이 화자의 공간적 질서에만 의존하고 있는 것이 아니라, 대상인 '갈메기'의 공간 질서에서도 일어나고 있는 것이다. 화자가 '하늘/땅'의 대립 속에 위치하고 있다면, 갈메기는 '하늘/바다'의 대립 속에 위치한다. 공간 체계의 이러한 이중적 대립은 주체의 위치 전환을 상정하게 되고, 이에 따라 텍스트의 의미는 역전과 이행을 이루게 된다. 여기에서 무인격적 청자인 갈메기는 화자의 대화 대상이 아니라 주체의 전이 대상이라 할 수 있다. 따라서 주체가 의도하고 있는 것은 갈메기를 통한 하방공간으로부터 상방공간으로의 승화이고, 중간 공간의 매개기호인 '구름'과 '바람'의 이상성을 인식함으로써 주체는 오히려 '검은 넥타이'같은 외로움을 느끼게 되는 것이다.

> 고향에 고향에 돌아와도
> 그리던 고향은 아니러뇨.
>
> 산꽁이 알을 품고
> 뻐꾹이 제철에 울건만,
>
> 마음은 제고향 진히지 않고

머언 港口로 떠도는 구름.

오늘도 메끝에 홀로 오르니
흰점 꽃이 인정스레 웃고,

어린 시절에 불던 풀피리 소리 아니나고
메마른 입술에 쓰디 쓰다.

고향에 고향에 돌아와도
그리던 하늘만이 높푸르구나.

　　　　　　　　　　　　　　　　　　　　　－「故鄕」 전문

　이 시 역시 상/하 공간 체계에 의해 의미화를 이루고 있다. 주체의
상태성을 표상하는 '마음'은 "머언 港口로 떠도는 구름"으로 비유되어
경계 영역의 매개기호로 작용하며, 상방공간인 하늘과 하방공간인 고향
의 땅에 기능한다. 이와 같은 공간 분절에 의해서 발견되는 이 시의 의
미구조는 그레마스의 기호론의 사각형[8]에 일치되고 있음을 보여준다.

(변하지 않은 고향) S_1　　　　　　　　　　S_2 (변한 고향)

(변한 고향의 하늘) S_2'　　　　　　　　S_1'(변함 없는 고향의 하늘)

8　김희영, 「기호학적 비평의 이론과 실제」, 『문학과 비평』창간호, 탑출판사, 1987. 141쪽.

대립항과 모순항이라는 전통적인 논리개념에서 출발한 그레마스의 사각형에 의해 이 시의 이항대립 관계는 주어진 의미소 S1과 이에 반대·대립되는 S2, S1과 S2에 각기 모순·부정되는 S1′와 S2′의 네 개의 항으로 나타나며, 이러한 의미 관계를 성립시키는 것이 매개기호인 '구름'의 기능이다. 이 시는 매개기호체계에 의해 두 가지 양상을 내포하고 있는데, 하나는 의미작용의 최소단위인 의미소들의 분류적이며 정태적인 양상, 즉 변하지 않은 고향(S1)과 변한 고향(S2)의 대립, 변함 없는 고향의 하늘(S1′)과 변한 고향의 하늘(S2′)간의 대립이다. 또 다른 하나는 한 의미소에서 다른 의미소로 넘어가는 관계들의 통사론적이며 역동적인 양상, 즉 S1과 S1′의 모순, S2와 S2′의 모순이다.

이는 긍정적 가치체계와 부정적 가치체계의 양극의 전환으로 설명된다. 즉 매개기호 '구름'의 기능에 의해 긍정항이 부정항으로, 부정항이 긍정항으로 역전되는 의미구조를 보여주는 것이다. 그러므로 "그리던 하늘만이 높푸르구나"의 통합관계적 결합이 긍정적 가치체계들의 결합이지만 그 기능은 부정적 가치체계로 표상되며, 시적 자아의 정서는 그리던 고향에서 오히려 사무치는 외로움을 느끼는 것이다.

> 내 무엇이라 이름하리 그를?
> 나의 령혼안의 고흔 불,
> 공손한 이마에 비추는 달,
> 나의 눈보다 갑진이,
> 바다에서 솟아 올라 나래 떠는 金星,
> 쪽빛 하늘에 흰꽃을 달은 高山植物,
> 나의 가지에 머믈지 않고
> 나의 나라에서도 멀다.

홀로 어여삐 스사로 한가로워-항상 머언이,

나는 사랑을 모르노라 오로지 수그릴뿐.

때없이 가슴에 두손이 염으여지며

구비 구비 돌아나간 시름의 黃昏길 우-

나-바다 이편에 남긴

그의 반 임을 고히 진히고 것노라

–「그의 반」전문

이 시는 정지용의 종교시 중의 하나이다. '나'는 지상 공간인 '나의 나라'에 존재하며, 인간 세상의 번뇌를 벗어나지 못한 부정적 의미의 기호체계이다. 반면에 '고흔 불', '달', '金星', '高山植物'은 하늘의 '달'로 수렴되는 긍정적 의미의 기호체계이다. 그리고 상/하 공간의 매개항으로 "가슴에 두손이 염으여지며"라는 감정의 매개적 기호체계가 설정되어 있다. 화자의 공간과 '그'가 존재하는 천상 공간은 화자의 '가슴'에서 매개된다. '그'는 상징적 존재이며, 화자와 '령혼'으로만 대화가 가능하기 때문이다. 따라서 이 시의 텍스트 의미는 공간과 주체의 이행에 의해서 체계화되어 있다고 할 수 있다.

지상과 천상의 합일을 추구하는 매개 공간으로서의 '가슴'과 '령혼'이 긍정적 공간인 천상을 지향함으로써 의미의 이행이 이루어지고 주체가 '그의 반'으로 전이되어 계열적 부가 의미를 획득하고 있다. 즉 인간 세상인 '시름의 黃昏길 우'에 존재하는 '나'는 천상의 세계, 영원의 세계의 상징인 '그'에의 회귀를 희구한다. 하늘과 인간을 이어주는 매개기호인 화자의 기도를 통해 주체는 대상으로 전이되며, 이러한 매개적 기능에 의해 인간 세계의 나(-)는 영원 세계의 나(+)로 구원받아진다. 따라서 '나'는 '그의 반'임을 자위한다.

한편, 정지용의 시 대부분이 함축적 화자에 의해 발화되는 데 반해 이 시는 현상적 화자 유형을 보이고 있는데, 이는 지배소의 변이와 밀접한 관계를 맺고 있다. 공간의 상/하 대립성을 표상하는 수직적 공간체계가 함축적 화자에 의해 발화되어 텍스트 의미를 구현할 때는 객관적 외부세계를 '묘사'하는데 반해, 이 시의 수직적 공간체계는 현상적으로 제시된 화자의 내면세계에서 구축되어 있다고 볼 수 있다. 이 경우 화자의 발화는 '진술'의 형식을 띠게 되고, 따라서 공간체계의 시각적 효과에 의한 객관성과 발화 형식에 의한 주관성이 혼효되어 있다고 할 수 있다.

3. 의미구조의 변이와 해석 지평

한 텍스트의 구조 모형은 다른 텍스트에서 변이의 형태로 드러나고, 변이가 갖는 의미는 문학 텍스트의 문화적, 사회적, 종족적 토대를 통해 해명될 수 있다. 문학 텍스트란 이러한 토대들을 바탕으로 하여 기호화된 메타언어로 기술되어 있기 때문이다. 지금까지 알려진 여러 기호학자들 중에서 기호 해석론에 가장 많은 관심을 보인 사람은 19세기 후반 미국의 논리학자 겸 기호학자인 퍼스(C. Peirce)이다. 그는 모든 사고는 기호들 안에 있으며, 그것은 추론을 통해 이루어진다는 것을 기본적인 가설로 삼고 있다. 그에 의하면 기호의 본질적 성격인 기호활동은 표현체(representamen)로서의 기호 자체, 대상(object), 해석소(interpretant)간의 상호작용으로 규정되어진다.[9] 다시 말해 언어와 세

---

9 J. K. Sheriff, The Fate of Meaning, Princeton Univ. Press, 1989. p. 53.

계와 인간 체험은 삼부체 기호로 결합되어 있다는 것이다. 여기에서 언어기호에 대한 개별적인 체험 내용을 해석소라 한다면, 그 체험의 방식은 해석의 토대(ground)라 할 수 있다. 따라서 해석소는 그라운드 내에서 역동적으로 움직인다.

한편, 퍼스의 이론을 계승한 모리스(C. Moris)는 기호활동의 세 국면을 통사론적 국면, 의미론적 국면, 화용론적 국면으로 보고 있다. 이처럼 기호활동을 화용론적 국면으로까지 확장시킨 것은 문학 텍스트역시 일종의 의사소통체계임을, 아울러 거기에 내재해 있는 주체의 의도성에 의해 해석소 또는 해석의 토대가 결정됨을 인식한 것으로 보인다. 본 논문에서는 주체의 이러한 의도성을 주제의식이라는 차원에서수용하고자 한다. 의도성이 상호텍스트적 관계 속에 일관되어 있을 때,그 상호텍스트성은 그라운드 즉 해석의 토대인 것이고 일관된 의도성은 해석자에게 하나의 해석소로 작용하기 때문이다. 그러므로 정지용시의 해석 지평은 주제적 불변소가 공간체계와 의미구조 안에서 역동적으로 구현하는 기호학적 의미를 추출하는 작업에 의해 결정된다 하겠다. 의미의 통일성이 곧 주제이며, 이러한 주제의 변주에 의해서 한시인의 시세계가 파악되기 때문이다. 본 장에서는 앞서 행했던 공간체계와 의미구조 분석의 결과를 토대로 정지용 시의 주제적 불변소를 상실·불화·승화·화해로 명명하고 이의 변주에 의한 해석 지평을 제시하려한다.

1) 상실·불화의 주제와 갈등의식

일반적으로 상실과 불화의 주제는 정지용의 초기시라 할 수 있는『정지용시집』수록 작품들에 집중되어 나타난다. "삼십년대 한국시의 두드러진 문학적 징후의 하나는 대부분의 시인들이 극심한 고향상실감에 젖어 있다는 것"[10]이라는 지적이 정지용의 시에서도 예외 없이 적용되는 것이다.

> 나는 子爵의 아들도 아모것도 아니란다.
> 남달리 손이 히여서 슬프구나!
>
> 나는 나라도 집도 없단다
> 大理石 테이블에 닷는 내뺌이 슬프구나!
>
> 오오, 異國種강아지야
> 내발을 빨아다오.
> 내발을 빨아다오.
>
> — 「카페 프란스」 일부

이 시는 공통성의 계열과 최후 명제에 의해 조직된 텍스트이다.[11] 이러한 조직에 의해서 텍스트 해석을 위한 구조적 기대가 형성되며 또한 구체적 주제의 불변소들이 보편적 주제로 통합된다. 즉 이 시의 구체적 주제인 '슬픔'은 보편적 주제 '상실'의 변주라고 보여지는 것이다. 이러한 변주가 가능한 것은 '子爵의 아들도 아무것도 아님'과 "슬프구나!"

---

10 김종철, 「시와 역사적 상상력」 (문학과 지성사, 1978), 11쪽.
11 J. Culler, 앞의 글, 170〜174쪽.
    구조적 기대를 충족시키는 모형으로 ①이원적 대립 ②이원적 대립의 변증법적 해결 ③해결되지않는 대립을 제 3의 명제로 환치함 ④명제의 상사성에 의한 계열 ⑤공통적 지시어에 의한 계열 ⑥최후의 명제로 요약되는 계열 ⑦최후의 명제를 초월하는 계열의 일곱가지를 제시한다. 시를 구조적으로 읽는 다는 것은 이상 일곱가지 모형 가운데 어느 하나에 따라 텍스트를 조직한다는 사실을 의미한다.

의 대비, '나라도 집도 없음'과 "슬프구나!"의 대비 때문이다. 기쁨과 슬픔의 대비를 구조적 원리로 하여 상사적인 계열을 형성하는 것이지만, 그렇기 때문에 최후 명제는 일상적 의미가 아니라 시적 의미로 울려오는 것이다. 이 시에서의 상실의 주제는 "나는 나라도 집도 없단다"에서 간결하면서도 밀도있게 나타난다. 이렇듯 자신이 망국인이라는 갈등의식은 "남달리 손이 히여서 슬프구나"에서처럼 白手의 인텔리의 무력감으로 나타나기도 하고 "오오, 異國種강아지야/ 내발을 빨아다오/ 내발을 빨아다오"에서와 같이 자학적인 몸짓을 동반하기도 한다. 정지용 시의 짙은 슬픔이나 실향의식은 상실한 본래의 자아와 세계에 대한 그 통시적 동일성에 대한 동경이며, 여기에서 발생하는 갈등의 통합체인 것이다.

> 알는 피에로의 설음과
> 첫길에 고달픈
> 靑제비의 푸념 겨운 지줄댐과,
> 꾀집어 아즉 붉어 오르는
> 피에 맺혀,
> 비날리는 異國거리를
> 歎息하며 헤매노라.
>
> 조약돌 도글 도글……
> 그는 나의 魂의 조각 이러뇨.
>
> —「조약돌」일부

이 시 역시 상실의 주제에 의해 형상화되어 있다. "피에로의 설음",

"靑제비의 푸념 겨운 지줄댐"은 공통성에 의한 계열체적 동위소로서 '슬픔'이라는 구조적 기대를 가능케 한다. 이는 통사론적으로는 병치이며 의미론적으로는 등가이다. 이런 공통성의 계열체가 최후 명제 "조약돌 도글 도글……/그는 나의 魂의 조각이러뇨"를 요약함으로써 의미의 통일성을 획득하고 있으며, 여기에서 '상실'의 주제적 변주가 보여지는 것이다. 즉 "조약돌 도글 도글…"은 상실 과정의 기호 체계인 것이며 "나의 魂의 조각"은 상실 대상의 기호체계이다. 이러한 통일성의 구조적 원리에 의해 최후 명제는 시적 의미를 표출하는 것이다.

「카페 프란스」가 외면세계의 상실에 의한 갈등이라면 「조약돌」은 내면세계의 상실에 의한 갈등이다. 따라서 정지용 시에 있어서의 상실은 내면적인 것과 외면적인 것이 복합적으로 작용하고 있다고 보인다. 한편 정지용 시의 갈등의식은 '불화'의 주제에 의해서도 찾아진다.

〈悲劇〉의 힌얼골을 뵈인적이 있느냐?
그손님의 얼골은 실로 美하니라.
검은 홋에 가리워 오는 이 高貴한 尋訪에 사람들은 부질없이 唐慌
한다.
실상 그가 남기고 간 자최가 얼마나 좁그럽기에
오랜 後日에야 平和와 슬픔과 사랑의 선물을 두고간줄을 알았다.

ㅡ「悲劇」일부

이 시는 '비극'에 의해서 불화의 주제를 보여준다. 비극은 '힌얼골/검은 옷'의 대립, '평화/슬픔, 사랑'의 대립으로 형상화되어 있다. 이러한 의미론적 대립은 곧 불화의 주제적 변주인 것이며 의미구조에 전체적 통일성을 부여한다. 또한 이 시의 전반부와 후반부가 등가적 의미로 대응된다는 점에서 구조적 기대를 만족시키고 있다고 보여지며, 그것은 이 시가 드러내고 있는 갈등의식이라 할 수 있다. 즉 이 시의 화자는 비극에 의한 고통을 '사랑의 선물'이라는 긍정적 가치체계로 기호화하고 있지만, 그것이 의미의 역전을 전제로 한 모순어법이라는 점에서 불화의 주제로 분류될 수 있는 것이다.

한밤에 壁時計는 不吉한 啄木鳥!
나의 腦髓를 미신바늘처럼 쫏다.

일어나 쫑알거리는 〈時間〉을 비틀어 죽이다.
殘忍한 理智는 그대로 齒車를 돌리다.

나의 생활은 일절 憤怒를 잊었노라.
琉璃안에 설레는 검은 곰 인양 하품하다.

− 「時計를 죽임」 일부

이 시의 주제는 닫혀진 공간에서의 불안의식으로 볼 수 있다. 1연과 2연은 행위의 주체에 의해 극명한 대립을 보여준다. 이는 화자와 시간의 대립이며, 이를 통해 시대 상황에 적응하지 못한 자아의 불안과 갈등을 관념적으로 기호화하고 있는 것이다. 또한 통사론적 대칭과 의미론적 대립의 병행은 이 시의 갈등의식을 더욱 심화하는 표현의장으로서, 3·4연의 대구와 함께 불화의 주제에 의해 수행되는 구조적 통일성을 보여준다.

이와 같은 상실·불화의 주제를 형상화하고 있는 시편들에는 몇 가지 특징적인 점들이 발견된다. 첫째는 '바다'를 제재로 한 작품들이 많다는 점인데,[12] 열려있는 수평공간인 바다가 폐쇄적인 내면 공간과 대비된다는 점에서 갈등의식을 투사하는 적합한 대상으로 선택하였으리라 생각된다. 둘째는 동적인 율조와 이국적인 정조가 지배적이라는 점이다. 이는 바다의 시편들이 갖는 특징과도 일치하는 것으로, 공간 구조에 의한 시각화와 다양한 이미지를 내포한다. 이러한 표현의장들은 상실과 불화의 갈등의식을 더욱 역동적으로 만들어 전경화시키는데 기여하는 것이다. 그러므로 정지용의 초기시(특히 바다의 시)를 대상으로 기호학적 의미 분석에 의한 주제 추출의 구조적 해석이 병행될 때, 그 기교적인 면만 다루어 이미지즘의 감각시나 사물시로 평가해왔던 종래의 입장들은 발전적으로 수정될 수 있을 것이다.

2) 승화·화해의 주제와 동일성 추구

승화·화해의 주제는 정지용의 종교시와 『백록담』에 실린 작품에서 우세하게 나타난다. 승화의 세계는 구원의 세계이며, 화해의 세계는 곧 조화의 세계이다. 지용시에 나타난 갈등의식의 주제들은 종교시 과정과 후기시로 넘어오면서 구원과 조화의 주제들로 전환된다.

> 聖主 예수의 쓰신 圓光!
> 나의 령혼에 七色의 무지개를 심으시라.
>
> 나의 평생이오 나종인 괴롬!

---

12 바다를 제재로 한 시는 초기시라 할 수 있는 『정지용시집』에 22편이 있으며 후기시인 『백록담』에는 바다의 시가 「船醉」 한편인 반면, 산을 제재로 한 시는 22편이 있다.

사랑의 白金도가니에 불이 되라.

달고 달으신 聖母의 일흠 불으기에
나의 입슬을 타게하라.

— 「臨終」 일부

　'미사의 黃燭불'과 '聖主의 圓光'과 화자의 '괴로움'을 동위소로 일치
시킴으로써 신앙의 다짐을 되뇌고 있는 이 시의 주제는 현세의 번뇌에
대한 승화라고 볼 수 있다. 이 시는 그러나 그 기도 자체가 자기 폐쇄
적이라는 점에서 기독교적 사랑이 심화되지 못하였다는 한계를 지닌
다. 종교적 정신, 신앙심이 형상화되기 위해서는 외부로의 확산이라는
또 다른 과정이 필요한 것이다.

　한편 정지용의 종교시에는 지시적 언어가 많이 보인다. 이는 초기시
에서 보이던 메타언어(metalingual)에 의한 전경화와 전언 자체를 지
향하는 시적 기능이 축소되어버린 단점으로 지적될 수 있다. 따라서 승
화의 주제가 시적 변주를 갖지 못한 채 종교적 주제로만 남아있는 부정
적 측면을 보여주는 것이다. 이러한 점은 갈등의 삶을 외면한 데서 기
인한 것으로, 보편적인 영원성을 다루면서도 그의 종교시가 보편성을
획득하지 못한 주된 원인이 되고 있다. 내용뿐만 아니라 시의 형식에서
도 이러한 단점이 도출되는데, 비유된 보조관념의 의도적인 작위성[13]과
감탄사 및 자기 다짐의 목소리가 강하게 드러나고 있는 점들이 그러하
다.

蓮닢에서 연닢내가 아듯이
그는 蓮닢 냄새가 난다.

海峽을 넘어 옮겨다 심어도
푸르리라, 海峽이 푸르듯이.

불시로 상긔되는 뺨이
성이 가시다, 꽃이 스사로 괴롭듯.

눈물을 오래 어리우지 않는다.
輪轉機 앞에서 天使처럼 바쁘다.

- 「파라솔」 일부

　이 시는 앞의 「臨終」에서와는 다르게 승화의 주제가 정제되어 있음
을 볼 수 있다. 화자가 처한 갈등의 현실은 "벅찬 호수", "포효하는 검
은 밤"으로 나타나고, 이에 대응하는 사물화된 '그'는 파라솔의 살대가
퍼져가듯 각각의 이미지들로 기호화되어 있다. '연잎', '해협', '꽃', '윤
전기', '천사' 등의 언뜻 잘 조화되지 않는 이미지들의 병치가 그것이다.
그러나 첫 연에 나타난 진흙 속에서도 더럽혀지지 않는 연잎의 고상한
자태는 구겨지거나 젖지 않는 마지막 연의 파라솔과 연결되면서 하나
의 통일된 이미지를 형성하게 된다. "언제든지 파라솔 같이 펴기 위하
야-"는 영원성을 의미하며, 승화의 주제가 요약된 최후 명제로서 시적
자아의 동일성 추구 의식이 드러나 있는 것이다.
　다음으로, 화해의 주제는 '바다'의 시나 종교시에서보다 '산'을 제재
로 한 작품에서 주로 표출된다. 앞서 살펴 본 대로 정지용의 초기시가

'바다'를 제재로 한 갈등의식의 통합체로서 대개 동적인 세계를 형상화하였으며 이국정조를 띤 것이 많았던 반면, 후기시는 '산'을 중심으로 하여 동양적 서정을 통한 정적인 세계를 드러내었다. 이와 같은 제재의 전환은 주제의 변이와 밀접한 상관선상에 있게 된다. 즉 바다가 열려진 공간, 수평공간이라면 산은 닫혀진 공간, 수직공간으로서 천상과 지상의 매개 기능을 담당한다. 따라서 산을 제재로 한 작품들은 자아와 세계의 화해를 주제로 한 동일성 추구의 세계를 지향한다.

> 絶頂에 가까울 수록 뻑국채 꽃키가 점점 消耗된다. 한마루 오르면 허리가 슬어지고 다시 한마루 우에서 목아지가 없고 나종에는 얼골만 갸옷 내다몬다. 花紋처럼 版박힌다. 바람이 차기가 咸鏡道끝과 맞서는데서 뻑국채 키는 아조 없어지고도 八月한철엔 흩어진 聖辰처럼 爛漫하다. 山그림자 어둑어둑하면 그러지 않어도 뻑국채 꽃밭에서 별들이 켜든다. 테자리에서 별이 옮긴다. 나는 여긔서 기진했다.
>
> — 「백록담」 일부

이 시에서의 구조적 대립과 통합은 지시물인 '뻑국채 꽃키'와 화자에 의해 수행된다. 화자와 꽃이 대조적인 양상으로 나타나고 그것이 자연과의 갈등을 드러내는 것처럼 보인다.[14] 이는 동사에 의한 통사론적 반복을 통해 구체화되는데, 이러한 반복이 의미의 점층과 점강을 가져옴으로써 대립적 의미를 더욱 심화시키게 된다. '나'의 상승과 '꽃'의 소멸은 동시적이다. 육체의 공간적 상승과 더불어 꽃의 소멸을 보는 것은, 꽃이 자아의 전경화된 기호체계이기에 가능한 것이다. 그러므로 자

---

14 송효섭, 「〈백록담〉의 구조와 서정」, 김학동 외 공저 『정지용연구』, 새문사, 1988, 57쪽.

아와 '빽국채 꽃키'는 공통성의 계열에 의한 구조적 모형을 이루면서 최후 명제 "제자리에서 별이 옮긴다. 나는 여긔서 기진했다."와의 결합에 의해 의미의 통일성을 기하게 된다. 여기에서 자아와 자연과의 화해라는 보편적 주제가 추출되며, 자연회귀에 의해 자아와 세계의 동일성을 추구하려는 텍스트 의미가 드러나는 것이다.

> 시기지 않은 일이 서들러 하고 싶기에 煖爐에 싱싱한 물푸레 갈어
> 지피고 燈皮 호호 닦어 끼우어 심지 튀기니 불꽃이 새록돋다 미리 떼
> 고 걸고보니 칼렌다 이튿날 날자가 미리 붉다 ─(중략)─서툴리 붙어있
> 는 이 自在畵 한 幅은 활 활 불피여 담기여 있는 이상스런 季節이 몹
> 시 부러웁다 날개가 찢여진채 검은 눈을 잔나비처럼 뜨지나 않을가
> 무섭어라 구름이 다시 유리에 바위처럼 부서지며 별도 휩쓸려 나려가
> 山아래 어늰 마을우에 총총하뇨 白樺숲 희부옇게 어정거리는 絕頂 부
> 유스름하기 黃昏같은 밤.
>
> ─「나븨」 전문

이 시 역시 불화와 화해의 주제가 변주되어 있다. 화해는 항상 불화와 대립항으로 존재하는데, 이 시의 경우 이러한 주제적 변주는 수평적인 체계가 수직적인 체계로 바뀌는 공간의 변이구조에 의해 실현되고 있다. 그리고 이러한 공간은 자연적인 계절이나 시간에 의존하는 것이 아니라 시인의 자율적인 의지가 투영된 기호화된 공간이라 볼 수 있다. '난로', '등피', '칼렌더'와 같은 것들이 방안이라는 내부공간을 만드는 기호들이라면, 그것들과 이항관계를 나타내는 바깥의 기호를 대표하는 것이 '나비'라고 할 것이다. 이는 '가을'이면서도 차가운 겨울같은 외부세계의 암담한 현실 속에 존재하는 화자의 모습(나비)과 상대적으로 따

뜻한 방으로 제시되는 현실 회피의 내면세계로 침잠하는 자아 사이의 갈등의식이며 불화의 주제이다.

그러나 이 시 전체가 내포하고 있는 구조적 기대는 내/외 공간의 분절에 의한 불화의 차원에만 그치는 것이 아니라 동일성에 대한 지향, 즉 화해로의 주제적 변주를 불러일으킨다. 이는 공간의 수직적 체계에 의해 가능하다. 나비는 안과 밖을 차이화하는 기호로서만 작용하고 있는 것이 아니라 수직의 높이를 나타내는 변별적 특징으로써 경계 영역인 공중에 존재한다. 또한 화자가 존재하는 '산장' 역시 상방공간과 하방공간의 중간 경계를 이루면서 구름과 별을 향해 상승하고 있는 내면 공간이다. "구름이 다시 유리에 바위처럼 부서지며 별도 휩쓸려 나려가 산아래 여닌 마을 우에 총총하뇨"에서처럼 산장의 방은 하늘과 별과 동일시되며, 자아와 세계는 가을비에도 젖지 않고 겨울 공간에도 나래를 펴는 이상한 계절의 나비로 화해되는 것이다.

이상과 같이 승화의 주제가 정지용의 종교시에서 두드러진 반면 화해의 주제는 그의 후기시인 산을 제재로 한 작품에서 주축을 이룬다. 이는 정지용의 시세계에 대한 지금까지의 대부분의 연구들이 지적한 바와 같이 바다-신앙-산으로의 제재적 전환과 병행한다. 초기시가 이미지즘이라고 불려지기도 하는 세련된 언어 구사와 함께 갈등의식을 형상화하였다면, 종교시는 승화의 주제가 관념적 신앙의 정제되지 못한 묘사에 의해 비보편적인 한계를 갖고 있으며, 후기의 화해의 시는 동일성 추구의 방향을 자연 회귀에 둠으로써 동양적 세계관을 보여준다고 하겠다.

4. 맺음말

이 글에서 필자는 정지용의 시를 텍스트로 하여 공간체계가 어떻게 시적 의미를 표상하고 있는가, 그리고 의미구조의 변이를 통해 한 시인의 시 텍스트를 어떻게 해석할 수 있는가에 대해 기호론의 입장에서 분석하고 검토하여 왔다. 이러한 분석 및 해석이 모더니스트이자 동양적 세계관의 시인이었던 정지용의 시적 본질을 구명하는데 나름대로의 의의를 가질 수 있기를 기대하며, 지금까지의 논의들을 정리하면 다음과 같다.

정지용 시의 구조적 지배소는 '공간성'이라 할 수 있으며, 주체의 공간적 위치에 의해 텍스트 체계의 변이가 이루어져 있음을 볼 수 있다. 시 텍스트가 이처럼 공간 분절과 주체의 위치에 의해 체계화된다는 것은 결국 담론 주체가 공간성의 대립적 가치를 인식하고 있음을 뜻한다. 공간기호체계와 주체의 위치를 통해 시적 의미화를 의도하고 있는 담론 방식으로 인해, 정지용의 시는 지배소가 수평공간인 시 텍스트에서는 주체와 대상간의 분리 또는 결합으로, 수직공간인 경우에는 주체의 전이에 의한 이행 또는 역전으로 그 의미론적 변이를 이루고 있다고 하겠다.

다음으로, 해석소와 주제적 불변소의 개념을 도입하여 의미구조의 변이와 그 해석 지평을 제시하였다. 한 시인의 여러 작품을 상호텍스트성의 관계로 연결짓는 유용한 코드 중의 하나가 텍스트 의미의 일관성을 담보하고 있는 주제적 불변소이기 때문이다. 그 결과, 초기시와 바다를 제재로 한 시에서는 주로 상실·불화의 주제가 내/외 공간의 분절로 체계화되어 주체의 갈등의식을 강하게 표상하고 있음이 드러난다.

한편, 후기시와 종교시에서는 승화·화해의 주제를 통해 상/하 공간의 대립을 극복하고자 하며, 절대에의 귀의, 자연에의 회귀에 의해 자아와 세계의 동일성을 추구하고 있음이 보인다. 이는 정지용의 시가 '바다→신앙→산'의 제재적 전환을 갖는다는 점과도 상통하는 것으로, 후기시로 갈수록 동양적 세계관을 보여준다고 할 수 있다.

『오감도』의 작시 논리와 텍스트 의미

1. 머리말

한국 현대시문학사에서 李箱만큼 끊임없이 비평적 쟁점을 제공해온 시인을 찾기는 어렵다. 李箱과 그의 시는 우리 현대문학 70년사에서 가장 풀기 어려운 수수께끼였던 셈이다. 그는 28세의 젊은 나이로 요절한 비극적인 천재 시인이었으며, 최초의 다다이스트이자 전통 시단의 이단아였다. 이상은 그의 문학적 재주와 성과가 언어의 유희나 숫자의 장난에 불과한 것인지, 아니면 전통 문법을 초월한 상징과 은유의 의미를 갖는 것인지를 수수께끼처럼 우리에게 남겨두고 떠나버렸다.

흔히, 李箱의 시적 세계는 불안과 공포의 세계이며, 그 불안과 공포가 독해의 난해성을 초래하였다고 말해진다. 『오감도』를 "공포의 기록"[1]이라거나, 李箱 문학의 근저에 "만인의 신이 있다고 믿었던 19세기에서 자신만의 신을 찾아야 했던 20세기 모던 시대, 자기 나라를 빼앗

---

1   김윤식, 「이상 문학과 지방성 극복의 과제」, 『문학사상』 300호, 문학사상사, 1997. 10, 110쪽.

기고 남의 나라 지배를 받아야 했던 식민 시대, 자기 부모를 떠나 큰아버지 집에서 큰어머니의 냉대를 받아야 했던 이질감"[2]이 자리하고 있다는 견해들은 아마도 모든 연구자들이 동의해온 李箱 시에 대한 보편적 결론일 것이다. 그러나 결론에 이르는 과정, 즉 李箱의 시 텍스트에 대한 분석과 해석은 연구자에 따라 전혀 다른 양상을 보이거나, 혹은 상충되기까지 한다. 이러한 요인은 李箱의 시가 수학과 건축학의 원리를 시인의 자의식과 결합시키고 있을 뿐만 아니라, 당대를 풍미했던 다다이즘, 쉬르리얼리즘, 모더니즘 등의 영향성을 고스란히 담보하여 난해한 수수께끼처럼 구성되어 있기 때문이라 생각된다.

문학 텍스트에 대한 비평적 접근은 해석과 평가를 근간으로 삼는다. 그러나 고도의 문학적 해석과 평가가 텍스트 수용의 가장 본질적이고 최종적인 단계임에는 틀림없지만, 한편으로는 텍스트 자체의 의미에서 가장 멀어지는 단계일 수도 있음을 간과해서는 안 된다. 따라서 필자는 李箱 시에 대한 도구적 해석보다는, 작시 논리에 초점을 두고 시적 기호체계를 분석함으로써 그 본질에 접근하고자 한다. 이는 李箱의 시, 특히 그의 시적 정수로 평가받는 『오감도』가 언어기호의 기의에 우선하여 기표 중심의 텍스트로 구성되어 있다는 나름대로의 판단에 근거한다. 따라서 이 글은 이러한 분석과 아울러 라캉의 정신분석이론에 근거한 해석적 의미를 도출하는 방향으로 전개될 것이다.

2 권택영, 「투영된 자아를 통한 고백」, 위의 책, 147쪽.

2. '오감도'의 의미와 아나그램 기법

「오감도」는 1934년 〈조선중앙일보〉에 7월 24일부터 8월 8일까지 연재하다 독자들의 비난에 의해 중단된 총 15편의 연작시 표제이다. 이 시편들의 작시 논리와 텍스트 의미를 본격적으로 논하기 전에, 우리는 李箱이 왜 '鳥瞰圖'가 아니라 '烏瞰圖'를 시제로 취했는가하는 해묵은, 그러나 본질적인 문제에 대해 다시 한번 생각해 볼 필요가 있다. 이 문제에 대한 해명이야말로 「오감도」의 본질을 이해하는데 중요한 시사점을 제공하기 때문이다.

이에 대해 이승훈은 이어령의 견해를 빌어 '烏瞰圖'란 까마귀와 같은 눈으로 인간들의 삶을 굽어본다는 뜻이라 하여, 암울하고 불길한 까마귀를 통해 부정적인 생의 조감을 예시하는 시적 분위기를 나타내려는 의도로 해석하고 있다.[3] 그러나 이러한 견해는 李箱 시의 텍스트체계를 근거로 하여 도출된 해석이라기보다는 '烏'자의 뜻, 즉 기의에 대한 선입견이 작용한 해석이라 생각된다. 왜냐하면 텍스트『오감도』가 드러내는 의미는 전체적인 체계에 의해서 조직되어 있으며 문자나 숫자, 더 나아가 문장의 의미까지도 해체되어 있다고 보이기 때문이다.

반면, 김윤식과 이정호의 '烏瞰圖'에 대한 설명은 '까마귀'라는 기의를 전제하지 않고, 획수 하나를 빼낸 기호의 왜곡 형태로 본다는 점에서 앞의 견해와 그 맥을 달리하고 있다. 김윤식은 '鳥瞰圖'가 총천연색의 세계라면 '烏瞰圖'는 1획을 제거하여 추상화한 흑백의 세계임을 주장하고 있으며,[4] 이정호는 이상이 새 조(鳥)자와 까마귀 오(烏)자 사이

---

3 이승훈 편, 『李箱문학전집1』, 문학사상사, 1989, 18쪽.
4 김윤식, 앞의 글, 107쪽.

의 기표로서의 차이를 보이면서 이 시의 제목을 통해 "시인인 작가가 의미를 부여하는 것이 아니라 독자가 의미를 찾으라는 폭탄 선언"[5]이라고 말한다. 『오감도』의 제목이 글자의 의미를 떠나 기표를 왜곡시킨 형태로 붙여졌다는 이들의 주장은 상당한 설득력을 갖는다. 이러한 현상은 이상의 시 텍스트 내에서도 수시로 보여지고 있기 때문이다.[6] 그럼에도 불구하고 이들의 설명에는 어딘지 미흡함이 남아 있다. 그것은 이들의 논의 과정 어디에도 기표 왜곡의 동기에 대한 구체적인 설명이 전제되어 있지 않기 때문일 것이다.

이에 필자는 李箱이 '鳥'를 '烏'로 변형시킨 동기를 이 글자들이 원래 상형문자로서의 기표였다는 점에서 찾고자 한다. 새가 나는 모습을 상형한 '鳥'자에서 의도적으로 탈각된 부분은 새의 눈동자에 해당한다. 그렇다면 '烏'는 눈동자가 없는 새, 즉 '눈먼 새'가 된다. 결국 『오감도』에서의 '烏'는 본래의 기표라기보다는 변형된 기표인 것이며, 따라서 그 기의 역시 '까마귀'라는 본래의 기의보다 '눈먼 새'라는 변형된 기의로 해석되어야만 마땅할 것이다. 앞을 보지 못해 날아야 할 방향을 잃어버린 눈먼 새에게 세상은 어떤 모습으로 인식될까? 그것은 그야말로 암흑천지일 것이며, 불안과 공포의 대상일 것이다. 이는 『莊子』山木篇의 한 구절을 차용해서 쓴 「시제5호」 2행 "翼殷不逝 目不大覩(날개가 커도 날지 못하고 눈이 커도 볼 수 없다)"를 통해서뿐만 아니라, 李箱이 직접 쓴 권두언의 다음의 말에서도 분명하게 시사되고 있음을 발견할 수 있다.

---

5   이정호, 「〈오감도〉에 나타난 기호의 이상한 질주」, 『문학사상』, 300호, 문학사상사, 1997. 10. 170쪽.
6   「시제4호」에서 숫자판을 뒤집어 놓은 것이나, 「시제5호」에서 『莊子』의 '翼殷不逝 目大不覩'의 한 구절을 '目不大覩'로, 「街外街傳」에서 '奢侈'를 '侈奢'로 바꾸어 놓은 것 등은 모두 기표의 왜곡에 해당한다. 이상의 이러한 수법을 조남현은 「실험과 모순의 텍스트, 그 안팎」(『문학사상』, 300호)에서 '아나그램 (anagram)을 통한 기교 부리기'로 명명한 바 있다.

더듬거리면서 겨우 여기까지 왔네 그려. 이렇게 캄캄해서야. 이젠 아주 글렀네. 무서워서 한 발자국인들 내놓을 수 있겠는가?[7]

이런 하소연처럼, 세상을 온전하게 바라보지 못하는 눈은 결국 자의식의 세계만을 바라보게 될 것이고, 그러기에 그 자의식 세계의 조감도는 비틀리고 뒤집히고 색채와 질감을 잃어버린 채, 마치 暗射地圖와 같이 선과 면과 무수한 기호의 '오감도'로 그려질 수밖에 없지 않겠는가. 필자는 李箱의 이러한 상상력이 건축학이나 시각예술에 대한 그의 지식과 만난 지점에서 우리가 그토록 난해하게 여기는 『오감도』의 작시 논리와 의미 해석의 비밀을 찾고자 하는 것이다.

시의 제목에 담겨져 있는 이와 같은 창작 의도를 전제하고 『오감도』 총 15편의 텍스트를 검토해 보면, 제1호에서 제8호까지 8편은 기표 왜곡의 아나그램(anagram), 즉 글자 수수께끼의 기법이 그 작시 논리로 작용하고 있음을 뚜렷하게 확인할 수 있다. 李箱의 문학적 글쓰기에 대해 조남현은 「종생기」를 분석하는 자리에서 '아나그램을 통한 기교 부리기'라 하여, 진실한 기록보다는 멋진 기록으로 남기기 위해 여러 가지 기교를 구사하였다고 평가한 바 있지만[8], 필자는 『오감도』를 체계화하고 있는 아나그램에 의한 담론 방식이 기교 이상의 구성원리이자 시적 의미를 형성하는 핵심 의미자질로 작용하고 있다는 점에 주목할 필요가 있다고 본다.

우리가 익히 알고 있다시피 『오감도』의 텍스트체계는 전통적인 시

7   김윤식 편, 『李箱문학전집3』, 문학사상사, 1989, 203쪽.
8   조남현, 앞의 글, 143쪽.

창작 방법으로부터 완전히 벗어나 있다. 즉, 여타의 시에서 은유적 이미지를 형성해 내는 유사성의 원리는 물론이려니와, 역설(paradox)과 반어(irony)적 의미를 유추케 하는 상반성의 원리도 찾아보기 어렵다. 여기에는 오직 기호적 논리에 의한 대칭과 병치, 나열만이 있을 뿐이며, 이러한 기호들을 시각적으로 조합하여 구도적 의미를 파생시키고 있는 것이 『오감도』이다. 그러므로 『오감도』의 시적 의미는 그 기호들로 구도화된 텍스트체계 속에서 부유하고 있는 것이며, 육체의 눈이 아니라 자의식의 눈으로 그려낸 시각예술이란 점이 바로『오감도』의 텍스트성(textuality)이라 할 수 있겠다.

> 13人의兒孩가道路로疾走하오.
> (길은막다른골목이適當하오.)
>
> 第 1 의兒孩가무섭다고그리오.
> 第 2 의兒孩도무섭다고그리오.
> 第 3 의兒孩도무섭다고그리오.
> 第 4 의兒孩도무섭다고그리오.
> 第 5 의兒孩도무섭다고그리오.
> 第 6 의兒孩도무섭다고그리오.
> 第 7 의兒孩도무섭다고그리오.
> 第 8 의兒孩도무섭다고그리오.
> 第 9 의兒孩도무섭다고그리오.
> 第10의兒孩도무섭다고그리오.
>
> 第11의兒孩도무섭다고그리오.

第12의兒孩도무섭다고그리오.

第13의兒孩도무섭다고그리오.

13人의兒孩는무서운兒孩와무서워하는兒孩와그렇게뿐이모였소.

(다른事情은없는것이차라리나았소.)

그中에1人의兒孩가무서운兒孩라도좋소.

그中에2人의兒孩가무서운兒孩라도좋소.

그中에2人의兒孩가무서워하는兒孩라도좋소.

그中에1人의兒孩가무서워하는兒孩라도좋소.

(길은뚫린골목이라도適當하오.)

13人의兒孩가道路로疾走하지아니하여도좋소.

— 「시제1호」 전문

「시제1호」를 대상으로 지금까지의 연구들이 가장 관심을 가졌던 부분은 아마 '13'이란 숫자의 정체에 대해서였을 것이다. 그만큼 '13'의 의미도 다양하게 해석되어 왔는데, ①최후의 만찬에 합석한 기독 이하 13인(임종국), ②위기에 당면한 인류(한태석), ③무수한 사람(양희석), ④해체된 자아의 분신(김교선), ⑤당시의 13도(서정주), ⑥시계 시간의 부정, 시간의 불가사의를 희화한 것(김용운·이재선), ⑦이상 자신의 기호(고은), ⑧불길한 공포(이영일), ⑨성적 상징(김대규), ⑩원시적 자아로의 분화(정귀영) 등[9]이 그것이다. 그러나 이러한 해석들은 한결같이

---

9 이는 '13인'의 의미에 대한 기존의 견해들을 이승훈이 「이상의 대표시 20편은 무엇인가?」(『문학사상』 1985. 12. 357~358쪽.)에서 개괄한 것으로, 이승훈은 '13인'을 상징적 속성을 띠지만 그러나 완전한 문학적 상징이 아닌 기호와 상징의 중간 개념으로 파악하여, 그것이 어떤 지시적 의미를 나타내기보다

텍스트 외적 요인들에 기대어 그 의미를 규정하고 있다는 점에서 다분히 해석의 오류를 범할 위험성을 내포하고 있다. 물론 모든 시작품이란 독자를 향해 열려 있는 것이기에, 어느 정도의 자의적인 해석이 불가피하거나 또는 마땅할 수도 있다. 그러나 그렇다하더라도 텍스트체계 자체의 의미구조에 대한 정밀한 분석이 선행되고 난 이후에야 그러한 의미 부여도 가능하다 할 것이다.

그렇다면 「시제1호」의 텍스트체계 내에서 '13'이란 기호는 어떤 의미를 갖는 것일까? 우선 수학적 상상력의 측면에서 그 의미를 해명해보자. '13'은 1과 자신 외에는 어떠한 공약수도 갖지 못한 素數이다. 소수는 다른 자연수에 의해 나누어지지 않는다는 점에서 전일성을 갖지만, 구태여 이를 나누려하면 원점으로 회귀하고 만다는 점에서 불안한 숫자인 것이다. 이러한 점은 '11' 역시 마찬가지이다. 또한 '11'은 계량단위의 묶음인 10진법으로부터, '13'은 시간단위의 묶음인 12진법으로부터의 잉여 기호로써 불안감을 고조시킨다는 점에서도 일맥상통하는 숫자이다. 여기에서 우리는 「시제1호」의 숫자 배열이 1에서부터 13까지 일괄적으로 연결되어 있지 않고 10과 11사이가 분리되어 있음에 주목할 필요가 있다. '第11의兒孩'부터 '第13의兒孩'까지가 새로운 연으로 구분되어 있다는 점은 무엇 때문인가? 그것은 분명 이런 불안한 숫자 기호를 통해서 고조된 불안감을 시각적으로 강화하고자 하는 창작 의도로 볼 수밖에 없는 것이다.

다음으로, 이 시가 언어적 문법에 의해 '씌어'졌다기보다는 자의식의 문법에 의해 '조합'된 아나그램의 기호체계라는 측면에서 그 의미를 도출해보자. 텍스트 내에서 열 세 차례나 반복되고 있는 "第ㅇ의兒孩

는 후반의 '아해'와 결합되어 불안을 표상한다고 보았다.

도무섭다고그리오."는 서로 다른 의미를 숨기고 있는 아나그램 기호이다. '兒孩'는 지시 대상으로서의 '무서운 아이'일 수 있으며, 반면 말하는 주체로서의 '무서워하는 아이'일 수도 있다. 그리고 이러한 아나그램이 성립하기 위해서는 결국 '무서운 아이'와 '무서워하는 아이'가 동일인이어야만 한다. 이처럼 대상으로서의 아이와 주체로서의 아이가 동일인으로써 시적 화자의 자의식 세계를 표상하는 존재라는 점을 전제하였을 때 "~가무서운兒孩라도좋소."/"~가무서워하는兒孩라도좋소.", "13人의兒孩가道路로疾走하오."/"13人의兒孩가道路로疾走하지아니하여도좋소."와 같은 이질적이고 대립적인 모순어법의 기호체계가 왜 가능한 것인지, 그리고 그 의미가 무엇인지를 명확하게 알 수 있다. 자의식의 기호들로 조직된 이러한 텍스트를 만약 언어적 문법에 따라서만 해석하려 한다면 이 시는 당대의 독자들에게 철저하게 배척 당하였던 것처럼 황당한 말장난에 불과하고 만다. 우리는 이 시를 李箱이 자신의 불안 심리를 고도의 기호적 논리에 의해 의미화한 텍스트로 받아들여야 할 것이며, '13人' 역시 실제의 인물이 아니라 해체되고 파편화된 시적 자아의 모습을 보여주는 의도된 기호로 읽어야 할 것이다.

싸움하는사람은즉싸움하지아니하던사람이고또싸움하는사람은싸움하지아니하는사람이었기도하니까싸움하는사람이싸움하는구경을하고싶거든싸움하지아니하던사람이싸움하는것을구경하든지싸움하지아니하는사람이싸움하는구경을하든지싸움하지아니하던사람이나싸움하지아니하는사람이싸움하지아니하는것을구경하든지하였으면그만이다.

— 「시제3호」 전문

이 시는 마치 복잡한 수수께끼처럼 얽혀 있지만, 자세히 보면 역시 아나그램의 모순어법으로 구성되어 있음을 알 수 있다. 여기에서 '싸움'과 관련된 사람은 '싸움하는 사람', '싸움하지 아니하는 사람', '싸움하지 아니하던 사람' 등 3개의 기호로 등장한다.[10] 싸움에는 어떤 것이 있는가? 육체적이고 실제적인 싸움이 있는가 하면, 정신적이고 내면적인 싸움─그것이 질병과의 싸움이든 자의식과의 싸움이든─이 있다. 그러므로 '싸움하는 사람'은 다시 두 개의 기호로 분할될 수 있다. 여기에서 아나그램의 모순된 의미가 발생한다. '(실제적으로) 싸움하는 사람'을 S1, '(내면적으로) 싸움하는 사람'을 S1', '싸움하지 아니하는 사람'을 S2, '싸움하지 아니하던 사람'을 S2'라 하고 이 기호들의 의미작용을 그레마스의 기호 사각형[11]에 대입시켰을 때, 「시제3호」의 기호체계는 전도된 현실에 대한 부정적인 자의식을 드러내고 있는 텍스트라 할 수 있다. 전도된 현실 속에서 모든 존재들은 결국 서로가 서로를 '구경'하는 아웃사이더일 수밖에 없다는 페이소스가 바로 이 모순어법의 최종적인 의미인 것이다.

3. 기하학적 상상력과 '거울'모티프

『오감도』의 이러한 아나그램 기호들은 수열의 개념이나 기하학적 상

---

10 이에 대해 이승훈은 앞의 책 23쪽에서 '싸움하는 사람', '싸움하던 사람', '싸움하지 아니하는 사람', '싸움하지 아니하던 사람' 등 4명이 나온다고 해설하고 있지만 이는 잘못된 것이다. 이 시 어디에서도 '싸움하던 사람'이라는 표기는 찾아볼 수 없다.

11 그레마스는 의미소 S1과 S2를 연접과 이접이라는 이중적 관계에 결합하여 의미 작용의 기본 구조를 기호 사각형으로 설명한다.(A. J. Greimas, 김성도 역, 『의미에 관하여─기호학적 시론』, 인간사랑, 1997, 180~182쪽 참조.)

상력과 어우러지면서 독자들에게 더욱 더 난해한 텍스트로 다가선다. 李箱은 수학과 건축학에 대한 자신의 지식을 시 창작 과정에 과감하게 적용시킴으로써 그야말로 그의 천재성을 유감없이 보여준 시인이라 할 수 있다. 이러한 시 창작기법은 관습적인 언어문법을 완전히 해체하는 데서부터 출발하는 것인데, 이를 문예미학의 측면에서 말한다면 다다이즘의 영향이라 할 것이고, 시 양식의 측면에서 말한다면 구체시 형태의 실험이라 할 수 있다.

20세기초 서구 유럽의 예술계에는 미래파, 입체파, 다다이즘, 초현실주의 등 아방가르드운동이 풍미하고 있었다. 이들은 앞선 경향에 대한 대체 방식으로 등장했다기보다는 동시적으로, 그러면서도 서로 유사성과 차이점을 보이면서 제1차 세계대전을 전후한 시기 유럽의 사회 문화적 분위기를 대변하고 또한 거기에 도전하였다. 1916년 트리스탄 차라에 의해 발표된 다다(dada) 선언문은 예술과 문학에 대한 강한 부정 정신을 드러내면서 "파괴에 대한 위대한 부정"을 그들의 이념으로 선택하였음을 공표하고 있다. 특히 다다이스트들은 말과 문자의 관계, 그리고 시각적 표의문자로서의 알파벳에 대해 재인식하고자 하였다. 즉 그들은 문자로 이루어진 글 자체가 강력한 '시각매체'로서 자신들이 소리치고 사랑하고 숨쉬는 생생한 목소리를 반영할 수 있음을 증명해 보였던 것[12]이다. 이러한 서구의 다다이즘이 우리 시단에 소개된 것은 일본에서 '딜레탕트적인 향락주의', '허무주의' 또는 '현실주의'라는 이름으로 수용 과정을 거치고 난 1920년대 중반 고한용(高漢容)에 의해서였다.[13] 원래의 다다이즘이 허무와 파괴 그 자체로 끝나는 것이라면,

---

12 김민수, 「시각예술의 관점에서 본 이상 시의 혁명성」, 권영민 편, 『이상문학연구60년』, 문학사상사, 1998, 192쪽.
13 고한용은 1924년에 「다다이슴」(『개벽』 1924. 9.)과 「Dada」(《동아일보》 1924. 11. 27.) 등의 글을 통해 서구

한국 초기문학론에 등장하는 다다이즘론에서는 허무와 파괴를 주장하면서도 그 자체에 하나의 문학적 가치와 의미를 부여하였으며,[14] 이를 창작 과정에서 실천적으로 보여준 시인이 바로 李箱이다.

한편, 시 양식으로서의 구체시는 19세기의 낭만주의적 서정성을 객관화하려는 노력과 20세기 다다이즘의 부정성을 계승하면서 형성된다. 구체시는 텍스트가 인쇄된 페이지에 나타날 때의 시각적 형태에 대한 실험양식을 말하는 근대적 용어로써, 본격적으로는 스위스의 시인 곰링거(Eugen Gomringer)에 의해 1950년대부터 시작된 양식이라 할 수 있다. 아스무쓰에 따르면,[15] 구체시는 종래의 서정성이란 개념과 완전히 결별하고 전통적인 언어 사용법을 파기한다. 즉 시의 재료인 언어기호 자체를 시작의 대상으로 간주함으로써 언어의 물질성에 바탕을 두고 '축소'와 '배열'을 창작의 기본 원리로 삼는다. 이처럼 다다이즘과 구체시 양식이라는 측면에서 李箱의 시텍스트를 검토할 때 그의 작시 논리가 얼마큼 이들에게 영향을 받았으며 또 성공하고 있는가를 쉽게 확인할 수 있다. 이에 대해 논한 김민수의 아래 글은 李箱 시의 본질을 정확하게 간파하고 있는 것으로 보인다.

> 20년대 국내에서 출현한 초기 다다풍의 시가 지닌 한계를 넘어서
> 30년대 초 이상이 도달한 일련의 시들은 어떤 의미에서 서구의 다다
> 이스트들조차도 미처 실현하지 못한 철저함을 보여 준다. 특히 이상
> 의 시는 '내용을 지닌 사고'를 위한 전달체로서라기보다는 '구체적 재

다다운동의 발단과 의의를 소개하였다. 이와 때를 같이하여 김기진이 〈조선일보〉 11월 24일자에 「본질에 관하여」를, 무이잔보(無爲山峰)가 같은 일자 〈동아일보〉에 「다다? 다다!」를 발표하여 다다이즘에 대한 개념적 논의를 이어갔다.

14 천소화, 「한국 쉬르레알리즘 문학연구」, 성심여대 석사논문, 1982. 2쪽.

15 B. Asmuth, Aspekte der Lyrik, Westdeutscher Verlag, 1981. pp. 93~94.

료'로서 언어를 사용하여 '분석될 뿐만 아니라 하나의 구조로 재창조
될 수 있는' 새로운 언어를 만들어 내고, 다시 언어가 그래픽 이미지와
대립됨으로써 소위 '동시적 운동효과'와 더 나아가 '의미의 의미'가 계
속적으로 지연되면서 파생되는 '해체미학의 다중성'을 허용했던 것이
다.[16]

위의 지적처럼 李箱의 시가 서구의 다다이스트들조차 실현하지 못
한 철저함을 보여줄 수 있었던 요인은 무엇일까. 필자는 그 요인을 수
학과 건축학에 대한 그의 소양에서 찾고자 한다. 다다이즘은 서구 유럽
에서 발상을 보인 시기와 거의 동시에 한국에 들어왔고, 더구나 구체시
양식은 서구에서도 실질적으로 1950년대에야 정착되었으니 이상이 서
구 구체시를 모델로 하여 창작에 임하였으리라고는 생각하기 어렵다.
서구의 다다이스트 중에서는 슈비터스가 문자나 숫자 자체를 어떠한
소리 또는 개념적 내용을 갖지 않는 구체적 오브제(concrete object)로
보아 '조형미'와 '논리적으로 일관된 시'를 추구한 바 있지만,[17] 구체시
로서의 이러한 작시 논리와 다다의 이념인 '부정의 변증법'을 텍스트로
통합시켜내는 점에 있어서는 李箱이 오히려 앞서 있다 하겠다. 그것은
『오감도』로 대표되는 李箱의 시가 단순한 기호놀이나 아나그램에 그치
지 않고 수학과 건축학의 논리를 토대로 하여 현실세계를 부정함과 동
시에 자의식세계를 구도화해 내는 데 성공하고 있기 때문이다.

나의아버지가나의곁에서조을적에나는나의아버지가되고또나는나

---

16 김민수, 앞의 책, 198쪽.
17 Kurt Schwitters, 「Logically Consistent Poetry」, in Hans Richter, Form, No.3, 1966. pp. 147~149.

의아버지의아버지가되고그런데도나의아버지는나의아버지대로나의아
버지인데어쩌자고나는자꾸나의아버지의아버지의아버지의……아버
지가되느냐나는왜나의아버지를껑충뛰어넘어야하는지나는왜드디어나
와나의아버지와나의아버지의아버지와나의아버지의아버지의아버지노
릇을한꺼번에하면서살아야하는것이냐

—「시제2호」전문

이 시는 '나'와 '아버지'라는 언어기호를 무한수열의 원리에 의해 배
열한 텍스트이다. 그리고 이러한 배열이 가능하기 위해서는 아버지의
존재성에 대한 부정이 전제되어야 한다. '조을적에'는 바로 아버지의
존재에 대한 부정의 기호이다. 아버지의 존재를 부정함으로써 '나'의
자의식은 곧 아버지를 "껑충뛰어"넘어 "아버지의아버지의……아버지"
가 되고 마는 무한수열의 강박관념을 형성하게 된다. 여기서 우리가 주
목할 것은 언어기호들이 선형적으로 배열되어 있지만 그 기호들에 의
한 텍스트의 의미작용(semiosis)은 동심원을 이루도록 하여 기하학적
상상력의 일단을 보여준다는 점이다. 즉, '아버지'와 '아버지의 아버지'
가 '나'라는 작은 원을 둘러싸고 있는 동심원체계로 의미의 수렴과 확
산을 동시에 반복함으로써 결국 '나'는 수많은 존재성의 "노릇을 한꺼
번에" 할 수밖에 없는 불안한 상태에 있게 되는 것이다.

『오감도』에서 이러한 기하학적 상상력이 가장 구체화되어 드러난 경
우가 바로 '거울'모티프의 텍스트들이다. 李箱이 거울모티프를 이용한
'자기 비춰보기'의 시를 다수 창작하였음은 우리가 익히 알고 있는 바
이다. '창'이 외부 즉 세계를 내다보는 열려진 통로라고 한다면, '거울'
은 닫혀지고 한정된 공간이며 자기 반추의 기재이다. 거울을 통해서 평
면은 다면체가 되고, 공간은 또 다른 입방체의 공간을 생성하게 되며,

우리는 주체가 아닌 타자로서의 자신과 맞서게 된다. 이런 점에서 거울은 李箱의 기하학적 상상력을 텍스트에 실현시키는데 가장 적절한 모티프였을 것이다.

숫자판의 역상 형태로 구성된 「시제4호」는 거울모티프 자체를 텍스트의 총체적인 기호체계로 옮겨놓은 작품이다. 그리고 그 말미에는 "以上 責任醫師 李 箱"이라는 문구가 기재되어 있다. 이는 무엇을 의미하는가? 정상적인 숫자판을 인식하는 자신을 '책임의사'라 한다면, 동시에 거울에 비친 역상 형태의 전도된 숫자판을 인식하는 자신은 곧 자의식의 병을 앓고 있는 '환자'임을 암시한다. 따라서 이를 라캉의 정신분석이론에 기대어 해석한다면 숫자판 아래에 환자의 용태를 표시한 "診斷 0 : 1"은 곧 李箱 자신의 '타자성 : 주체성'에 대한 진단을 의미하는 셈이며, 0과 1사이의 숫자(2~9)는 자의식의 욕망을, 대각선을 이루며 양 끝단으로 이동하는 점(·)의 궤적은 욕망과 그 성취 사이에 가로놓인 간극 즉 '결핍(lack)'[18]을 드러내는 기호라 할 수 있다. 이렇게 보면 '거울'이야말로 부조리한 현실로부터 스스로 눈을 감은 채 자의식의 눈을 통해 조감하는 '鳥瞰圖' 자체인 지도 모른다.

『오감도』에서 거울을 모티프로 하여 기하학적 상상력을 실현시키고 있는 텍스트는 이 외에도 「시제8호 해부」와 「시제10호 나비」, 「시제15호」가 있다. 이 시들은 숫자시였던 「시제4호」의 텍스트 의미를 문자기호를 통해 재현하고 있다고 보여진다.

---

[18] 라캉에 의하면, 실재계는 상상계적 이미지나 상징계의 언어로 조직되거나 재현된 듯 보이지만, 그것은 항상 잘못 된 재현이며, 따라서 재현 불가능한 '결핍'의 상태로 남아 있다. 즉, 현실이 상상계적이거나 상징계적이라면, 실재계는 현실로부터 상실된 것이다.(민승기, 「라캉의 타자」, 『현대시사상』 29호, 고려원, 1996, 164~165쪽 참조)

爲先痲醉된正面으로부터立體와立體를爲한立體가具備된全部를平
面鏡에映像시킴. 平面鏡에水銀을現在와反對側面에塗抹移轉함. (光線
侵入防止에注意하여) 徐徐히痲醉를解毒함. 一軸鐵筆과一張白紙를支
給함. (試驗擔任人은被試驗人과抱擁함을絕對忌避할것) 順次手術室로
부터被試驗人을해방함. 翌日. 平面鏡의縱軸을通過하여平面鏡을二片
에切斷함. 水銀塗抹二回.
　　ETC아직그滿足한結果를收得치못하였음.

－「시제8호 해부」 일부

　　내가缺席한나의꿈. 내僞造가登場하지않는내거울. 無能이라도좋은
나의 孤獨의渴望者다. 나는드디어거울속의나에게自殺을勸誘하기로決
心하였다. 나는그에게視野도없는들窓을가리키었다. 그들窓은自殺만
을爲한들窓이다. 그러나내가自殺하지아니하면그가自殺할수없음을그
는내게가르친다. 거울속의나는不死鳥에가깝다.

－「시제15호」 일부

　「시제8호 해부」는 '平面鏡'을 통해 인간 본질의 의미를 진단하고 있
으며, 의학적 임상의 수법을 시도한다는 점에서 「시제4호」와 매우 흡
사한 텍스트체계를 갖추고 있다고 할 수 있다. 이 두 작품은 상호텍스
트적 관계(inter-textuality)를 형성하면서 시인의 자의식을 지배하고
있는 불안과 공포를, 그리고 시적 자아에 내재하고 있는 주체성과 타자
성의 대립을 거울을 통해 현시하고 있는 것이다. 그리고 그 대립의 끝
은 「시제15호」에서 '自殺'이라는 죽음의식에 이르게 되고, 죽음으로부
터의 탈출을 매개할 수 있는 '들窓'은 존재하지 않는다. '들窓'은 오직
자살을 위해 있을 뿐이다.

지금까지 분석한 것처럼 『오감도』 총15편의 텍스트 중에서 기하학적 상상력을 토대로 한 '거울'모티프의 텍스트는 4편에 불과하지만, 『오감도』의 작시 논리가 가장 뚜렷하게 부각되어 있다는 점에서, 또 『오감도』 이외의 작품들에서도 꾸준히 제기되고 있다는 점에서 이야말로 『오감도』를 존재하게 하는 구조적 지배소(dominant)라 할만하다.

4. '몸'과 '의식'의 대위(對位)구조

『오감도』의 작시 논리로 주목되는 또 다른 한 가지가 바로 '몸'을 시적 상상의 도구로 사용한다는 점이다. 앞의 장에서 논했던 '거울'모티프의 텍스트들도 넓게 본다면 몸, 즉 육체를 시적 대상으로 삼고 있다고 할 수 있겠지만, 「시제9호 총구」, 「시제11호」, 「시제13호」, 「시제14호」 등은 오로지 물체화되고 객관화된 몸의 장기와 의식을 이분법적으로 분리시킴으로써 인간으로서의 존재 양상에 대해 의문을 제기하고 있다. 李箱의 시가 "정신에 속한 육체, 혹은 관념에 의해 형성된 육체가 아니라, 외부세계와 능동적인 관계를 맺는 물체적 근거로서의 육체를 보여준다"[19]하여 『오감도』를 육체의 자율성 재현으로 분석한 의미있는 연구가 선행된 바 있지만, 李箱 시에서의 육체가 외부세계와 관계한다기보다는 의식세계와 관계한다고 보는 것이 더 타당하리라 생각된다. 따라서 '몸'과 '의식'을 각기 자율적 존재로 설정하고 자아의 이중적인 대위상태를 통해 상징적 질서로 통합되지 못하는 상상계적 카오스

---

19 조해옥, 「물체로서의 육체와 육체의 자율성」, 『한국문학이론과비평』8호, 한국문학이론과비평학회, 2000. 87쪽.

를 보이고 있는 것이 바로 이 텍스트들인 것이다.[20]

> 每日같이烈風이불더니드디어내허리에큼직한손이와닿는다. 恍惚
> 한指紋골짜기로내땀내가스며드자마자쏘아라. 쏘으리로다. 나는내消
> 化器管에묵직한銃身을느끼고내다물은입에매끈매끈한銃口를느낀다.
> 그리더니나는銃쏘으드키눈을감으며한방銃彈대신에나는참나의입으로
> 무엇을내어배앝었더냐.
>
> — 「시제9호 총구」 전문

이 시에서의 자아는 이중적으로 대위되어 있다. 하나는 의식주체의
자아이며, 다른 하나는 몸의 일부 즉 남성의 생식기에 전이된 자아이
다. 생식기를 마치 자율적인 존재인 것처럼 설정하여 성적 욕망을 해결
하는 한 방법인 자독(自瀆)행위의 과정을 생식기 스스로가 말하는 것처
럼 진술하고 있다. 몸의 자아는 "쏘아라. 쏘으리로다."고 외치고 의식
의 자아는 "나는참나의입으로무엇을내어배앝었더냐."고 말한다. 이 과
정에서 주체성의 전복 현상이 일어나게 된다. 즉 물질적 자율성을 가진
몸의 자아가 욕망 실현의 비밀한 행위에 대해 처음에는 수치심을 느끼
지 않고 있지만, 그 행위가 의식의 자아에게 인식되는 순간 의식의 자
아는 타자성을 지니게 되고, 타자의 시선에 노출된 몸의 자아는 수치심
으로 인해 상상계적 카오스에 이르게 되는 것이다. 타자는 곧 '시선의
존재'[21]이며 타자의 시선에 의해서 자아의 상상적 동일시가 침해받기

---

20 라캉은 새로이 상상계, 상징계, 실재계의 개념을 도입한다. 그는 소외를 불러일으키지만 여전히 기표
와 기의의 합일을 꿈꾸는 나르시시즘적 거울단계를 '상상계', 그 '차이'에 기반을 둔 언어적 상징 질서
를 '상징계', 상징 질서로 환원되지 않으면서 그 질서 속에서 사후적으로 의미가 만들어지는 침묵의 세
계를 '실재계'라 부른다.(Jacques Lacan, The Ethics of Psychoanalysis, trans. Dennis Porter, London :
Routledge, 1992. p. 55 참조.)

때문이다.

> 그사기컵은내骸骨과흡사하다. 내가그컵을손으로꼭쥐었을때내팔
> 에서는난데없는팔하나가接木처럼돋히더니그팔에달린손은그사기컵을
> 번쩍들어마룻바닥에메어부딪는다.
>
> ㅡ「시제11호」일부

> 내팔이면도칼을든채로끊어져떨어졌다. 자세히보면무엇에몹시威
> 脅당하는것처럼새파랗다. 이렇게하여잃어버린내두개팔을나는燭臺세
> 움으로내방안에裝飾하여놓았다. 팔은죽어서도오히려나에게怯을내이
> 는것만같다.
>
> ㅡ「시제13호」일부

> 나는벌써기절하였다. 心臟이頭蓋骨속으로옮겨가는地圖가보인다.
> 싸늘한손이내이마에닿는다. 내이마에는싸늘한손자국이烙印되어언제
> 까지지어지지않았다.
>
> ㅡ「시제14호」일부

이 시들은 하나같이 '몸'과 '의식'의 대위구조를 작시 논리로 삼고 있
는 텍스트들이다. 이 시들이 앞의 「시제9호 총구」와 다른 점이 있다면,
'몸'과 '의식'의 대위구조가 훨씬 더 대립적이고 적대적이기까지 하다는
것이다. 「시제11호」에서 몸의 자율성을 대변하는 기호가 '팔'이라고 한다
면 의식의 기호는 '骸骨'이다. 여기서 해골로 대체된 의식은 어떤 상태

---

21 박정자, 「사르트르의 타자 개념」, 『현대사사상』 29호, 고려원, 1996. 119쪽.

인가? 그것은 죽은 의식이며 더 이상 주체가 될 수 없는 영구 결핍의 상태이다. 의식의 통제를 벗어난 몸의 물질성은 "接木처럼" 돋아난 무의식의 팔이 되어 존재의 의미에 도전하고 있는 것이다. '팔'과 '해골'의 대립은 곧 무의식과 의식, 환상과 현실의 대립이며, 이를 통해 정립되지 못한 채 상처받은 자아의 모습이 텍스트 전면에 부각되어 있다 하겠다.

「시제13호」는 거꾸로 '몸'에 대한 자학을 통해 '의식'을 주체의 위치에 되돌리려 한다. 그러나 잘려진 팔을 "내 방안에 장식하여" 놓듯이 의식은 육체를 완전히 떠날 수 없으며, "죽어서도 오히려 나에게 怯을 내"는 팔처럼 인간 존재는 곧 의식의 거처인 육체에 그 대위적인 자리를 할애할 수밖에 없는 것이다. 텍스트의 이러한 의미체계는 병마에 시달렸던 李箱의 전기적 사실과도 긴밀하게 연관된 것으로, 육체적인 외상뿐만 아니라 심각한 자의식의 내상이 텍스트 형성 과정에 깊이 작용하고 있음을 보여주는 것이다. 그러기에 그의 시는 「시제14호」에서 말하고 있는 것처럼 "心臟이 頭蓋骨속으로 옮겨가는 地圖"로서의 '烏瞰圖'일 수밖에 없었다 하겠다.

5. 맺음말

지금까지 필자는 李箱의 『오감도』 15편의 텍스트가 어떤 작시 논리에 의해 구성되어 있는가, 그리고 그 텍스트 의미가 무엇인가를 살펴왔다. 李箱의 시는 인간 李箱 자체가 텍스트이며, 그의 삶의 저변에 시대와 현실과 죽음에 대한 공포가 짙게 자리하고 있기에 『오감도』의 세계는 '공포의 기록'이라는 점에 지금까지의 모든 연구가 합의하여 오고 있음이 사실이다. 그러나 문학은 언어기호로 구성된 실체로서의 텍스트이기에 텍스트 내적 체계에 대한 분석과 해석을 통해 그 의미가 산출되어야함도 또한 분명한 사실이다. 따라서 이 글은 『오감도』가 언어기호의 기의에 우선하여 기표들의 맥락과 이들의 시각적 효과에 의해 구도화된 텍스트라는 점을 전제하면서 시 창작의 논리적 유형과 기호작용의 의미를 밝혀 보았다. 이를 정리하면 다음과 같이 요약될 수 있다.

첫째, 『오감도』의 '烏'는 '鳥'로부터 변형된 기표이기 때문에 그 기의 역시 '까마귀'가 아닌 '눈먼 새'라는 변형된 기의로 읽어야 한다는 점이다. 따라서 '烏瞰圖'는 실제의 눈이 아닌 자의식의 눈으로 바라본 조감도이고, 여기에서 불안과 공포의 기호체계가 생성된다.

둘째, 아나그램에 의한 담론 방식이 기교 이상의 구성원리이자 시적 의미를 형성하는 핵심 의미자질로 작용하고 있다는 점이다. 아나그램의 기호들로 조직된 텍스트를 언어적 문법으로만 해석하려하면 『오감도』의 모순어법을 적절하게 해명할 수 없게 된다.

셋째, 李箱은 수학과 건축학에 대한 지식을 바탕으로 기하학적 상상력의 텍스트를 구현하고 있으며, 이러한 기하학적 상상력과 '거울'모티프가 『오감도』를 관통하는 구조적 지배소라 할 수 있다.

넷째, 『오감도』는 '몸'과 '의식'의 대위(對位)구조를 통해 육체에 자율성을 부여하고, 아울러 의식 주체의 분열된 자아를 표상하고 있다. 즉 무의식과 의식, 환상과 현실의 대립은 정립되지 못한 채 상처받은 자아의 모습을 텍스트 전면에 부각시킨다.

끝으로, 텍스트 분석 과정에서 최대한 기호들의 관계에 충실하여 그 의미를 도출하고자 하였지만, 텍스트의 난해성과 필자의 연구 부족으로 인해 어쩔 수 없이 자의적인 해석이 가해진 부분에 대해서는 차후의 연구 과제로 남겨두기로 한다.

정지용 시와 이상 시의 對位的 텍스트성

– 불연속적 시간 특질을 중심으로

1. 머리말

한국현대시에서 모더니즘은 '정(正)'의 자리보다는 '반(反)'의 자리에 놓여 있었다. 현실 참여를 말할 때는 리얼리즘의 '반(反)'으로서, 순수문학을 이야기할 때는 전통서정시의 '반(反)'으로서의 역할을 수행해 왔다. 따라서 1930년대의 모더니즘 시 역시 전통서정시와 리얼리즘 시에 대한 반경향의 시로 통칭되곤 하였다. 언어적 태도나 지향점의 차이로 인해 크게 두 갈래로 분류되는 모더니즘이 우리 문단에 형성된 것은 1920년대 중반기이다. 그러나 이 시기의 모더니즘은 다다이즘을 화제로 삼은 차원에 머물러 실제 뿌리를 내리기에는 이르지 못했다. 한국 시단에서 "모더니즘이 전경화된 것은 1930년대에 접어들어서의 일"[1]이다.

1930년대의 시를 논하는 자리에서 정지용과 이상은 그들 스스로가

---

1   김용직, 「1930년대 모더니즘의 형성과 전개」, 『현대시사상』 24, 고려원, 1995, 52쪽.

모더니스트를 자처하지 않았음에도 불구하고 두 갈래의 모더니즘 시, 즉 이미지즘 시와 아방가르드 시를 대표하는 시인으로 평가된다. 이는 이들의 시가 모더니즘적 기획에 의한 것인가, 아닌가의 문제를 떠나 미적 모더니티의 구현이라는 측면에서 對位的(counterpoint) 관계를 이루고 있기 때문이다. 그리고 이러한 모더니티나 아방가르드의 개념들은 '시간'이라는 공통된 주제를 통해서 대단히 밀접하게 관련되어있는 반면 한편으로는 시간적 상대주의를 함축하고 있다.[2]

모더니즘은 파편화된 개체의 소외된 시간의식을 전면화한다. 또 모더니즘 시에서 근대적 세계에 대한 인식과 대응 양상을 표출하는 방식은 주체가 세계에 대해 어떤 시간관을 갖고 있는지 살펴볼 수 있는 근거가 된다. 아방가르드의 미학적 급진성이 정치적 실천과 연관되었다면, 영미 모더니즘은 혁신적 형식을 미학적으로 실천하고자 하였다. 그러나 이런 차이에도 불구하고 영미 모더니즘과 아방가르드는 동일한 문제의식을 공유하고 있었다. 예컨대 영미 모더니즘을 선도하였던 T. E. 흄의 예술철학의 전제가 되는 '불연속적 세계관'은 부르주아 근대성 이념 중의 하나인 휴머니즘의 위기를 진단한 것[3]이었고, 이는 아방가르드에도 역시 동일한 문제의식으로 작용하였다. 근대를 파악하는 이런 불연속적 세계관은 모더니즘의 시간의식에서도 그대로 드러난다. 전통적인 사유가 시간을 연속성으로 인식한다면, 이를 위반하고자 하는 모더니즘은 시간을 불연속성으로 파악하는 것이다.

이러한 관점에서 본고는 정지용과 이상의 시간의식, 특히 그들의 시에 드러나는 불연속적 시간 특질을 미적 모더니티의 차원에서 분석하

---

2 M. 칼리니쿠스, 이영욱 외 역, 『모더티티의 다섯 얼굴』, 시각과 언어, 1993, 15~16쪽.
3 나병철, 『근대성과 근대문학』, 문예출판사, 1998, 167쪽.

정지용 시와 이상 시의 對位的 텍스트성 253

고 이를 통해 1930년대 모더니즘 시의 대위적 텍스트성을 살피고자 한
다. 모더니즘 시의 불연속적 시간 특질이라는 관점에서 볼 때, 정지용
시의 불연속성은 斷續性과 疏隔化(estrangement)[4] 현상의 측면에서
논해질 수 있다. 모더니스트이긴 하지만 전통적 사유와의 소통을 포기
하지 않았던 정지용은 시간을 끊임없는 흐름 속에서 소격화시킨다. 즉
극단적인 불연속성으로 드러나기보다는 시간적 연속성을 절연시킨 단
속성의 시간 특질로 나타난다. 반면 이상과 같은 전복적인 모더니스트
는 전통적인 시간관을 완전히 부정한다. 시간의 연속성을 아예 염두에
두지 않는다. 세계가 그렇듯이 시간 역시 파편화된 것으로 파악한다.
이런 점에서 이상 시의 불연속성은 파편화된 시간표상과 몽타주 기법
의 측면에서 논해질 수 있을 것이다.

2. 정지용 시의 시간 특질과 소격화 양상

정지용의 시는 미래지향적 시간의식을 바탕으로 삼고 있다고 평가
받는다. 그러면서 모더니티의 속성을 함께 드러낸다는 점에서 그의 시
편들은 특별한 범주 속에서 독특한 위상을 점하고 있다. 그러나 기존의
논의들 중에는 그의 시간의식을 자연 지향적이라고 규정하는 것이 많
은 데. 이는 섣부른 판단이다. 흔히 산수시로 일컬어지는 정지용의 후
기시라 할지라도 전통서정시가 보이는 낭만주의적 특성과는 거리를 두

---

4 이 용어는 러시아 형식주의 문학이론에 그 기원을 두고 있다. 러시아 형식주의자들은 '낯설게 하기'기
   법과 과정을 뜻하는 ostranenie를 예술활동의 본질적인 임무 중의 하나로 파악했다. 이러한 인위적인
   소격의 주요한 목적은 독자에게 세계를 다른 방식으로 지각할 수 있도록 하는 것이며, 일상 언어의 천
   편일률적인 반복과 단절하는 것이며, 감각을 그것의 관습적 재현으로부터 소격시킴으로써 쇄신하는
   것이다.

고 있다. 즉 낭만주의의 자연은 시원성, 근원성을 속성으로 하지만, 정지용의 '산수'는 시원성으로서의 자연이 아니라 근대와 도시를 경험한 근대인의 자연이다. 낭만주의적 자연이 후경(後景)으로 자리한다면 정지용은 산수는 전경(前景)으로 자리한다는 차이점이 있다. 그러한 시적 태도가 현실에 대한 실천과 변혁이라는 현실주의, 그리고 미래 지향적 시간의식에 따른 작용과 반작용이라는 모더니티적 속성의 산물이기도 하다는 점은 필자가 앞서 논의한 바[5] 있다.

> 한밤에 壁時計는 不吉한 啄木鳥!
> 나의 腦髓를 미신바늘처럼 쫏다.
>
> 일어나 좋알거리는 「時間」을 비틀어 죽이다.
> 殘忍한 손아귀에 감기는 간열핀 모가지여!
>
> 오늘은 열시간 일하였노라.
> 疲勞한 理智는 그대로 齒車를 돌리다.
>
> 나의 生活은 일절 憤怒를 잊었노라.
> 琉璃안에 설레는 검은 곰 인양 하품하다.
>
> 꿈과 같은 이야기는 꿈에도 아니 하란다.
> 必要하다면 눈물도 製造할뿐!

5　김동근, 「한국 현대시의 '시간' 양상」, 『현대문학이론연구』 제48집, 현대문학이론학회, 2012, 20쪽.

어쨌던 定刻에 꼭 睡眠하는 것이
高尙한 無表情이오 한 趣味로 하노라!

明日!(日字가 아니어도 좋은 永遠한 婚禮)
소리없이 옮겨가는 나의 白金체펠린의 悠悠한 夜間航路여!

— 정지용, 「時計를죽임」 전문

　전통사회에서 인간은 하늘과 땅의 시간에 맞춰서 생활을 했다. 해가
뜨면 일어나고 일을 하고, 해가 지면 노동을 마치고 잠자리에 들었다.
그런데 근대에 들어서 인간은 더 이상 해가 뜨고 지는 것에 구애받지
않고 오직 시계의 시간에 맞춰서 노동하게 되었다. 객관적인 시간, 모
든 인간에게 똑같이 주어진다고 여겨지는 '시계-시간'이 절대적인 우
위를 차지하면서 근대인은 기계적인 시간에 예속된 존재가 되어 버린
다.[6] 정지용의 「時計를 죽임」은 결국 시계를 죽일 수 없는 인간의 타율
적 속박에 대한 기록이며, 역설적으로 주관적 시간, 현상학적 시간, 본
래적 시간에 대한 죽음 선고에 다름 아니다.
　일상은 긴장에서 벗어나 인식 속에 어떤 흔적을 남기지 않을 때 가
장 일상답다. 이 시의 화자는 '시계-시간' 위에 살고 있다고 인지하는
순간에 일상의 시간, 통속의 시간 너머의 본래적인 시간에 대해 생각하
게 된다. 즉 '본질적 시간', '의식의 시간'을 인식하게 된다. "일어나 좋
알거리는 「時間」을 비틀어 죽이다"라는 대목에 대한 해석은 이 시의 의
미를 전혀 다른 방향으로 밀고 간다.
　이 시의 화자는 열 시간의 노동으로 인하여 피로한 몸을 잠자리에 누

6　조해옥, 「시계판을 옮겨가는 금속의 근대인」, 최동호 외, 『다시 읽는 정지용 시』, 월인, 2003, 137쪽.

인다. 그런데 "壁時計"와 "啄木鳥"로 표상되는 '時計' 혹은 '時間'이 그러한 수면을 방해 한다. 그래서 그것을 비틀어 죽인다. 그렇게 '時間'이 죽고 난 이후에는 그 이전과 무엇이 변화되었는가? 만약 시의 구절들을 계기적인 것으로 받아들인다면, 시계가 죽고 난 이후에 시적 화자는 잠에 빠져드는 것이 아니라 "理智"의 "齒車"를 돌리기 시작한다. 기계적인 시간에서 벗어나 현상학적 시간(경험적 시간)이 발생하기 시작한 것이다.

화자는 잠들기 전까지의 '오늘'이라고 하는 과거에 있었던 기억들을 떠올린다. 열 시간의 노동으로 생활하지만 분노를 알지 못한다. 그저 피로에 겨운 하품을 했을 뿐이다. 그러한 생활에서 벗어나는 "꿈과 같은 이야기"는 꿈에서도 하지 않을 생각이다. 자신의 삶이 비참하다고 여기고 싶을 때는 필요에 의해서 "눈물도 製造"할 수 있다. 그러나 그런 것들을 일체 뒤로 하고 오로지 "定刻"에 잠자리에 듦으로써 자신의 "高尙한 無表情"과 "趣味"를 즐기려 한다.[7]

몰취미적이고 무감각한 시적 화자의 태도는 "明日"을 "永遠의 婚禮"로 파악하고 있는 인식에서 비롯된 것이다. 여기서의 무감각, 무관심은 관련된 모든 것들에 너무나 능숙하게 되어서 무감각하고 무관심하다는 말이다. 日字가 하나 없더라도 '明'은 日과 月의 순환을 잘 보여준다. 낮이 밤이 되고, 밤이 낮이 되는 영원한 순환이 지속된다는 인식에 이르는 순간, 다른 일체의 것들은 무관심의 영역으로 밀려나게 된다.[8] 이 무관심의 영역에서 본래적 시간을 가장 잘 반영하고 있는 현상학적 시간이 발현한다.

시간을 이분법적으로 구분하는 것은 서양철학의 오래된 전통이다.

---

7 김동근, 앞의 글, 21쪽.
8 위의 글, 같은 쪽.

헤겔은 '시간'을 자연시간과 개념시간으로 구분하여 후자를 영원이라고 했다. 베르그송은 시간을 공간적·동질적 시간과 지속시간으로 구분했으며, 후설은 객관적 시간과 주관적 시간을 구분하면서 이 둘을 통섭하는 '현상학적 시간'을 상정한다. 양적 시간과 질적 시간, 외적 시간과 내적 시간, 가역적 시간과 불가역적 시간 등도 시간에 대한 이분법적인 사유를 바탕으로 한 시간관이다.[9]

이러한 이분법적인 시간관의 경계에서 특별한 현상학적 시간을 만들어내고 있는 시가 정지용의 시다. 현상학적 시간을 경험의 시간이라고도 하는 데 이때 경험의 시간은 과거에서 오는 시간이 아니다. 의식의 흐름은 강물처럼 흐르지만 시간은 특별한 시적 인식의 순간을 핵으로 삼아 응결한다. 징검다리처럼 단단해진 시간은 몸에서 분리되는 티눈처럼 의식의 전체 흐름 속에서 소격화 된다. 본 논문에서는 이 소격화의 양상을 통해 정지용 시에 드러난 시간의 단속적 특질을 살펴보고자 한다.

1) 기억으로부터의 소격화

경험사실의 시간들이 모두 기억되는 것은 아니다. 마찬가지로 의식은 강물처럼 끊임없이 흐르지만 매 순간의 흐름들이 다 유의미한 것은 아니다. 긴장과 이완을 되풀이하면서 인간은 긴장된 시간을 현재로 살며, 그 시간을 흔적으로 남긴다. 그 흔적의 표지들이 현재에 소환됨으로써 재구성되는 사건을 기억이라고 한다. 정지용은 이 기억을 소환해 현재를 장악하게 함으로써 시간의 연속성에 균열을 가한다.

9 전동진, 「정지용 시의 시간성 연구」, 『현대문학이론연구』 제27집, 현대문학이론학회, 2006, 342~345쪽.

옴겨다 심은 종려나무 밑에
빗두루 슨 장명등,
카페 프란스에 가쟈

이 놈은 루바쉬카
또 한놈은 보헤미안 넥타이
뻣적 마른 놈이 압장을 섰다.

밤비는 뱀눈 처럼 가는데
페이브멘트에 흐늙이는 불빛
카페 프란스에 가쟈.

이 놈의 머리는 빗두른 능금
또 한 놈의 心臟은 벌레 먹은 薔薇
제비처럼 젖은 놈이 뛰여 간다.

『오오 패롵(鸚鵡) 서방! 꾿 이브닝!』

『꾿 이브닝!』(이 친구 어떠하시오?)

鬱金香 아가시는 이밤에도
更紗 커-틴 밑에서 조시는구료!

나는 子爵의 아들도 아모것도 아니란다.

남달리 손이 히여서 슬프구나

나는 나라도 집도 없단다

大理石 테이블에 닷는 내쌤이 슬프구나!

오오, 異國種 강아지야!

내발을 빨어다오.

내발을 빨어다오.

— 정지용, 「카페 프란스」 전문

    과거의 시간을 소격화하기 위해서 먼저 전제되어야 할 것은 '현재'
이다. 1926년 『학조』에 발표한 이 시는 시간, 공간, 인간을 구체적으
로 담아내고 있다. 같은 시기의 김소월이나 한용운의 시에서는 찾아보
기 어려운 '현실성'을 담아낸다는 점에서 주목된다. 이 시는 크게 두 개
의 장면으로 구성되어 있는데 첫 번째 장면은 4연까지로, 일군의 청년
들이 '카페 프란스'를 찾아가는 장면이고 5연부터 9연까지는 '카페 프란
스'에 들어간 후의 장면이다. 시에서의 장면의 구분은 이전에는 볼 수
없었던 새로운 시도인 것이다. 이러한 장면의 전환은 이 시의 시간성을
철저하게 현재화시키는데 기여한다.

    이 시는 상실과 불화의 주제가 드러나는 정지용의 초기시를 대표하
는 작품이다. 여기에서 상실과 불화의 주제는 과거와 현재의 단절, 즉
시간의 소격화를 통해 의미화한다. "나는 나라도 집도 없단다"에서 드
러나는 망국인으로서의 상실과 갈등 의식은 "남달리 손이 히여서 슬프
구나"에서처럼 白手의 인텔리의 무력감으로 나타나기도 하고 "오오,
異國種 강아지야/ 내발을 빨아다오/ 내발을 빨아다오"에서와 같이 자
학적인 몸짓을 동반하기도 한다. 정지용 시의 짙은 슬픔이나 실향의식

은 상실한 본래의 자아와 세계에 대한, 그 통시적 동일성에 대한 동경이며, 여기에서 발생하는 갈등의 통합체인 것이다.[10]

여기에 나와 있는 적게는 4명, 많게는 7명의 군상들은 모두 과거로부터 소격화된 것들을 실존의 표식으로 삼고 있는 자들이다. 이들에게 그나마 현재를 확인할 수 있게 해 주는 것은 이국종 강아지이다. 그래서 경쟁하듯 이국종 강아지를 부른다. 마지막 연의 "오오, 異國種 강아지야!/ 내발을 빨어다오/ 내발을 빨어다오."는 한 사람의 목소리가 아니라 모두의 목소리로 들린다.

2) 현재적 시간으로부터의 소격화

현재의 지평 안에서 현재를 소격화하는 경험은 매우 이채로운 경험이다. 의식의 흐름을 현상학적 시간의 근원으로 갖는 인간에게 시간은 실존의 거처와 같다. 현재의 시간을 소격화한다는 것은 현재 속에서 현재 속의 자기를 꺼내 마주본다는 것을 의미한다.

> 내어다 보니
> 아조 캄캄한 밤.
> 어험스런 뜰앞 잣나무가 자꼬 커올라간다.
> 돌아서서 자리로 갔다.
> 나는 목이 마르다.
> 또, 가까히 가

---

10 김동근, 「정지용 시의 공간체계와 텍스트의 의미」, 『한국문학이론과비평』 제22집, 한국문학이론과비평학회, 2004, 297~298쪽.

유리를 입으로 쫏다.

아아, 항안에 든 金붕어처럼 갑갑하다.

별도 없다. 물도 없다, 쉬파람 부는 밤.

小蒸汽船처럼 흔들리는 窓

透明한 보라ㅅ빛 누뤼알 아,

이 알몸을 끄집어내라, 때려라, 부릇내라.

나는 熱이 오른다.

뺨은 차라리 戀情스레히

유리에 부빈다, 차디찬 입마춤을 마신다.

쓰라리, 알연히, 그싯는 音響−

머언 꽃!

都會에는 고흔 火災가 오른다.

−「琉璃窓2」 전문

이 시의 특징은 공간 대립의 상상력을 보여준다는 점에 있다. "내어다 보니"는 공간 대립을 암시하는 기호체계이고, 그 경계 영역에 '유리창'이라는 매개 공간이 존재함을 의미한다. 그리고 이 공간적 상상력이 시적 화자의 시간의식과 조우하면서 이 시의 의미구조를 형성한다. 즉 공간 대립의 매개항 '유리창'은 "입으로 쫏다"에서는 새장의 창살로, "항안에 든 金붕어"에서는 어항의 유리벽으로 변이되어 있다. 그리고 이 '창살'과 '벽'이 시적 서정의 시간을 현재의 시간으로부터 소격화시킴으로써 "목이 마르다", "갑갑하다", "열이 오른다" 등의 감정모티브와 "내어다 보다", "입으로 쫏다", "유리에 부빈다" 등의 행위 모티브에 의해 의미화된다. 이때의 소격화된 시적 서정의 시간은 감정 모티브와 상관성상에 있는 '방', '어항' 등의 부정적 가치 공간으로 표상되고 있으며, 현

재 시간의 행위 모티브는 긍정적 가치의 공간인 '도회', '별', '물' 등 외부
공간의 대상을 지향하고 있다. 결국 텍스트의 주체가 긍정가인 현재 시
간의 대상에 투사되어 있으며, 소격화된 시간에 존재하는 화자와 분리
되어 있음으로 인해 주체의 갈등 양상이 시적 의미로 실현되는 것이다.

유리창에 비친 풍경은 특별한 '自在畵'가 된다. 밤의 유리창은 밤을
배면으로 삼음으로써 자신의 거울상이 외부의 풍경 속에 드러난다. 유
리창 안쪽에 있는 나는 유리창 바깥 풍경 속에 담겨 있는 '나'와 마주
할 수 있게 되는 것이다. "透明한 보라ㅅ빛" 번갯불 속에서 '에피파니'
로 현시하는 '또 다른 나'와 순간적으로 마주한다. 이런 불시적인 마주
봄은 안과 밖의 '나' 모두를 "熱이 오르"게 한다. 이 熱은 병이나 몸의
이상 징후가 아니다. '자기 에로티즘의 열'이다. 유리창에 "戀情스레히"
뺨을 부비는 것은, 곧 자기와 뺨을 부비는 행위에 해당한다. 우리의 현
대시가 현재의 시간 속에서 자기를 소격화해 내고, 그렇게 외재화한
'나'와 뜨겁게 마주할 수 있게 된 것은 정지용의 시에 이르러서이다.

3) 미래지향적 시간으로부터의 소격화

'미래'는 언젠가 올 시간이 아니라 오지 않을 시간이라고 하는 것이
더 타당하다. 꿈꾸는 미래가 실현될 것이라고 보는 사람은 꿈이 소박하
거나, 미래의 시간을 소격화할 수 있는 사람이다. 미래 시간의 일부를
소격화해서 시적 현재에 제시하는 것 이상으로 기대의 실현 가능성을
높여줄 수 있는 것은 없다.

시기지 않은 일이 서둘러 하고 싶기에 煖爐에 싱싱한 물푸레 갈어
지피고 燈皮 호호 닦어 끼우어 심지 튀기니 불꽃이 새록 돋다 미리 떼

고 걸고보니 칼렌다 이튿날 날자가 미리 붉다 이제 차츰 밟고 넘을 다
람쥐 등솔기 같이 구브레 벋어나갈 連峰山脈길 우에 아슬한 가을 하
늘이여 秒針 소리 유달리 뚝닥 거리는 落葉 벗은 山莊 밤 窓 유리까지
에 구름이 드뉘니 후 두 두 두 落水 짓는 소리 크기 손바닥만한 어인
나븨가 따악 붙어 드려다 본다 가엽서라 열리지 않는 窓 주먹 쥐어 징
징 치니 날을 氣息도 없이 네 壁이 도로혀 날개와 떤다 海拔五千尺 우
에 떠도는 한 조각 비맞은 幻想 呼吸하노라 서툴리 붙어있는 이 自在
畵 한 幅은 활 활 불피여 담기여 있는 이상스런 季節이 몹시 부러웁다
날개가 찢여진채 검은 눈을 잔나비처럼 뜨지나 않을가 무섭어라 구름
이 다시 유리에 바위처럼 부서지며 별도 휩쓸려나려가 山아래 어닌
마을우에 총총하뇨 白樺숲 희부옇게 허정거리는 絕頂 부유스름하기
黃昏같은 밤.

– 정지용, 「나븨」 전문

이 시에는 미래의 표상들이 화자의 행동을 통해 현재화되고 있다.
화자는 "시기지 않은 일이 서둘러 하고 싶"다. 화자는 달력을 미리 떼
어 내기도 한다. 이것은 미래의 시간에 대한 기대, 선취의 욕망을 드
러내는 행동이기도 하다. '白樺숲 희부옇게 허정거리는 絕頂'에서는 화
자의 가장 먼 미래에 해당하는 '죽음의 순간'까지도 환유적으로 선취해
내고 있음을 엿볼 수 있다.

이 시의 경우 주제적 변주는 수평적인 체계가 수직적인 체계로 바뀌
는 공간적 변이구조에 의해 실현되고 있다. 그러나 이러한 공간은 자
연적인 계절이나 시간에 의존하지 않는다. 시인의 자율적인 시간의식
이 투영된 기호화된 공간으로 볼 수 있다. 즉 '유리'에 의해 안과 밖으
로 단절된 수평공간체계에서는 칼렌다의 "이튿날 날자"가, '산'에 의해

위와 아래로 매개된 수직공간체계에서는 "이상스런 季節"이 이 시의 시간성을 소격화시키고 있다. "이튿날 날자"가 미래의 시간표상이듯이 "이상스런 季節" 역시 가을에 미리 와버린 겨울 같은 날씨로서의 소격화된 미래이다. '난로', '등피', '칼렌더'와 같은 것들이 내부공간에서의 현재적 기호들이라면, 외부공간의 미래시간으로부터 현재로 소격화된 기호가 '나븨'인 것이다. 이는 '가을'이면서도 차가운 겨울 같은 외부세계의 암담한 현실 속에 존재하는 화자의 모습(나비)과 상대적으로 따뜻한 방으로 제시되는 현실 회피의 내면세계로 침잠하는 자아 사이의 갈등의식이며 불화의 주제이다.[11]

미래와 현재에 대한 이러한 시간의식은 곧 시간성의 無化로 이어지는데, 그 결과 "구름이 다시 유리에 바위처럼 부서지며 별도 휩쓸려 나려가 산아래 여늬 마을 우에 총총하뇨"에서처럼 산장의 방은 하늘과 별과 동일시된다. 자아와 세계는 가을비에 젖지 않고 겨울 공간에도 나래를 펴는 이상한 계절의 나비로 화해되는 것이다. 나비와 나는 마주하면서 적극적으로 소통을 시도한다. 지금 화자가 자리한 "海拔 五千尺"은 화자가 "山아래 여늬 마을"이라는 사람들의 삶과 멀어질 수 있는 최대의 시간과 공간을 표상한다. 극단까지 멀어졌음으로 화자는 최대의 탄성을 품은 '絶頂'에서 누구보다 강력하게 '인간의 세계'로 달려가게 될 미래의 시간을 암시하고 있다. 결국 정지용은 "현실세계에 대하여 또 다른 세계를 설정하고 그 세계를 현실의 계기적 시간이 사라진 시간의 無化 상태로 제시"[12]하게 된다. 이는 정지용이 일제 말기의 시대적 고통으로 인해 세속적이고 현실적인 시간을 무화시키고 '山水'의 세계로

---

11 위의 글, 304쪽.
12 윤의섭, 「정지용 시에 나타난 시간성의 수사학적 의미」, 『한국시학연구』 제9호, 한국시학회, 2003. 224쪽.

눈을 돌리게 됐음을 의미한다.

3. 이상 시의 시간 특질과 불협화의 몽타주

이상은 그의 무의식을 매우 정교한 알고리즘으로 탐색하고 이것을 인공의 언어로 그려낸다. 그의 시는 일상적인 언어보다는 소통 가능한 언어로 표상되기 직전의 이미지에 더 가깝다. 파편화된 이미지들은 자체 내에 간직하고 있는 운동성을 통해 특별한 이미지로 거듭난다. 이상 시의 이런 특징은 영화 기법으로서의 몽타주와 비견될 수 있다. 몽타주는 프레임, 쇼트와 함께 영화를 작동시키는 가장 핵심적인 메커니즘으로 꼽힌다. 쇼트들로 이루어진 몽타주는 운동들의 연쇄를 통해 시간의 흐름을 드러내준다. 몽타주는 공간적으로 선택된 이미지가 나타낼 수 있는 의미작용이나 미적 구성의 차원을 함축하면서 동시에 부분들로 분절된 영화 전체를 드러내는 움직이는 단면(쇼트의 측면)들로 이루어진다.[13]

근대를 작동하는 하나의 원리가 되어버린 '기계 시간'은 철저히 시계라는 공간에 시간을 잡아맨다. 시간의 공간화는 근대의 핵심에 자리한다. 미적 근대성의 하나로서 모더니티는 이런 공간화된 시간에 균열을 가함으로써 사회·역사적인 근대에 안티테제로 작용하고자 한다. 공간화된 시간은 시간을 연속성으로 파악한다. 반면 깨뜨려진 시간은 철저히 파편화됨으로써 불연속적 특성을 보인다. 들뢰즈는 하나의 파편이 지니고 있는 지속의 운동성과 이전의 전체와의 관계, 그리고 이후의

---

13 이지영, 「몽타주 개념의 현대적 확장」, 『시대와 철학』 제22권4호, 한국철학사상연구회, 2011, 221쪽.

통합체와의 관계를 다음과 같이 정리하고 있다.

> 순간이 운동의 부동의 단면인 것처럼, 운동은 지속, 즉 전체 혹은
> 어떤 전체의 동적인 단면이다. 이것은 운동이 훨씬 더 심오한 그 무
> 엇, 즉 지속 혹은 전체 안에서의 변화를 표현한 다는 것을 의미한다.[14]

역학적인 에너지처럼 운동성으로 드러나는 이미지는 단적인 파편
을 통해서만 그 전과 후를 지양의 상태로 둔 채 포착된다. 운동성을 감
추면서 움직이지 않는 단면을 통해 자신의 변화를 드러내는 것이 시적
언어가 품고 있는 아포리아이다. 정지한 언어를 타고 흐르는 운동은 세
수준으로 존재한다. 이 세 수준에 그려지는 몽타주들을 이상의 시편에
서 확인해 보고자 한다.

몽타주를 구성하기 위해서는, 일단 대상의 포착이라고 할 수 있는
운동—이미지를 특정 방식으로 절단(decoupage)함으로써 전체 지속의
움직임을 단면적으로 드러낸다. 드러난 단면은 하나의 닫힌 내적 체
계를 이루며 이것은 바깥으로서의 드러난 내적 세계의 무늬—운동 이
미지이기도 하다. 절단을 통해 드러난 단면들은 쁠랑(plan)에 의해 하
나의 무리를 이루게 된다. 단면과 단면은 하나의 징검다리가 되어 집
합적인 공간 안에서 활발한 이동 운동이 전개 된다. 운동의 역동성은
무리수적 절단에 의해 이루어진다고 들뢰즈는 본다. 마지막으로 배치
(agencement)에 의해 쁠랑 이미지들이 연쇄적으로, 동시에 직접 드러
난다. 전혀 별개인 시간들의 뭉치들로 전에는 없었던 시간의 몽타주가
되는 것이다.[15]

---

14 질 들뢰즈, 유진상 옮김, 『시네마 I : 운동—이미지』 시각과 언어, 2002, 21쪽.

1) 절단(decoupage)의 몽타주와 파편화된 시간

이상 시의 대표작을 「오감도-시제1호」로 드는 데 큰 이견은 없을 것
이다. 「오감도」는 여전히 해석이 분분한 텍스트이다. 분분한 해석의 출
발점에는 '烏'에 대한 해석이 놓인다.

> 이승훈은 이어령의 견해를 빌어 '오감도'란 까마귀와 같은 눈으로
> 인간들의 삶을 굽어본다는 뜻이라 하여, 암울하고 불길한 까마귀를
> 통해 부정적인 생의 조감을 예시하는 시적 분위기를 나타내려는 의도
> 로 해석하고 있다. … 반면 김윤식과 이정호의 '오감도'에 대한 설명은
> '까마귀'라는 기의를 전제하지 않고, 획수 하나를 빼낸 기호의 왜곡 형
> 태로 본다는 점에서 앞의 견해와 그 맥을 달리하고 있다.[16]

위의 언급에 이은 확장된 논의로서 필자는 '烏'를 기표의 왜곡으로
보아 '눈먼 새'의 기의로 읽어야 한다고 제시한 바 있다. 이상이 '鳥'를
'烏'로 변형시킨 동기는 원래 이 글자들이 지닌 표상성에서 찾아 볼 수
있다. 즉 새가 나는 모습을 상형한 '鳥'에서 의도적으로 탈각된 부분은
눈동자다. 이상은 까마귀가 아니라 눈동자가 없는 새, 눈이 먼 새의 의
미로 '烏'의 기표를 전유한다.[17] 여기에서 한 발 나아가 '눈 먼 새'가 아
니라 '눈 감은 새'로 해석할 수도 있다. 그렇게 되면 화자는 세상이 보
이지 않은 데서 오는 불안과 공포에서 벗어나 스스로 눈을 감음으로써

---

15 이지영, 앞의 글, 225~231쪽.
16 김동근, 「「오감도」의 작시 논리와 텍스트 의미」, 『현대문학이론연구』 제15집, 현대문학이론학회, 2001,
    32~33쪽.
17 위의 글, 33쪽.

자신의 내면과 직면하게 된다. 「오감도-시제1호」의 절단은 외부로부터 오는 것이 아니다. 스스로 절단을 이루어낸 것이기에 그 절단면은 하나의 '바깥'이 될 수 있다.

'오(烏)'를 '눈 감은 새'로 하면 좀 더 특별한 해석에 다가설 수 있다. '새'나 '눈이 먼 새'가 응시하는 것은 '현실'이다. 현실은 그때도 지금도 불안하기는 마찬가지다. 눈먼 새라면 그 불안은 공포에 더 가까울 것이다. 반면 '눈을 감으면' 외부 세계가 닫히는 대신, 새로운 세계가 열린다. 그 세계가 바로 내면의 세계이다. 이처럼 세계로부터의 자아의 절단은 이상의 내면의식 속에서 파편화된 시간 양상으로 나타나 있다.

파편화된 시간 속에서 대상으로서의 아이와 주체로서의 아이는 또한 파편화된 자아의 조각들이다. 이런 점을 전제하였을 때 "-가무서운아해라도좋소/-가무서워하는아해라도좋소", "13인의아해가도로로질주하오/13인의아해가도로로질주하지아니하여도좋소."와 같은 이질적이고 대립적인 모순어법의 기호체계가 비로소 숨겨져 있던 의미의 일단을 드러내게 된다. 자의식의 기호들로 조직된 이러한 텍스트를 만약 언어적 문법에 따라서만 해석하려 한다면 이 시는 당대의 독자들에게 철저하게 배척되었던 것처럼 황당한 말장난에 불과한 것이 된다.[18] 따라서 이 시는 이상이 자신의 내면을 단절된 세계 인식, 그리고 파편화된 시간의식에 의해 의미화한 텍스트라고 할 수 있다.

시인 이상이 눈을 감고 자신의 내면을 내려다보면 거기에는 자신의 모나드(영혼의 DNA), '13인의 아해'가 있다. 우리의 내면은 깨어있는 나, 즉 '눈 감고 있는 나'의 통제에서 완전히 벗어나 있는 세계이다. 신심리주의에 경도된 시인이라면 차라리 '눈뜬 세계'는 '눈 감은 세계'에

---

18 위의 글, 37쪽.

의해 결정되는 것이다. 상식적으로도 슬픔이나 기쁨, 이별의 아픔을 의식적으로 배가시키거나 소멸시킬 수 있는 현실의 주체는 없다. 슬픔이나 기쁨, 이별, 불안이나 공포의 모나드인 '13인의 아해' 역시 화자를 벗어나 있다. 그럼으로 이 시의 목소리는 누구의 것인지 확정되지 않는다.

개별적인 내면의 '나'를 표시하는 숫자들은 4연에서는 양적인 의미로 전이된다. 13인의 아이 중에서 1인의 아이가 "무서운아해"이면 12인의 아이는 "무서워하는아해"가 된다. 2인의 아이가 "무서워하는아해"라면 11인의 아이는 "무서운아해"가 되는 셈이다. 2:11이라면 수적으로 보면 '현재의 나'의 행동은 '무서운 사람'으로 드러나야 할 것이다. 눈을 떠야 보이는 세계가 있고, 세상을 보는 눈을 감아야 비로소 열리는 세계가 있다. 이런 점에서 한국 현대시가 내면의 세계와 가장 신랄하게 만날 수 있게 된 것은 이상의 「오감도」에 이르러서라 할 것이다.

마지막으로, '골목'의 몽타주는 일종의 '매트릭스(matrix)'로서의 의미로 해석될 수 있다. 이 시에서 이상의 자의식은 "(길은막다른골목이적당하오.)"로 시작해서 "(길은뚫린골목이라도적당하오.)"로 이동한다. '매트릭스'는 수학과 컴퓨터 용어에서 행렬 또는 회로망의 의미로 쓰인다. 매트릭스는 다른 세상으로의 '문 찾기'인 셈이다. 현실에서의 매트릭스는 불가능하다. 그러나 의식 속에서 더구나 무의식 속에서는 도처가 문이라고 해도 지나친 말은 아니다. '막다른 골목'도 '뚫린 골목'도 상관이 없다. 현실에서는 언제나 그 문을 열면 거실이지만 우리의 내면에서는 그 문 앞에 언제나 사랑이 머물러 있는 것은 아니다. 사랑이 있는 쪽으로 끊임없이 문을 내는 것, 그것은 언제나 내면의 응시로부터 출발하는 '눈먼 작업'일 수밖에 없다. 그것은 곧 파편화된 시간 속에서 자아와 세계의 불협화를 감내하는 과정인 것이다.

2) 쁠랑(plan)의 몽타주와 무리수적 단절

시가 감각에 닿아 있다는 것은 그것이 이성적 형식으로부터 단절되어 있다는 것을 의미한다. 감각과 이성은 서로 대립적인 인식 주관이다. 들뢰즈는 감각대상들의 혹은 관념들의 지적인 관계에 반대하는 새로운 관계를 '사실관계(matters of fact)'라고 부른다.[19] 여기에 머물지 않고 들뢰즈는 '무리수적 단절'을 통해 한 걸음 더 나아가고 있다. 이성과 감각을 하나의 운동—이미지로 만들기 위해서 특별한 절단선을 기획한다.

유리수적 단절은 기계의 관절을 분리해 내듯이 잘라내는 것이다. 이렇게 분리된 부분들은 다른 통합체의 일부로서 재활용이 가능하다. 유리수적 단절은 단절된 이후의 활용에 집중한다. 다시 말해 단절이 있은 후에 그 쓰임을 모색하는 것이 아니라, 또 다른 전체를 밑그림으로 미리 그리고 그 그림에 맞춰서 단절을 하는 것이다.

반면 무리수적 단절은 이후의 전체를 염두에 두지 않고 감행한 단절이다. 어떤 것으로 환원 가능하지 않는 단절이 무리수적 단절이다. 단절을 통해 기존의 것들을 완전히 지우고 무화시킨다. 들뢰즈에게 무리수적 단절은 '자유'의 다른 이름이다. 따라서 그는 "절단이 어느 한쪽에 속하게 되는 일이란 더 이상 가능하지 않게 된다."[20]고 말한다. 이러한 무리수적 단절이라는 절단의 기획을 잘 보여주고 있는 작품이 이상의 「오감도-시제4호」이다. 이상은 대립적인 인식 주관을 교묘하게 잘라버림으로써 감각과 이성이 혼재된 특별한 이미지를 포착하고 있다.

「오감도-시제4호」의 해석을 풍성하게 하기 위해서는 일본어로 발표

---

19 질 들뢰즈, 하태환 역, 『감각의 논리』, 민음사, 1995, 11쪽.
20 질 들뢰즈, 이정하 옮김, 『시네마 Ⅱ』, 시각과 언어, 2005, 354쪽.

된 「建築無限六面角體-診斷 0:1」를 함께 볼 필요가 있다.

患者의容態에관한問題

1 2 3 4 5 6 7 8 9 0 ·
1 2 3 4 5 6 7 8 9 · 0
1 2 3 4 5 6 7 8 · 9 0
1 2 3 4 5 6 7 · 8 9 0
1 2 3 4 5 6 · 7 8 9 0
1 2 3 4 5 · 6 7 8 9 0
1 2 3 4 · 5 6 7 8 9 0
1 2 3 · 4 5 6 7 8 9 0
1 2 · 3 4 5 6 7 8 9 0
1 · 2 3 4 5 6 7 8 9 0
· 1 2 3 4 5 6 7 8 9 0

診斷 0:1

26·10·1931

以上責任醫師李箱

                               - 「建築無限六面角體-診斷0:1」 전문

위의 시는 다음과 같이 「오감도-시제4호」로 변형되어 1934년 7월 28일자 〈조선중앙일보〉에 발표된다. 두 시를 비교했을 때 가장 큰 변형은 숫자판이 뒤집혀져 있다는 것이다. 그리고 '診斷 0:1'이 '診斷 0·1' 로 표시되어 있다. 숫자판에 대한 설명은 다양하다. 그 중 수학자 김명환의 견해가 설득력을 얻고 있다. 하지만 그의 수학적 견해보다는 "11 줄로만 쓴 것은 아마도 역대각선을 이루는 점들을 중심으로 이루어지는 대칭적 형태미를 고려한 것이 아닌가 싶다"[21]는 그의 견해가 문학적

21　김명환, 「이상 시에 나타나는 수학기호와 수식의 의미」, 권영민 엮음, 「이상 문학연구 60년」, 문학사상

해석을 시도하는 데 많은 도움이 된다. 바깥의 시선과 안의 시선을 대비해서 보여주기 위해서는 대칭, 그것도 숫자의 대칭만큼 분명한 것이 없을 것이기 때문이다.

위의 시에 드러나고 있는 대칭구조 및 숫자들의 배열, 그리고 날짜와 서명은 더 이상 정밀해 질 수 없는 최소한의 형태를 지니고 있다. 서술어가 배제된 단어들의 배치, 그것은 어떤 의미에서 보았을 때 철저히 기계적이다. 거기에는 사소한 인간의 감정이 개입될 수 있는 여지가 전혀 없으며, 존재하는 것은 오직 사실 관계뿐이다.[22] 두 시를 대각선으로 가르고 있는 점선들은 0과 0을, 1과 1을, ……, 9와 9를 가르는 무리수적 절단의 기표이다. 이것은 곧 '나'와 '나'를 가르는 절단선과 다르지 않다. 진단을 하는 의사와 진단을 받는 환자는 동일인이다. 이 둘을 가를 수 있는 것이 곧 무리수적 절단선인 것이다. 잘려서 둘이 된 '나'는 서로가 마주할 수 있는 대칭적 존재들이 아니다.

「診斷 0:1」은 텍스트 전체가 '책임의사 이상' 즉 거울 바깥 주체의 시선으로 그려져 있다. 반면 「詩第四號」에서 언어텍스트의 부분은 '책임의사 이상'의 언술이라면 숫자판은 뒤집힌 것이 아니라 거울 안쪽의 대상이었던 주체의 시선으로 본 숫자판의 모습이다. 한 텍스트에 거울 바깥의 시선과 거울 안쪽의 시선이 동시에 드러나고 있다.[23] 이 두 시를 상호텍스트적으로 해석하면 앞의 시에서는 현실세계의 '나'가 책임의사라면, 병든 것은 내면의 '나'이다. 반면 「詩第四號」에서는 텍스트 내부의 '나'가 책임의사라면, 병든 것은 현실세계의 '나'이다. 이처럼 두 시

사, 1998, 170쪽.

22 김동근, 「아방가르드의 한국적 수용과 초현실성—이상과 조향의 경우」, 『어문연구』 제56집, 어문연구학회, 2008, 375쪽.

23 전동진, 「이상 시의 탈근대적 시선 연구」, 『비교한국학』 제18권2호, 국제비교한국학회, 2010, 51~53쪽.

를 하나의 텍스트로 분석할 때 '무리수적 단절'을 읽어낼 수 있는 것이
다.

3) 배치(agencement)의 몽타주와 존재의 겹침

무리수적 단절에 의해 부분이 된 것들은 새로운 전체를 지향한다.
그러나 이 부분들은 전체를 전제로 부분이 된 것들이 아니기 때문에 조
화로운 전체가 되는 것은 불가능하다. 부분은 부분으로서의 '각자성'을
훼손하지 않으면서, 전체를 지향하지만 이 전체는 조화의 세계가 아니
라 부조화의 세계이다. 「오감도-시제15호」는 불협화의 세계를 단적으
로 보여주는 시다.

1

나는거울업는室內에잇다. 거울속의나는역시外出中이다. 나는至今
거울속의나를무서워하며떨고잇다. 거울속의나는어디가서나를어떠케
하랴는陰謀를하는中인가

2

罪를품고식은寢床에서잣다. 確實한내꿈에나는缺席하얏고義足을담
은 軍用長靴가내꿈의白紙를더럽혀노앗다.

3

나는거울잇는室內로몰래들어간다. 나를거울에서解放하려고. 그러
나거울속의나는沈鬱한얼골로同時에꼭들어온다. 거울속의나는내게未
安한뜻을傳한다. 내가그때문에圇圄되어잇듯키그도나때문에圇圄되여

떨고잇다.

4

내가缺席한나의꿈.내僞造가登場하지안는내거울.無能이라도조흔
나의 孤獨의渴望者다.나는드듸어거울속의나에게自殺을勸誘하기로決
心하얏다.나는그에게視野도업는들窓을가르치엇다.그들窓은自殺만을
爲한들 窓이다.그러나내가自殺하지아니하면그가自殺할수업슴을그는
내게가르친다.거울속의나는不死鳥에갓갑다.

5.

내왼편가슴心臟의位置를防彈金屬으로掩蔽하고나는거울속의내왼
편가슴을겨우어拳銃을發射하얏다.彈丸은그의왼편가슴을貫通하얏스
나 그의心臟은바른편에잇다.

6

模型心臟에서붉은잉크가업즐러젓다.내가遲刻한내꿈에서나는極刑
을바닷다.내꿈을支配하는者는내가아니다.握手할수조차업는두사람을
封鎖한巨大한罪가잇다.

− 이상,「烏瞰圖−詩第十五號」전문

여기에 등장하는 '나'는 모두 각자성을 지닌 '나'다. 거울을 경계로
해서 거울 밖의 '나'와 거울상의 '나'가 있다. 그러나 이 둘은 마주볼 수
있는 대칭성의 존재들이 아니라 영영 마주할 수 없는 비대칭성의 존재
들이다. 거울 밖의 '나'는 나와 겹쳐질 수 있는 존재로 '꿈속의 나'를 상
정하지만 꿈속의 나는 부재한다.

'꿈속의 나'는 2연에서 처음 "의족담은 군용장화"로 등장한다. 실체로 등장하는 것이 아니라 부재로서 등장하고 있다. '나'와 '거울 속의 나'는 여러 가지 방식으로 서로의 '해방'을 모색한다. 그 방식은 극단으로까지 치닫는다. 4연에서는 '자살'을 모색하고, 5연에서는 '살해'를 기도한다. '겹창'의 시선은 결국 '거울 바깥의 나'와 '거울 안쪽의 나'가 서로의 부재를 확인할 수 있는 자살 혹은 살해를 목도하는 것으로 완결될 수 있다. '겹창'의 시선은 곧 '들窓'의 시선이라고 할 수 있겠다. '들窓'의 시선은 현재의 나를 기억하는 죽음 이후의 나를 소망하는 데까지 나아간다. 그러나 이런 시선의 완성은 모두 무위로 끝난다. 이 둘은 완벽하게 '봉쇄' 당하고 있기 때문이다. 그래서 "역설과 모순으로 실재를 이해하던 모더니즘, 산업사회의 발달에 따른 소외, 실존을 통해서만 오직 본질에 이를 수 있다는 실존주의, 더 이상 객관적 실재를 포착할 수 없다는 다다이즘 등의 새로움을 감지했으나 탈출구는 찾지 못했다"[24]고 이상을 평가하는 경우도 있다.

이 시에 등장하는 다섯의 '나'는 모두 각자의 시간성을 바탕으로 존재한다. 그렇기 때문에 서로는 서로의 존재를 짐작만 할 뿐 확인할 수 없다. 만일 이 다섯의 시간성을 관통할 수 있는 좀 더 거대한 존재의 시간성이 마련되었다면 이들이 서로의 존재를 확인할 수 있게 되었을지도 모른다. 그런데 이상은 제15호를 끝으로 「烏瞰圖」를 중단하고 만다. 시가 중단됨으로 말미암아 이 물음은 더 강력한 동력학의 에너지를 발산하고 있는지도 모르겠다. '텍스트를 지배하는 者'와 '내 꿈을 지배하는 者'의 시선으로 동시에 사유할 수 있는 시선은 가능할 것인가. '텍스트를 지배하는 者'와 '내 꿈을 지배하는 者' 사이의 소통은 가능할 것

---

24 권택영, 「출구 없는 반복」, 권영민 엮음, 『이상문학연구 60년』, 문학사상사, 1998, 61쪽.

인가[25]. 이상의 텍스트는 언제나 새로운 물음만을 던져준다. 그의 시에서 발견하는 매듭은 언제나 하나의 실마리로 환치되어 버린다. 그 실마리를 놓치지 않고 풀어가는 것도 쉬운 일이 아니다. 설령 그 실마리를 끝까지 놓치지 않고 가더라도 만날 수 있는 것은 답이 아니라 새로운 물음이다. 이상의 시편들은 그 자체로 시간의 몽타주이자, 물음의 몽타주이다.

4. 맺음말

지금까지 모더니즘 미학의 주요 속성 중 하나인 불연속적 시간 특질을 중심으로 1930년대 대표적인 모더니스트였던 정지용과 이상의 시적 텍스트성을 대위적으로 살펴보았다. 모더니즘의 불연속적 세계관의 자장아래 있다 하더라도 영미 모더니즘과 아방가르드의 시간 특질은 각각 다른 면모로 텍스트에 작용한다. 본고에서는 이 불연속성의 하위 자질을 단속성과 파편성으로 상정하고 이를 각각 정지용의 시와 이상의 시에 대입하였다.

정지용의 시 텍스트는 현재를 이루는 세 가지 시간 양상인 과거와 현재, 그리고 미래를 소격화하여 현재화시킨다. 시간에 대한 현재성의 강화는 시간을 연속적인 것으로 파악하고자 하는 전통적인 시간관에 균열을 가한다. 이상의 텍스트는 시간적 연속성을 애초부터 염두에 두지 않는다. 철저히 파편화된 시간의 조각들은 기존의 의미를 완전히 버리고 새로운 전체를 지향한다. 그런데 파편들이 지향하는 전체는 통일

---

25 전동진, 앞의 글, 55쪽.

적이고 조화로운 기존의 전체가 아니다. 각자성이 강조된 파편으로서
의 전체이며, 불협화의 전체로서 텍스트에 내재한다.

　모더니즘 시를 논의하는 자리에서 부분적인 것들의 중요성이 강조
될수록 전체에 대한 관심 또한 필요하다. 부분과 전체의 조화를 지향하
든 부조화를 지향하든 부분과 전체의 관계, 부분과 부분의 관계, 전체
와 전체의 관계가 팽팽한 긴장을 유지할 때 텍스트는 역동적인 효과를
발산할 수 있을 것이다.

서정주 시의 담론 원리와 상상력
– '주체/타자'의 기호체계를 중심으로

1. 머리말

미당(未堂) 서정주(徐廷柱), 실로 거대한 뿌리로 우리 시단을 지탱하여 온 아름드리 버팀목이었던 그가 얼마 전 장구한 70여년의 시력(詩歷)을 접었다. 우리의 현대 시문학이 본 궤도에 오르기 시작한 이후부터 지금에 이르기까지 서정주만큼 많은 이의 사랑을 간단없이, 그리고 온몸으로 받아 온 시인을 찾아보기란 어렵다. 이런 의미에서, 그는 비록 굴절의 시대를 헤쳐왔다 하더라도 행복한 시인임에 틀림없을 것이다. 그러나 서정주는 자신을 키워 온 것은 "팔할(八割)이 바람"이었다고, 그리고 자신은 그 바람 속의 '떠돌이'였을 뿐이라고 말한다. 서정주는 왜 한 평생의 행복한 시력(詩歷)을 이처럼 떠돌이의 역사라고 말하고 있는 것일까? 이에 대한 해답을 그의 시는 친절하게 설명해 주지 않는다. 단지 독자의 자리에 서 있는 우리 앞에서 은유와 환유의 기호로 보여 주고 있을 뿐이다.

따라서 이 수수께끼에 대한 해명은 독자인 우리의 몫일 수밖에 없다.

물론 지금까지 서정주와 그의 시에 대한 수많은 연구들이 진행되어 왔고 또 그 성과 역시 서정주의 시, 나아가 우리 문학의 원형질을 밝히는 데 까지 이르렀다 할 수 있다. 이런 점에서 이 논문은 그의 시세계를 이해 하는 데 하나의 사족에 불과할 지도 모른다. 그럼에도 불구하고 필자가 서정주의 시를 재론하고자 하는 이유는 시인은 타계하고 시 텍스트만 남 은 지금, 철저하게 독자 입장에서 담론 텍스트로서 그의 시를 다시 독해 하고자 하는데 있다. 즉 '떠돌이'로 압축되는 서정주 시의 의미를 시인의 일생을 통해서가 아니라 텍스트의 기호작용을 통해 해명하고자 한다.

텍스트의 의미란 언제나 읽는 과정 속에서 생산되는 법이다. 시적 담론은 언술행위(enunciation)와 언술내용(enunced)이라는 두 차원 에서 동시에 조직되는 것이고, 담론 수행 과정에서 산출되는 의미 또 한 현재적이어야 한다. 그 의미가 현재적이지 못할 때, 독자의 정서로 부터 역동적인 반응을 기대할 수 없다. 따라서 문학 텍스트의 '문학성' 은 순수히 '기호-내재적'으로 규정되지 않으며, 그의 규정은 (외부적) 담론 제도화와 기호 내재적 구조들의 조합을 통해 가능해진다.[1] 즉, 텍 스트의 문학성이란 시인에 의해 설계된 시적 기호체계와 독자의 담론 수행 과정에서 축조되는 의미에 의해 규정된다. 그러므로 서정주 시의 기호체계 분석을 토대로 하여 그 담론 양상과 상상력의 본질을 검토함 으로써 그 문학성의 본질에 접근해 보려는 것이 본고의 목적이라 할 수 있다. 특히 서정주 시 기호체계의 핵심을 '주체/타자'[2]라는 이항 관계의 코드로 설정하고, 이러한 코드가 시 텍스트의 담론적 의미와 서정적 상 상력에 어떻게 작용하는가를 논하게 될 것이다.

---

1   K. M. Bogdal 편, 문학이론연구회 역, 『새로운 문학 이론의 흐름』, 문학과지성사, 1994. 163쪽.
2   사르트르, 레비나스, 데리다, 라캉, 푸코, 하버마스 등 주로 철학과 심리학의 사유 영역이었던 '주체/타 자'의 문제는 이제 기호학과 담론이론에 접합되어 중요한 문학적 분석의 틀로 자리잡고 있다.

2. 타자성의 기호와 담론 주체

텍스트의 기호작용을 '담론(discourse)'이라 할 때, 엔터니 이스톱은 문학의 담론 특히 시적 담론이 '언어의 기표'와 '이데올로기'와 '주체'라는 세 차원에서 동시에 응집되고 결정되는 조직체라고 설명한다. 그리고 담론 형성 과정에서 주체에 관계하는 이 언어 기표와 이데올로기를 후기 구조주의자이자 정신분석학자인 라캉은 '타자(他者)'로 명명한다. 라캉의 타자는 '실재' 상태로 드러나는 것이 아니라, 언어나 무의식과 같은 '타자성'으로 드러난다. 즉, 타자는 이미 주어져 있는 실체나 본질이 아니라, '주체/타자'라는 대립 구조로 환원되지 않고 오히려 그 대립 구조 자체를 와해시키는 타자성으로 존재하기 때문이다.[3]

그렇다면 텍스트의 기호체계를 분석하고 해석하는 독자로서의 우리는 어떻게 해서 주체로 정립되는 것일까? 그것은 우리의 타자에 의해 타자의 내부에서 정의된다. 우리가 '나'를 주체화하는 과정이란, 타자의 시선(gaze)을 통해 즉 상징적 질서의 관점에서 나를 보는 것이며, 타자의 시선에 의해 정의되는 나를 자신의 자아 – 이상으로 삼는 것이다. 텍스트를 통한 모든 기호작용의 주체는 텍스트에 개입하는 수많은 타자들, 즉 우리의 밖에 있는 '너', 혹은 우리의 내부에 엄존하고 있는 '나 아닌 나'와의 만남에 의해서 실현된다. 때로는 대립적이며, 때로는 보족적인 타자 기호와의 관계 속에서만 우리는 주체로서의 '나'일 수 있기 때문이다. 결국 타자의 담론, 타자의 욕망이 정의하는 이미지를 받아들일 때, 우리는 주체의 자리에 서게 된다. 따라서 담론으로서의 시는 단순히 시인과 독자 사이의 매개물이 아니라, 주체와 타자를 관계

3　민승기, 「라캉의 타자」, 『현대시사상』 29호, 고려원, 1996, 163쪽.

짓는 구조물이라 할 수 있다.

모든 문학은 담론으로 기능한다. 때문에 모든 문학은 타자성으로부터 자유로울 수 없다. 이러한 명제는 이제 문학 일반론적 전제라 할 수 있을 것이고, 그렇다면 서정주의 시에서 굳이 타자의 문제를 들춰낸다는 것이 별 의미 없는 일일지도 모른다. 그럼에도 불구하고 이 글은 서정주의 시를 타자의 차원에서 읽으려 한다. 그 이유는 서정주의 시가 갖는 주체와 타자의 관계가 다분히 이중적이며, 그로 인해 시적 담론을 형성하는 기호체계 역시 겹구조를 이루고 있기 때문이다.

여타의 시와 다른 서정주 시의 이러한 특수성은 주체에게 주체로서의 시선보다 오히려 타자로서의 시선을 강요한다. 주체가 타자이고 타자가 주체인 착시현상, 즉 주체가 '타자의 타자'가 되고 마는 이러한 카오스는 결코 동일시라 할 수 없으며, 주체가 시적 기호체계를 통해 의미화하고자 하는 '실재'는 영원히 채워질 수 없는 '결핍'[4]으로 남는 것이다. 그러기에 서정주는 그의 시에서조차 타자의 기호로 부유하는 영원한 떠돌이였던 셈이다.

> 애비는 종이었다. 밤이기퍼도 오지않었다.
> 파뿌리같이 늙은할머니와 대추꽃이 한주 서 있을뿐이었다.
> 어매는 달을두고 풋살구가 꼭하나만 먹고 싶다하였으나… 흙으로
> 바람벽한 호롱불밑에
> 손톱이 깜한 에미의아들.
> 甲午年이라든가 바다에 나가서는 도라오지 않는다하는 外할아버

---

4 라캉에 의하면, 실재계는 상상계적 이미지나 상징계의 언어로 조직되거나 재현된 듯 보이지만, 그것은 항상 잘못 된 재현이며, 따라서 재현 불가능한 결핍의 상태로 남아 있다. 즉, 현실이 상상계적이거나 상징계적이라면, 실재계는 현실로부터 상실된 것이다.(민승기, 위의 글, 164~165쪽 참조)

지의 숯많은 머리털과 그 크다란눈이 나는 닮었다한다

　　스믈세햇동안 나를 키운 건 팔할(八割)이 바람이다.

　　세상은 가도가도 부끄럽기만하드라

　　어떤이는 내눈에서 죄인(罪人)을 읽고가고

　　어떤이는 내입에서 천치(天痴)를 읽고가나

　　나는 아무것도 뉘우치진 않을란다.

　　찰란히 티워오는 어느아침에도

　　이마우에 언친 시의 이슬에는

　　몇방울의 피가 언제나 서껴있어

　　볓이거나 그늘이거나 혓바닥 느러트린

　　병든 수캐만양 헐덕어리며 나는 왔다.

-「自畵像」 전문

　이 시는 화자인 '나'의 목소리로 대상을 질서화하는 독백적 담론으로
읽혀진다. 이처럼 화자가 현상적으로 드러나 있는 경우에는 주체의 서
정 자아가 화자 기표인 '나'의 연쇄에 따라 결합되며, 각 결합관계축의
최후명제인 "나는 아무것도 뉘우치진 않을란다.", "병든 수캐만양 헐덕
어리며 나는 왔다."에 의해 주체로 정립되게 마련이다. 그러나 "어떤이
는 내눈에서 죄인을 읽고가고 / 어떤이는 내입에서 천치를 읽고가나"에
오면 주체의 자리가 심각하게 도전 받고 있음을 느끼게 된다. 타자의 시
선을 의식하게 된 '나'는 타자 기표인 '어떤이'의 자리로 슬그머니 물러
나는 것이다. 그리하여 객체가 되어버린 주체의 자화상을 타자의 시선
으로 그려낸다. 그럼으로써 '어떤이'라는 타자 기표는 주체의 서정 자아
와 계열관계를 이루면서 부가의미를 연상시키는 시적 기능을 매개한다.

야콥슨은 언어 발화의 의미 구축 과정을 결합관계적(syntagmatic)인 수평축과 계열관계적(paradigmatic)인 수직축으로 설명한다. 계열관계축은 언어의 선택(selection)이 이루어지는 환경이며, 결합관계축은 선택된 언어가 결합(combination)되는 환경이다.[5] 하나의 발화는 한 계열체에서 하나의 기호를 선택하여 다른 계열체에서 선택된 다른 기호와 결합시킬 때 성립된다. 시 텍스트는 바로 이러한 발화단위들이 다시 중층으로 선택과 결합을 이루는 담론으로서의 기호체계인 것이다. 그리고 이 선택과 결합의 연쇄 과정에 언어 기호의 타자성이 개입하여 시 텍스트의 은유적인 의미를 환기해낸다고 할 수 있다. 「자화상」의 기호체계를 이 두 축에 의해 조감해 보자.

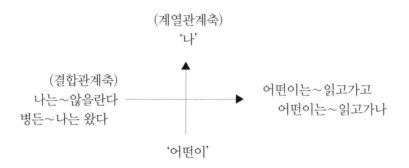

여기에서 '어떤이'는 내 안의 나, 즉 타자 기표이며, 주체인 '나'와 계열관계에 놓여 있다. '나'와 '내 안의 나' 사이에 동일시를 상실한 채 자

---

5 R. Jacobson, 김태옥 역, 『언어학과 시학』, 문학과지성사, 1977. 155쪽.
   야콥슨은 시적 기능에 대한 언어학적 기준을 언어행위에 개재하는 '선택'과 '결합'이라는 두 가지 기본적 배열 양식에서 찾는다. 이 때 선택의 기준은 등가성, 유사성, 상이성, 동의성과 반의성이며, 결합 즉 배열을 구성하는 기준은 인접성이다.

신을 객체로 바라봐야 하는 그 결핍의 시선에는, 따라서 죄의식과 애증이 묻어날 수밖에 없다. "가도가도 부끄럽기만"한 세상을 살아가는 죄의식이 바로 자화상으로부터 읽어내는 '죄인'과 '천치'의 기호이겠지만, 그 죄의식의 이면에서 "나는 아무것도 뉘우치진 않을란다."라는 모순된 기호체계가 형성됨으로써 '나'와 '내 안의 나'는 영원히 합일될 수 없는 애증의 관계로 드러난다. 결국 '내'가 주체이면서 또한 타자이기도 한 아이러니, 그것이 바로 서정주 시의 상상력과 시적 담론의 의미를 파악하게 하는 열쇠인 것이다. 이러한 점은 비단 「자화상」뿐만 아니라 그의 초기 시집인 『화사집(花蛇集)』(1941)과 『귀촉도(歸蜀途)』(1948) 수록 시편들에서 공통적으로 보이는 현상이라 할 수 있으며, 신라정신에 몰입하여 타자성을 극복하고자 하였던 그의 후기 시편들까지도 따지고 보면 '주체/타자'의 대립 기호에 의한 의미작용이라는 측면에서 논의될 수 있는 것이다.

심각하게까지 보였던 '주체/타자' 분열 양상은 『귀촉도』 이후 『질마재 신화(神話)』(1975)에 이르는 그의 시력(詩歷)에서 코페르니쿠스적 전환을 이루게 된다. 그렇다면, 이 시기의 시들에서 보여지는 주체 회복의 징조를 타자성의 상실로 설명할 수 있을 것인가. 일면, 이 시기의 시들은 『화사집』의 원죄의식으로부터 벗어나 있는 것으로 보인다. 지금까지의 많은 연구들이 『화사집』과 『귀촉도』 사이의 이러한 변화에 주목하여, 『귀촉도』의 세계를 "원죄의 형벌에서 몰락하지 않고 다시 살아나는 재생의 노래"[6]이며, "동양의 一元的인 세계로 복귀"[7]하여 "애절한 한의 가락을 일단 지양, 극복"[8]하고 있음을 밝혀 왔다.

---

6 조연현, 「원죄의 형벌」, 『문학과 사상』, 세계문화사, 1946.
7 김우창, 「한국시와 형이상」, 『궁핍한 시대의 시인』, 민음사, 1977.
8 천이두, 「지옥과 열반」, 『시문학』, 1972, 6~9쪽.

기존의 연구들이 지적하고 있듯이, 『귀촉도』 이후의 시편들에는 『화사집』에서 보였던 육체적 정열과 강렬한 관능이 눈에 띄게 제거되어 있고, 생활과 현실의 환경으로 눈길을 돌리고 있으며, 기표의 결합관계축을 따라 주체의 이데올로기가 이동되고 있음이 사실이다. 그럼에도 불구하고 서정주의 시에서 보여지는 그 생활이, 또 현실에 대한 수동적 긍정의 태도가 일종의 도피주의와 멀지 않은 거리에 있다는 생각을 떨쳐내기 어렵다. 그것은 우리에게 『귀촉도』의 타자가 좀더 은밀한 곳에서 주체를 응시하고 있으리라는 의심을 지울 수 없게 한다. 비록 이 시기의 시적 주체가 정돈과 재기의 몸짓을 보이고 있다고는 하나, 초기의 서정주에게 내려졌던 원죄의 형벌이 아직은 남아있는 상흔으로 발견되기 때문이다. 이에 대해서는 다음 장에서 더 자세하게 논하기로 한다.

3. 원죄의식과 은유적 담론체계

　　우리는 『화사집』의 거의 모든 시편들에서 예외 없이 '죄'와 계열체를 이루는 기표들을 만난다. 그렇다면 서정주 시의 행간에 깊숙이 자리잡은 이 죄의식은 어디에서 오는 것일까. 다시 「자화상」의 세계로 돌아가 보자. 서정주의 죄의식은 결코 경험적이거나 실재적인 데서 찾아지지 않는다. 즉, 그 죄는 '나'의 죄가 아니라 '내 안의 나'의 죄인 것이다. 우리 시문학사에서 서정주 시인이 차지하고 있는 독보적인 위치에도 불구하고, 다른 한 편에서는 그의 시에 역사의식이 결여되어 있음을 비판하여 왔던 이유도 바로 여기에 있다. 「자화상」에서 보이듯이, 그의 시적 상상의 동력이었던 죄의식이 현실의 문제와는 일정한 거리를 둔 채 인간의 숙명적 원죄에 뿌리를 내리고 있었다는 점은, 그가 살아 온 굴절의 역사와 더불어 미당 서정주에게 하나의 흠결로 작용하고 있는 셈이다.

"손톱이 깜한 에미의 아들"로 그려지는 '자화상'은 오이디푸스적 원죄의식에 고뇌하는 인간상이다. 그리고 그 원죄를 씻어 줄 동일시의 대상인 '애비'는 동일시 자체를 불가능하게 하는 부정적이며 결핍된 대상, 즉 '종'이다. 다시 어머니의 아버지인 '外할아버지'로 향하게 되는 동일시의 욕망이 "나는 닮었다한다."라고 자기 확인을 시도해 보지만, 그 역시 "도라오지 않는" 결핍의 기호로써 동일시의 상실을 재촉할 뿐이다. 그러기에 이 시의 화자는 어디서 불어와 어디로 불어 가는지도 모른 채 떠도는 '바람'의 아들이자, 원죄에 병든 '수캐'일 수밖에 없다. 우리는 이처럼 「자화상」이라는 텍스트의 상징계를 통해서 타자 기표가 상상계적 동일시의 상실과 그에 따른 원죄의식의 또 다른 기호임을 엿보는 것이다.

프로이트의 정신분석이론을 수정 발전시킨 라캉은 새로이 상상계, 상징계, 실재계의 개념을 도입한다. 그는 소외를 불러일으키지만 여전히 기표와 기의의 합일을 꿈꾸는 나르시시즘적 거울단계를 '상상계', 그 '차이'에 기반을 둔 언어적 상징 질서를 '상징계', 상징 질서로 환원되지 않으면서 그 질서 속에서 사후적으로 의미가 만들어지는 침묵의 세계를 '실재계'라 부른다.[9] 한편 프로이트의 또 다른 계승자였던 허버트 리드는 예술작품의 창작 과정을 설명하면서, 무의식은 예술적 영감의 근원이며, 자아는 그 형식적 종합과 통일을 이루게 하고, 초자아는 이데올로기나 도덕적 방향성을 창조한다고 설명한다.[10] 따라서 서정성

---

9 Jacques Lacan, The Ethics of Psychoanalysis, trans. Dennis Porter, London : Routledge, 1992, p. 55 참조.

10 Hebert Read, Collected Essays in Literary Criticism, London : Faber, 1951, p. 37.

의 발현과 시의 창작 과정에 대한 이들의 논의는 그 개념상의 차이에도 불구하고 일정한 상동성을 보이고 있는 것이다.

서정주의 시에서 이러한 창작 과정 또는 담론 원리를 가장 잘 보여주고 있는 작품으로 「화사」를 들지 않을 수 없다. 「화사」는 또한 서정주의 원죄의식이 상징적 질서 속에서 얼마나 다양한 타자 기표로 기호화될 수 있는가를, 그리고 그 타자로부터 시적 화자의 주체성이 얼마나 심각하게 도전 받을 수 있는가를 격렬한 몸짓으로 강변하고 있는 작품이다.

麝香 薄荷의 뒤안길이다.

아름다운 베암….

을마나 크다란 슬픔으로 태여났기에, 저리도 징그라운 몸둥아리냐

꽃다님 같다.

너의 할아버지가 이브를 꼬여내든 達辯의 혓바닥이

소리잃은채 낼룽그리는 붉은 아가리로

푸른 하늘이다.… 물어뜯어라. 원통히무러뜯어.

다라나거라. 저놈의 대가리!

돌 팔매를 쏘면서, 쏘면서, 麝香 芳草ㅅ길

저놈의 뒤를 따르는 것은

우리 할아버지의안해가 이브라서 그러는게 아니라

石油 먹은듯… 石油 먹은 듯… 가쁜 숨결이야

바늘에 꼬여 두를까부다. 꽃다님보단도 아름다운 빛…

크레오파투라의 피먹은양 붉게 타오르는 고흔 입설이다… 슴여라!

베암.

우리순네는 스물난 색시, 고양이같이 고흔 입설… 슴여라! 베암.

－「花蛇」 전문

「화사」는 다분히 보들레르의 「악의 꽃」을 연상시킨다. 제목부터 그럴 뿐만 아니라, 이 시를 쓰던 시기에 서정주 스스로 "나는 어느새 보오드레－르의 徒黨"[11]이 되었다고 선언할 정도로 보들레르적 관능 탐구를 통해 현실을 초탈하고자 하였음이 분명하다. 고답파(高踏派)의 이성주의에 반기를 들고 개성적 감성에 의해 '만상의 조응'을 이루고자 했던 상징주의 시인 보들레르의 체취가 서정주의 시에서 풍겨나고 있음은 우리에게 시사하는 바 크다. 만상의 조응이란 무엇인가? 그것은 주체의 객체화에 다름 아니다. 주체의 객체화를 전제하지 않고 인간과 우주 만상의 조응을 기대할 수는 없다. 그리고 주체의 객체화란 곧 타자성에 의한 상징적 질서의 재구축이라 할 것이다. 그러기에 보들레르의 뒤를 이은 랭보가 언어의 연금술을 통해 이상세계를 보여줄 수 있는 예언자와 같은 '견자(見者)'[12]의 자리를 시인의 궁극적인 자리라 하지 않았겠는가.

「화사」는 '베암'으로 기호화된 감성적 관능의 꿈틀거림을 섬세한 감

---

11 서정주, 「니의 방랑기」, 『인문평론』, 1940. 4. 70쪽.
12 P. Van Tighem, 민희식 역, 『불문학사조12장』, 문학사상사, 1981, 255쪽 참조.
    랭보는 '시인'이란, 모든 감각의 오랜 세월에 걸친 끝없는 부조리의 착란에 의해서 '見者'가 되어야 한다고 말한다.

각으로 묘사한 시다. 그리고 모든 기호체계를 뱀으로부터 야기된 원죄의식, 즉 타자성이 지배하고 있다. 이 시를 각 행과 연으로 이어지는 결합관계의 축에서만 보면, 주체가 객체인 '베암'을 강력히 조종하고 주체화하는 절대 주체의 담론처럼 보인다.[13] 그러나 이 시가 근본적으로 창세신화에 대한 은유적 상상력에 의존하고 있다는 점을 상기하여 보자. 그럴 경우, 우리의 시선은 언어기호의 계열관계축으로 옮겨지게 되고, 오히려 주체를 객체화시킨 절대 타자의 자리에서 시적 담론이 수행되고 있음을 발견하게 될 것이다.

아담과 이브의 창세신화를 기억하고 있는 우리에게 뱀은 단순한 파충류 동물이 아니다. 인간으로서의 욕망을 실현시킨 중개자이며, 동시에 원죄의 씨앗을 뿌리게 한 악의 화신이 바로 우리가 뱀에 부여한 이미지이다. 사탄의 변신인 뱀의 유혹에 빠져 신의 뜻을 거스른 아담과 이브는 그들의 낙원, 즉 평화와 자유를 박탈당한다. 낙원 상실의 세계는 이제 동일시를 상실한 타자의 세계일 수밖에 없다. 따라서 낙원이라는 상상계로부터 인간 세상이라는 상징계로 추락한 우리에게 원죄는 끊임없이 주체를 주시하는 타자의 시선으로 작용하는 것이다. 그리고 원죄의 중개자인 타자로서의 '내 안의 나'는 원죄의 수행자인 주체로서의 '나'에게 욕망을 실현시키도록 명령한다. 마치 에덴동산에서 사탄이 이브를 유혹하던 그날처럼 "슴여라! 베암."이라고 끊임없이 외친다.

---

13 「화사」를 절대 주체의 작품으로 분석한 글로는 김진국의 「서정주 시의 시적 자아의 존재론」(『한국문학이론과 비평』 2호, 한국문학이론과 비평학회, 1998)이 대표적이다. 여기에서 김진국은 초기 서정주를 모더니스트로 평가하면서, 「화사」의 주체가 "세계의 창조주이고 조정자인 신의 자리에 스스로 오르려는 절대 주체"라고 분석하고 구체적인 해석을 가하였다. 그러나 필자는 그 역의 논리가 성립될 수 있는 가능성에 주목하고자 한다. 그것은 「화사」의 세계가 중층적인 기호체계로 이루어져 있어서, 독자 또는 텍스트 분석자를 담론 주체로 상정할 경우 해석의 지평이 확장될 수 있기 때문이다.

해와 하늘 빛이

문둥이는 서러워

보리밭에 달 뜨면

애기 하나 먹고

꽃처럼 붉은 우름을 밤새 우렀다.

- 「문둥이」 전문

　위의 시 역시 서정주의 원죄의식이 타자 기표로 기호화되어 상징적 질서를 이루고 있는 작품이다. 다시 말해, '문둥이'는 타자로 그려지는 서정주의 자화상인 셈이다. 라캉은 타자를 "친밀하면서도 낯선 것"이라 부른다. '내 안의 나'이기에 친밀하지만, '나'와의 사이에서 결핍된 실재와 욕망의 소외구조를 초래하는 것이기에 이질적이다.[14] 따라서 상징계에 현현된 타자 기표의 의미는 다분히 이중적이며 은유적일 수밖에 없다. 이 시에서 '문둥이'는 「화사」의 '뱀'과 마찬가지로 실제적 대상이라기보다는 원죄로서의 천형을 타고난 내 안의 타자이다. '해와 하늘 빛'을 상실된 낙원의 기호라 한다면, 보리밭에 뜨는 '달'은 인간 세상의 욕망을 매개한다. 그러기에 「문둥이」에서의 타자는 에덴동산에서 금단의 과일을 따먹듯이 '애기' 하나 먹고 "꽃처럼 붉은" 욕망에 몸을 떤다.

　서정주의 초기시가 이처럼 인간의 야성적 육욕을 솔직하게 노래하고 있다는 점에서 어느 서정시인보다도 리얼리스틱하다고 평가[15]되기

14　이에 대해서는 마단 사럽 저, 김해수 역, 『알기 쉬운 자끄 라캉』, 도서출판 백의, 1996. 153~158쪽을 참조할 것.

15　송욱, 「서정주론」, 『미당연구』, 민음사, 1994. 18쪽.

도 하지만, 이를 리얼리즘과 관련짓는 것은 온당치 못하다. 서정주 시에서 보이는 인간적 솔직함이 리얼리즘의 요건 중 '진실성'은 만족시키고 있을지 모르나 '현실성'까지도 담보하고 있는 것은 아니기 때문이다. 리얼리즘 시는 시적 영감을 현실의 문제에서 떠올려야 한다. 그러나 서정주의 시적 영감은 무의식 속의 원죄에 그 기반을 두고 있다는 점이 이를 반증한다. 시 텍스트에 대한 읽기 과정에서 오히려 우리의 주목을 끄는 것은 주체가 철저하게 소외되어 있다는 점이다. 즉, 주체의 이데올로기가 적극적으로 대상을 의미화하지 않고, 오히려 객체로 전도되어 타자의 이미지로만 드러나 있는 독특한 反리얼리즘적 담론 방식을 우리는 보게 된다.

한편, 시적 상징계에서 이루어지는 이와 같은 주체의 소외구조는 여기에서 그치지 않고 '내 안의 타자'가 아닌 '내 밖의 타자'로부터 야기되는 데까지 나아가기도 한다. 아래의 작품들이 바로 그러한 경우이다.

꺼저드는 어둠속 반딧불처럼 까물거려
정지한 〈나〉의
〈나〉의 서름은 벙어리처럼….

이제 진달래꽃 벼랑 햇빛에 붉게 타오르는 봄날이 오면
벽(壁)차고 나가 목메어 울리라! 벙어리처럼.
오- 벽아.

― 「벽(壁)」 일부

우리 아버지와 어머니에게 또 나와 나의 안해될사람에게도
분명히 저놈은 무슨 불평을 품고있는것이다.

무엇보단도 나의시를, 그다음에는 나의표정을, 흐터진머리털 한가
닥까지,… 낮에도 저놈은 엿보고있었기에

멀리 멀리 유암(幽暗)의 그늘, 외임은 다만 수상한 주부(呪符).

─「부흥이」 일부

보지마라 너 눈물어린 눈으로는…

소란한 홍소(哄笑)의 정오 천심(正午 天心)에

다붙은 내입설의 피묻은 입마춤과

무한 욕망(無限 慾望)의 그윽한 이 전율(戰慄)을…

─「정오(正午)의 언덕에서」 일부

    위의 시들에서는 주체와 타자 사이의 관계가 내재적으로 읽혀지지
않고 외재적으로 읽혀진다. 이 시들의 타자는 주체에게 외적 억압을 가
하고 있는 '벽'이고, 낮에도 나의 시와 표정과 머리털까지 엿보고 있는
'부흥이'이며, 욕망에 떨고 있는 나를 바라보고 있는 '너'이다. 따라서
이들 타자의 시선을 의식한 주체는 그 억압받는 모습을 「벽(壁)」에서처
럼 '〈나〉'의 기표로 형상화하거나, 「부흥이」에서 타자의 목소리를 수상
한 주문 부호(呪符)나 아닐까 의심하며, 또한 「정오의 언덕」에서는 "보
지마라"고 외치면서 타자의 시선 자체를 거부한다. 이처럼 타자의 위
치가 주체의 밖에 설정됨으로 인해, 주체와 타자는 이제 서로의 시선을
의식하는 개별자가 되는 것이다. 그런 만큼 결합관계축의 연쇄를 따르
는 주체는 그 정합성을 강화하지만, 그럴수록 상대적으로 타자의 정합
성 역시 강화되는 것이어서, 주체와 타자의 거리는 '친밀함'보다는 '낯
선' 관계로 유지된다. 즉 「화사」나 「문둥이」의 소외구조가 모순적 갈등
의 양상으로 드러나는 반면, 「벽」, 「부흥이」, 「정오의 언덕에서」의 소외

구조는 배타적 대립의 양상으로 드러나고 있다. 이러한 점은 서정주 초기시의 담론 수행이 서로 다른 두 가지 틀에 의해 진행되었음을 의미하는 것이라 할 것이다.

4. 설화모티프와 에포스적 상상력

지금까지 서정주의 초기시가 보인 주체와 타자 사이의 분열 양상을 원죄의식과 소외구조라는 측면에서 검토하여 왔다. 이제, 『귀촉도』 이후의 시편들에서 주체와 타자 사이의 갈등과 대립이 초기시에 비해 완연하게 해소되고 있음에 주목하고자 한다. 서정주는 그 길을 타자의 무력화가 아니라, 타자성의 완화에서 찾고 있었던 것으로 보인다. 그리고 이러한 시적 전환을 가능하게 한 것이 동양의 일원론적 세계관이다. 초기시에서 보여지던 주체 분열 현상이 기독교적 원죄의식과 보들레르의 전이에 기인한 것이라면, 이제 서정주시는 동양정신에 기초한 화해의 길을 모색하고 있는 것이다. 동양정신이라는 범주 속에서 서정주는 불교, 도교, 샤머니즘, 신라정신 등으로 살아나는 설화 및 신화 모티프를 적극적으로 차용하고 있다. 그리고 이를 통해 그의 내부에서 타자로 자리하고 있던 원죄의식과 인간적 욕망의 악마주의에 윤색을 가하며, 주체의 자리 찾기를 시도하고 있다고 볼 수 있다. 따라서 이러한 설화 및 신화 모티프는 주체와 타자가 만나는 접점이자, '주체/타자'의 이항 대립을 완화시키는 매개항으로 기능하고 있는 셈이다.[16] 서정주 시를 텍

---

16 매개항이 존재하는 중간 영역. 즉 경계 공간은 비정상적이고 비자연적이며 성스러운 것으로 파악된다. 매개항은 전형적으로 모든 금기(taboo)의 정합(focus)이 되며 제의(祭儀)의 정합이 된다.
(E. R. Leach, 「Genesis as Myth」, Myth and Cosmos : Readings in Mythology and Symbolism, ed. by J.

스트로 한 독서 과정, 즉 주체로서의 담론 수행 과정에서 이제 우리는 알게 모르게 설화적 조건에 좌우되며, 또한 그 설화 기호의 은유적 의미에 관여하게 된다.

우리들의 사랑을 위하여서는
이별이, 이별이 있어야 하네

높었다, 낮었다, 출렁이는 물ㅅ살과
물ㅅ살 몰아 갔다오는 바람만이 있어야 하네.

오 – 우리들의 그리움을 위하여서는
푸른 은하ㅅ물이 있어야 하네.

도라서는 갈수없는 오롯한 이 자리에
불타는 홀몸만이 있어야 하네!

직녀(織女)여, 여기 번쩍이는 모래밭에
돋아나는 풀싹을 나는 세이고…

허이언 허이언 구름 속에서
그대는 베틀에 북을 놀리게.

눈섭같은 반달이 중천에 걸리는

Middleton, Texas Univ. Press, 1967. pp. 33~35 참조.)

칠월 칠석이 도라오기까지는,

검은 암소를 나는 먹이고
직녀여, 그대는 비단을 짜세.

- 「견우(牽牛)의 노래」 전문

　이 시는 '견우 직녀 이야기' 설화를 모티프로 차용하고 있다. 시 전체의 담론체계를 뉴크리티시즘의 기수였던 브룩스의 말을 빌려 '잘 빚어진 항아리'[17]라고 명명할 때, 그 항아리 속에는 여러 질료들로 만들어진 하나의 내용물이 들어 있다. 그리고 그 질료들 중에는 스스로 다른 질료들을 통제하고 내용물의 가치를 결정하는 주된 성분이 있게 마련이다. '시'라는 항아리 속에서 기능하는 이 주된 질료를 무카로프스키는 '구조적 지배소(dominant)'[18]라 부른다. 그렇다면 이 시의 구조적 지배소는 무엇인가?

　「견우(牽牛)의 노래」라는 텍스트, 즉 잘 빚어진 항아리 속 수많은 질료의 기표들로 시선을 옮기다 보면, '견우 직녀 이야기'가 이 텍스트의 모든 기표들을 질서화하고 있다는 사실을 어렵지 않게 발견하게 된다. 또 어느 순간, 항아리 속의 내용물에 자신의 얼굴이 반사되고 있음을 보게 된다. 항아리 밖에서는 볼 수 없었던 '나'의 얼굴, 그러나 결코 진정한 주체일 수 없는 그 얼굴이 곧 우리의 타자이다. 주체로서의 나와 숨겨진 타자로서의 나는 시 텍스트의 담론을 수행하는 과정에서 지배

---

17 Cleanth Brooks, The Well Wrought Urn, 1947.
18 J. Mukarovsky, 「Standard Language & Poetic Language」, Linguistics & Literary Style, ed. D. C. Freeman, Holt, 1970. pp. 40~56.
　지배소(dominant)는 작품 속에서 계속 움직이며 다른 요소들의 방향을 지시하고, 다른 요소들과 관계를 맺어 시작품에 통일성을 부여하는 요소이다.

소인 '견우 직녀 이야기' 설화를 통해 만나고 매개되는 것이다.

이 시의 전반 네 연과 후반 네 연이 갖는 의미의 양상은 사뭇 다르다. 전반 네 연은 '주체/타자'의 갈등 국면을 드러내고 있다. 우선, 타자의 욕망 기표인 '사랑'과 주체의 이데올로기 기표인 '이별'이 모순어법 속에서 갈등을 초래하고 있으며, 이러한 갈등은 이어서 '물ㅅ살/바람', '그리움/은하ㅅ물', '오롯한 이 자리/불타는 홀몸'의 모순관계를 형성한다. 그러나 이러한 갈등은 각 연 끝의 "있어야 하네"라는 주체의 이데올로기적 당위성에 의해 기표들의 후면에 숨겨진 채 내연하고 있다. 이는 다음 후반부에서 주체와 타자가 화해의 길을 모색하리라는 징조를 우리에게 전달한다.

후반부에 오면, 본격적으로 설화의 세계가 펼쳐진다. 그리고 그 설화의 세계 속에서 주체와 타자는 하나가 된다. 그리하여 "돋아나는 풀싹을 나는 세이고…", "그대는 베틀에 북을 놀리게.", "七月 七夕이 도라오기까지는", "검은 암소를 나는 먹이고"와 같이 화해와 기다림의 이미지로 부가적인 기의를 형성해 낸다. 이처럼 『귀촉도』이후의 타자는 바로 욕망의 절제를 위해 설화 속에 숨어들고, 설화로 인해 자기 소외와 원죄로부터 화해할 수 있었던 것이다. 따라서 서정주 시에서의 설화 모티프는 담론체계를 주도하는 구조적 지배소임과 동시에 주체와 타자의 갈등과 대립을 완화시키는 완충지대, 곧 매개항이라 할 수 있다. 서정주 시의 이러한 변화는 사르트르의 타자 개념의 변화를 통해 설명될 수 있다. 즉, "절망적이었던 대타 관계는 희망적인 관계로 바뀌고, 수학 공식처럼 정교하게 증명되었던 나와 타자 사이의 비상호성은 완전한 상호성으로 탈바꿈"[19]한다.

---

19 박정자, 「사르트르의 타자 개념」, 『현대시사상』, 29호, 고려원, 1996, 112쪽.

서정주의 시에서 순수 대상은 아무런 의미도 없을 뿐만 아니라, 존재하지도 않는다. 모든 대상은 설화나 신화적 세계 속에서만 의미로울 수 있고, 주체와 타자 역시 그 속에서 갈등하고 화해한다. 이는 초기시로부터 후기시에 이르기까지 변하지 않은 법칙이었다. 단지 초기시에서는 서구의 신화가 선택되었고, 그 양상이 갈등과 대립으로 드러났다는 점이 중·후기시와 다를 뿐이다. 설화나 신화의 시간은 과거의 시간이며, 그 공간 역시 비실재적인 초월공간을 지향한다. 이런 점에서 서정주시는 시종일관 현실 문제와 일정한 거리를 두고 있었다고 볼 수 있다.

그의 시 중에서 비교적 '대상성'[20]이 두드러진 작품이라 인정되는 『서정주 시선』(1956)의 「국화 옆에서」까지도 초월적 우주론에 바탕을 두고 있다는 점이 이를 잘 대변해 준다. 「국화 옆에서」에는 주체가 '국화꽃'을 순수한 인식 대상으로 상정하고 있는 것처럼 보이기도 하고, 어떤 구체적인 설화가 등장하지도 않는다. 그럼에도 불구하고 거기에는 소쩍새에 얽힌 설화적 변용이 보여지고, 우주 탄생의 세계관이 겹쳐지고 있다. 그리고 이러한 매개 설화의 시간과 공간 속에서 주체는 "머언 먼 젊음의 뒤안길에서/인제는 돌아와 거울앞에 선" 내 누님처럼 자신의 타자를 관조하고 또 화해한다. 이는 「귀촉도」에서 "그대 하는 끝호을로 가신 님"으로 표상된, 애절하지만 절제된 비애의 세계보다도 한 걸음 더 나아간 주체 회복의 시라 할 수 있다.

이처럼 서정주의 중·후기시는 타자와의 화해를 통해 현실과 인생에 대한 긍정적 자세를 취하고 있다. 이제 그는 모든 세상사를 "괜찮타, …

---

20 사르트르의 현상학적 존재론에서 대상성은 그대로 사물성이다. 주체는 대자적(對自的) 존재이고, 대상인 사물은 즉자적(卽自的) 존재이다. (박정자, 위의 글, 114쪽 참조.)

/ 괜찮타, …/ 괜찮타…"(「내리는 눈발 속에서는」)고 받아들이고, "누이의 수(繡)틀 속의 꽃밭을 보듯 / 세상을 보자"(「학(鶴)」)고 말한다. 그러나 그의 시에서 주체와 현실이 균제 상태를 이루는 것도 잠시일 뿐, 그는 곧 순정한 설화의 세계로 빠져들고 만다. 그 결과 그의 시들은 화해의 단계를 넘어 직시적 초월을 지향하며, 심지어 주체의 인격과 설화 속 인물의 인격을 동일시하기까지 한다. 매개항으로서의 설화 모티프가 곧 서정주 시의 모든 것을 대변하는 겹구조를 이루게 된 것이다. 서정주는 설화 모티프 시에 대해, 그리고 그의 시적 여정에 대해 다음과 같이 언급한 바 있다.

> 내게 있어 현실의식이란 목전의 현대만을 상대하는 그것이 아니라 人類史의 과거와 현대와 미래를 전체적으로 상대하는 '역사의식(歷史意識)' 그것인 것이다. 그러고, 이것은 간헐적으로 역사적 기록을 가끔 생각해보는 그런 의식이 아니라 역사의 中流에 처해 있는 것이라는 항시 자각된 의식이다.
> …(중략)…
> 나는 공간의 어느 좁쌀만한 면적에도, 허무를 둘 수 없이 되고 시간의 전체를 선인들과 후손들과 같이 가는 데 여정으로 삼고 있다.[21]

위의 글에서 서정주는 현실의식과 역사의식을 동일 개념으로 생각하고 있다. 그리고 역사의 물결 한가운데에 자신이 처해 있다는 자각이 곧 현실의식이라고 말한다. 그러나 그의 원대한 구상처럼 그의 시가 역사의 격랑 한가운데서 힘차게 노젓기를 했다고 볼 수는 없다. 시 텍스

---

21 『현대문학』, 1964. 9월호, 38쪽.

트의 독서 과정에서 만나는 그의 역사는 결국 설화의 세계로 귀착되고
있었던 것이다. 설화는 그에게 있어 역사라기보다 일종의 종교였던 셈
이고, 주체와 타자의 매개를 통한 자기 위안의 장에 다름 아니었다. 그
러므로 『귀촉도』, 『신라초』, 『동천』, 『질마재 신화』를 관통하고 있는 그
의 설화 모티프에는 고대정신과 신라정신으로 대표되는 또 다른 타자
가 주체를 반사하고 있다고 볼 수 있다.

> 천길 땅밑을 검은 물론 흐르거나
> 도솔천의 하늘을 구름으로 날드래도
> 그건 결국 도련님 곁 아니예요?
>
> ─ 「춘향유문(春香遺文)」 일부

> 꽃아. 아침마다 개벽(開闢)하는 꽃아.
> 네가 좋기는 제일 좋아도,
> 물낯바닥에 얼굴이나 비취는
> 헤엄도 모르는 아이와 같이
> 나는 네 닫힌 門에 기대 섰을 뿐이다.
>
> ─ 「꽃밭의 독백(獨白)─사소 단장(娑蘇 斷章)」 일부

이 시들은 '춘향(春香)'과 박혁거세의 어머니인 '사소(娑蘇)'의 목소
리로 읊어지고 있다. 그리고 그 목소리를 통해 근원설화의 이데아였던
순환론적 윤회설과 영생의 의미를 설파한다. 따라서 담론 수행자로서
의 우리는 이 텍스트들 속에서 '춘향'과 '사소'의 주체로 다시 현신하게
될 것이고, 주체의 타자를 만나는 대신 춘향과 사소의 타자를 만나게
될 것이다. 그러므로 주체는 불가시(不可視)의 세계 속에서 공허한 허

공을 떠돌 수밖에 없다. 이는 이들 시에서 보여지는 형식적 아름다움이나 상징 수법의 완성도에 대한 평가와는 별개의 사안이다.

이러한 논의 과정에서 필연적으로 부딪칠 수밖에 없는 마지막 과제가 서정주 시의 서정적 상상력에 관한 일이다. 그리고 그 상상력의 정체 또한 타자와 설화 모티브의 차원에서 밝혀야 한다는 일이다. 서정시의 담론 주체가 실제적이고 개별적인 체험 방식을 따른다면, 타자는 항상 원초적이고 집단적인 체험 방식에 의존한다. 서정성은 곧 이 양자 사이의 갈등과 대립, 그리고 그 해소의 과정에서 파생된다고 할 수 있다. 슈타이거는 서정시를 주체와 대상이 서로를 왜곡, 변모시키는 상호 침투의 양식이라 규정한다. 나아가, 상호 침투로 인한 주체와 대상 사이의 간격 부재 현상이 곧 서정성이며, 이 간격을 메워 주는 것을 '회상'이라 부른다.[22] 슈타이거의 '회상'은 라캉의 '타자'와 개념상의 유사성을 갖는다고 할 수 있다. 이런 점에서 서정주 시는 우선 서정시의 본령에 충실해 있다.

그러나 문제는 서정주의 시에서 주체가 가시적인 대상과 상호 침투하지 않고, 불가시적인 설화 세계와 간격 부재를 이룬다는 점에 있다. 이는 다시 말해, 설화 모티프가 그의 시에 서정성을 형성시키지만, 역으로 서정성 역시 설화 모티프에 영향을 미쳐 원형으로서의 설화가 아닌, 설화시 또는 구전서사시로서의 성격을 갖게 하는 것으로 생각된다. 필자는 이를 에포스(epos)적 상상력이라 부르고자 한다. 지금까지 논의하여 왔던 「화사」가 그렇고, 「견우(牽牛)의 노래」, 「춘향유문(春香遺文)」 등이 그렇다. 따라서 서정주의 시에 대해 즉물적 서정시라기보다는 에포스적 서정시라는 의미 부여가 가능해진다. 물론, 여기서 말하는

---

22 E. Staiger, 오현일·이유영 공역, 『시학의 근본 개념』 삼중당, 1978, 72쪽.

에포스는 서사시라는 장르 개념으로 쓰일 수 없다. 단지, 설화세계를 모티프로 하고 그 세계를 서정성에 의해 재구성하고자 하는 담론 양상이 구전서사시와 유사한 상상력에 의해 매개되고 있음을 말한다.

5. 맺음말

서정주 시에 대한 기존의 연구들은 대체로 초기시의 세계를 기독교적 원죄의식과 생명 탐구로, 중·후기시의 세계를 신라정신과 초월적 의지로 규정하고 있다. 시세계의 변화에 대한 이러한 해석과 평가는 물론 타당성을 갖는다. 그러나 대부분의 연구들이 서정주 시의 변화에만 관심을 둔 나머지 텍스트 내에서 그러한 변화를 주도하는 동인을 밝히거나, 또 그러한 변화에도 불구하고 서정주 시에 일관되게 관통하고 있는 텍스트성을 추출하는 데는 소홀하였던 듯 하다. 따라서 필자는 이러한 문제를 '타자성'의 차원에서 검토하여 보았다. 즉 '주체/타자'의 기호체계 분석을 통해 담론 양상과 상상력의 문제를 논의함으로써 서정주 시의 문학성을 해명하고자 하였다.

서정주 시에 있어서 에포스라는 액자화된 세계는 서정성의 근원이기도 하고, 또한 그 귀착점이기도 하다. 『화사집』의 시적 서정은 창세신화라는 에포스의 세계에 그 뿌리를 내리고 있어서 주체와 타자가 심각한 대립과 갈등 양상을 보인다고 할 수 있다. 창세신화는 인간 원죄에 대한 인식의 소산이며, 그 인식은 인류의 공동심상과 상상력에 기반을 두고 서정성을 산출한다. 따라서 이 시기의 서정주 시에서는 인간 본능의 원초체험, 즉 타자성이 시적 서정의 중심에 자리한다. 반면 『귀촉도』이후의 시에서는 오히려 에포스의 세계가 서정성의 최종 거점으로 설정되어 있으며, 타자성의 약화와 함께 주체의 자기동일시가 강화된다. 이 경우에는 무엇보다도 주체가 설화의 집약된 이념에 적극적으로 참여하여 설화 속의 인물과 매개를 이루고, 그 인물이 빚어내는 내적 갈등과 함께 교감하여야 한다. 따라서 이 시기의 시적 서정은 에포스와의 정합성이 강하게 요구될 수밖에 없었던 것이다.

결국 서정주 시인은 현실세계보다는 에포스의 세계에서 리리시즘의 육체를 불꽃처럼 살라 왔으며, 주체로서 그리고 타자로서 기나긴 시의 여정을 떠돌아 왔던 셈이다. 그가 스스로를 '떠돌이'라 부른 이유가 여기에 있다. 또한 담론 수행자이자 독서 주체인 독자는 시인이 마련해 둔 형이상학의 질서 속에서 끊임없이 '타자의 자화상'을 읽어 왔던 셈이기도 하다.

한국 현대시 담론 읽기

초판1쇄 찍은 날 | 2020년 12월 8일
초판1쇄 펴낸 날 | 2020년 12월 10일

지은이 | 김동근
펴낸이 | 송광룡
펴낸곳 | 문학들
등록 | 2005년 8월 24일 제 2005 1-2호
주소 | 61489 광주광역시 동구 천변우로 487(학동) 2층
전화 | 062-651-6968
팩스 | 062-651-9690
전자우편 | munhakdle@hanmail.net
블로그 | blog.naver.com/munhakdlesimmian
값 15,000원

ISBN 979-11-91277-01-2 03810